#수학은매일매일

#하루6쪽20일완성

#수능준비스타트

#수학기초하루시리즈

하루 수능

Chunjae
Makes
Chunjae

저자	최용준, 해법수학연구회
편집개발	김혜정, 박선영, 민혜경
디자인총괄	김희정
표지디자인	윤순미, 김지현
내지디자인	박희춘, 조유정
제작	황성진, 조규영

발행일	2020년 12월 1일 초판 2020년 12월 1일 1쇄
발행인	(주)천재교육
주소	서울시 금천구 가산로9길 54
신고번호	제2001-000018호
고객센터	1577-0902
교재 내용문의	(02)3282-8859

※ 정답 분실 시에는 천재교육 홈페이지에서 내려받으세요.

시 작 은

하루 수능

수학영역

수학 기초

이 책의 구성과 특징

수능 수학 준비의 시작은 하루 수능!

수능 수학을 처음 접하는 학생들이 혼자서도 단계적으로 공부할 수 있도록 한 수능 수학 입문서입니다.
하루에 6쪽씩, 일주일에 5일, 4주 완성의 체계적인 구성과 부담 없는 분량으로 단기간에 기초를 완성할 수 있도록 하였습니다.

1 이번 주에는 무엇을 공부할까?

한 주 동안 공부할 내용과 관련된 중학 내용을 복습하고 간단한 기초 문제를 풀어 보며 고등수학 개념에 보다 쉽게 다가갈 수 있도록 하였습니다.

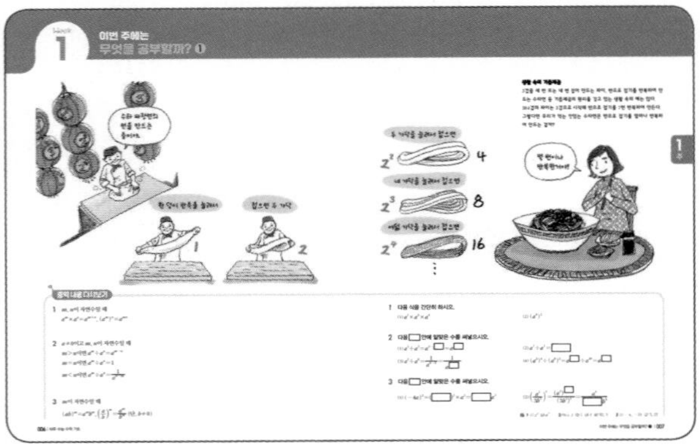

2 핵심 개념 / 개념 확인

문제를 통해 교과서에 나오는 핵심 개념을 체크해 볼 수 있도록 하였습니다.
또 개념 확인 문제로 핵심 개념을 바로 적용해 보고 반복하는 연습을 통해 기초 실력을 탄탄히 할 수 있도록 하였습니다.

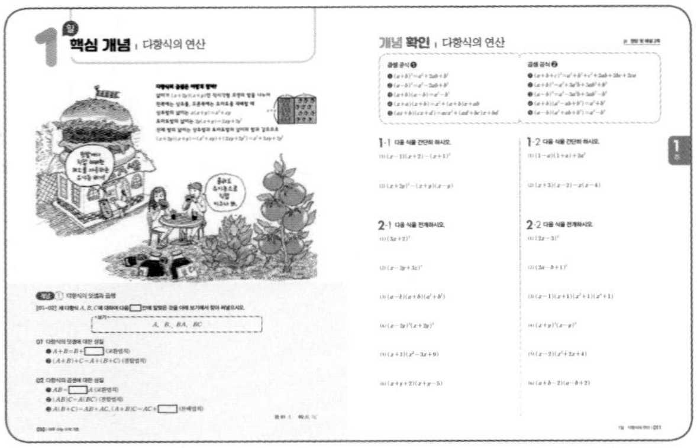

Features

3 기초 유형

교육청, 평가원, 수능에 자주 출제되는 문제를 통해 기출 문제에 대한 감각을 익히고, 쌍둥이 교과서 문제로 비슷한 유형의 문제를 다시 풀어 보면서 실력을 쌓을 수 있도록 하였습니다.

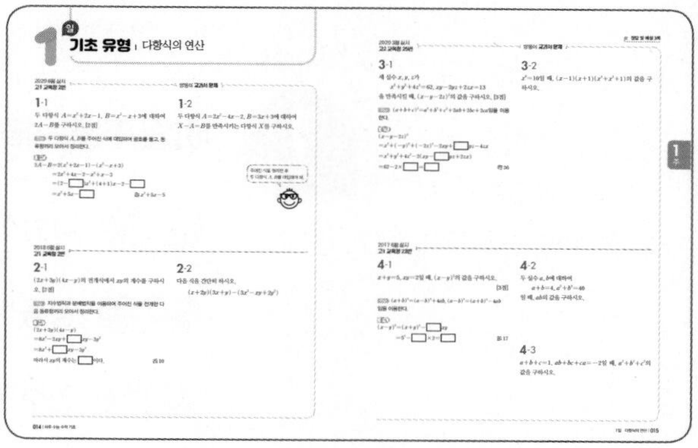

4 누구나 100점 테스트

기초 유형에서 학습한 문제와 유사한 교육청, 평가원, 수능 기출 문제들로 구성하여 각 주에서 학습한 내용을 다시 한 번 정리하고, 자신의 실력을 점검할 수 있도록 하였습니다.

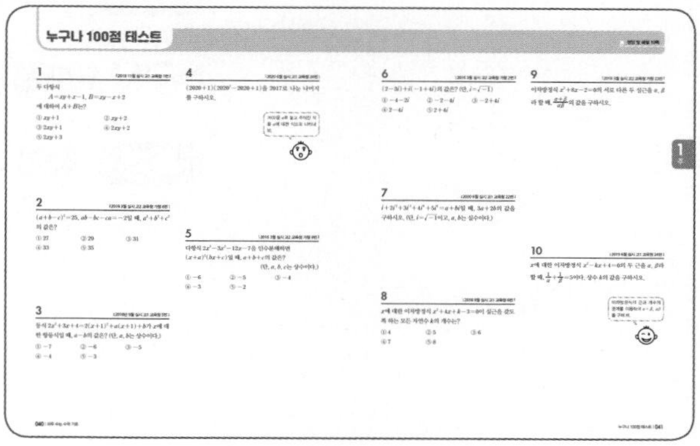

5 창의 · 융합 · 코딩

교육청, 평가원, 수능 기출에서 창의력이 필요한 문제, 복합 유형의 문제를 엄선하여 구성하였습니다.
문제에 쉽게 접근할 수 있도록 문제의 각 조건에 대한 길잡이를 제시함으로써 문제 해결력을 키울 수 있도록 하였습니다.

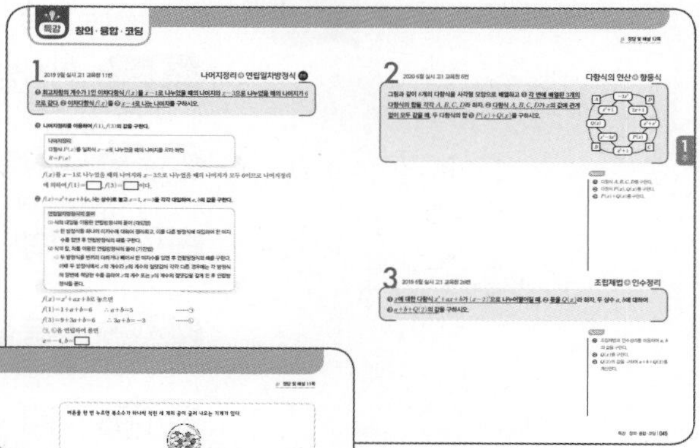

이 책의 차례

Contents

Week 1

이번 주에는 무엇을 공부할까? ①

중학 내용 다시보기

1 m, n이 자연수일 때

$a^m \times a^n = a^{m+n}$, $(a^m)^n = a^{mn}$

2 $a \neq 0$이고 m, n이 자연수일 때

$m > n$이면 $a^m \div a^n = a^{m-n}$

$m = n$이면 $a^m \div a^n = 1$

$m < n$이면 $a^m \div a^n = \dfrac{1}{a^{n-m}}$

3 m이 자연수일 때

$(ab)^m = a^m b^m$, $\left(\dfrac{a}{b}\right)^m = \dfrac{a^m}{b^m}$ (단, $b \neq 0$)

생활 속의 거듭제곱

3겹을 세 번 또는 네 번 접어 만드는 파이, 반으로 접기를 반복하여 만드는 수타면 등 거듭제곱의 원리를 갖고 있는 생활 속의 예는 많다. 384겹의 파이는 3겹으로 시작해 반으로 접기를 7번 반복하여 만든다. 그렇다면 우리가 먹는 맛있는 수타면은 반으로 접기를 얼마나 반복하여 만드는 걸까?

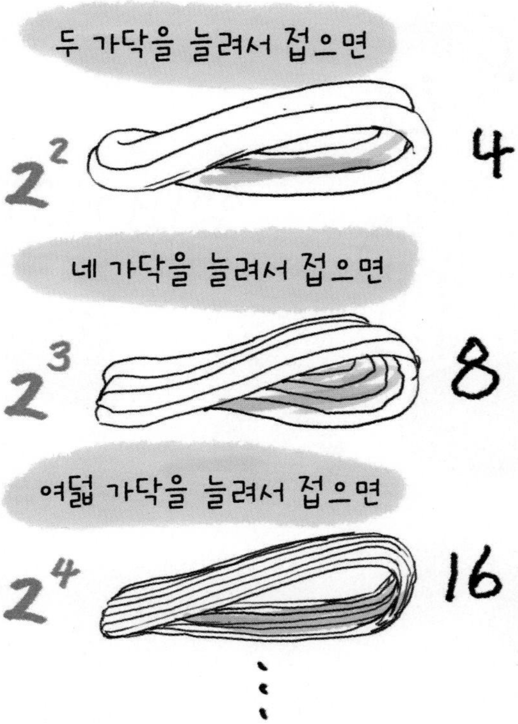

1주

1 다음 식을 간단히 하시오.

(1) $a^2 \times a^3 \times a^4$

(2) $(a^6)^2$

2 다음 $\square$ 안에 알맞은 수를 써넣으시오.

(1) $a^5 \div a^3 = a^{5-\square} = a^{\square}$

(2) $a^7 \div a^7 = \square$

(3) $a^2 \div a^6 = \frac{1}{a^{6-2}} = \frac{1}{a^{\square}}$

(4) $(a^5)^4 \div (a^6)^3 = a^{\square} \div a^{18} = a^{\square}$

3 다음 $\square$ 안에 알맞은 수를 써넣으시오.

(1) $(-4a)^3 = (\square)^3 \times a^3 = \square a^3$

(2) $\left(\frac{a^2}{3b^3}\right)^3 = \frac{(a^2)^{\square}}{(3b^3)^3} = \frac{a^6}{\square b^9}$

답 **1** (1) a^9 (2) a^{12} **2** (1) 3, 2 (2) 1 (3) 4 (4) 20, 2 **3** (1) -4, -64 (2) 3, 27

중학 내용 다시보기

4 하나의 다항식을 두 개 이상의 다항식의 곱으로 나타낼 때, 각각의 다항식을 처음 다항식의 인수라 한다. 또 하나의 다항식을 두 개 이상의 인수의 곱으로 나타내는 것을 그 다항식을 인수분해한다고 한다.

$$x^2+3x+2 \underset{\text{전개}}{\overset{\text{인수분해}}{\rightleftarrows}} \underbrace{(x+1)(x+2)}_{\text{인수}}$$

5 다항식의 인수분해

❶ $ma+mb=m(a+b)$

❷ $a^2+2ab+b^2=(a+b)^2$, $a^2-2ab+b^2=(a-b)^2$

❸ $a^2-b^2=(a+b)(a-b)$

❹ $x^2+(a+b)x+ab=(x+a)(x+b)$

❺ $acx^2+(ad+bc)x+bd=(ax+b)(cx+d)$

1
주

4 다음 식을 인수분해하시오.

(1) $x^2+12x+36$

(2) $4a^2+20ab+25b^2$

5 다음 식을 인수분해하시오.

(1) x^2-4

(2) $9x^2-16y^2$

6 다음 $\square$ 안에 알맞은 것을 써넣으시오.

(1) $x^2-x-2=(x+\square)(x-2)$

(2) $x^2-3xy-18y^2=(x+3y)(x-\square)$

(3) $3x^2+5x-2=(x+2)(\square-1)$

(4) $5x^2-11xy+2y^2=(x-\square)(5x-y)$

답 **4** (1) $(x+6)^2$ (2) $(2a+5b)^2$ **5** (1) $(x+2)(x-2)$ (2) $(3x+4y)(3x-4y)$ **6** (1) 1 (2) $6y$ (3) $3x$ (4) $2y$

1일 핵심 개념 | 다항식의 연산

다항식의 곱셈은 어떻게 할까?

넓이가 $(x+2y)(x+y)$인 직사각형 모양의 밭을 나누어
왼쪽에는 상추를, 오른쪽에는 토마토를 재배할 때
상추밭의 넓이는 $x(x+y)=x^2+xy$
토마토밭의 넓이는 $2y(x+y)=2xy+2y^2$
전체 밭의 넓이는 상추밭과 토마토밭의 넓이의 합과 같으므로
$(x+2y)(x+y)=(x^2+xy)+(2xy+2y^2)=x^2+3xy+2y^2$

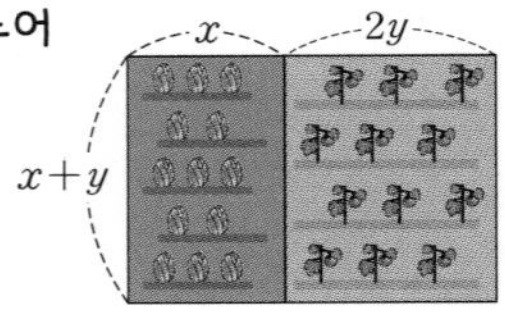

개념 ① 다항식의 덧셈과 곱셈

[01~02] 세 다항식 A, B, C에 대하여 다음 ☐ 안에 알맞은 것을 아래 보기에서 찾아 써넣으시오.

보기

$A,\ B,\ BA,\ BC$

01 다항식의 덧셈에 대한 성질

❶ $A+B=B+$ ☐ (교환법칙)

❷ $(A+B)+C=A+(B+C)$ (결합법칙)

02 다항식의 곱셈에 대한 성질

❶ $AB=$ ☐ A (교환법칙)

❷ $(AB)C=A(BC)$ (결합법칙)

❸ $A(B+C)=AB+AC$, $(A+B)C=AC+$ ☐ (분배법칙)

답 **01** A **02** B, BC

개념 확인 | 다항식의 연산

정답 및 해설 2쪽

곱셈 공식 ❶

❶ $(a+b)^2=a^2+2ab+b^2$
❷ $(a-b)^2=a^2-2ab+b^2$
❸ $(a+b)(a-b)=a^2-b^2$
❹ $(x+a)(x+b)=x^2+(a+b)x+ab$
❺ $(ax+b)(cx+d)=acx^2+(ad+bc)x+bd$

곱셈 공식 ❷

❶ $(a+b+c)^2=a^2+b^2+c^2+2ab+2bc+2ca$
❷ $(a+b)^3=a^3+3a^2b+3ab^2+b^3$
❸ $(a-b)^3=a^3-3a^2b+3ab^2-b^3$
❹ $(a+b)(a^2-ab+b^2)=a^3+b^3$
❺ $(a-b)(a^2+ab+b^2)=a^3-b^3$

1-1 다음 식을 간단히 하시오.

(1) $(x-1)(x+2)-(x+1)^2$

(2) $(x+2y)^2-(x+y)(x-y)$

1-2 다음 식을 간단히 하시오.

(1) $(1-a)(1+a)+2a^2$

(2) $(x+3)(x-2)-x(x-4)$

2-1 다음 식을 전개하시오.

(1) $(3x+2)^3$

(2) $(x-2y+3z)^2$

(3) $(a-b)(a+b)(a^2+b^2)$

(4) $(x-2y)^3(x+2y)^3$

(5) $(x+3)(x^2-3x+9)$

(6) $(x+y+2)(x+y-5)$

2-2 다음 식을 전개하시오.

(1) $(2x-3)^3$

(2) $(2a-b+1)^2$

(3) $(x-1)(x+1)(x^2+1)(x^4+1)$

(4) $(x+y)^3(x-y)^3$

(5) $(x-2)(x^2+2x+4)$

(6) $(a+b-2)(a-b+2)$

1일 핵심 개념 | 다항식의 연산

다항식의 나눗셈은 어떻게 할까?

어느 과수원에서 배 345개를 수확하여 한 상자에 6개씩 담아 판매하려고 할 때, 만들 수 있는 상자의 개수와 그때 남은 배의 개수를 알아보자.

345를 6으로 나누면 몫은 57, 나머지는 3이므로 한 상자에 6개씩 담으면 57상자를 만들 수 있고, 배 3개가 남는다.

$$\begin{array}{r} 57 \\ 6\,\overline{)\,345} \\ \underline{30} \\ 45 \\ \underline{42} \\ 3 \end{array}$$

57 ← 몫, 30 ← 6×5, 42 ← 6×7, 3 ← 나머지

개념 ② 곱셈 공식의 변형

[03~04] 다음 ☐ 안에 알맞은 것을 아래 보기에서 찾아 써넣으시오.

> 보기
>
> $a+b,\quad a-b,\quad ab$

03 $a^2+b^2=(\boxed{})^2-2ab=(a-b)^2+2ab$

04 $a^3+b^3=(a+b)^3-3ab(a+b)$, $a^3-b^3=(\boxed{})^3+3ab(a-b)$

개념 ③ 다항식의 나눗셈

[05~06] 다음 ( ) 안에 주어진 것 중 옳은 것을 고르시오.

05 다항식 A를 다항식 $B\,(B\neq0)$로 나누었을 때의 몫을 Q, 나머지를 R라 하면 $A=BQ+(\,R,\ BR\,)$가 성립한다. 이때 R의 차수는 B의 차수보다 작다. 특히 $R=(\,0,\ 1\,)$이면 A는 B로 나누어떨어진다고 한다.

06 다항식을 일차식으로 나눌 때, (계수, 일차항)만 사용하여 몫과 나머지를 구하는 방법을 조립제법이라 한다.

답 **03** $a+b$ **04** $a-b$ **05** R, 0 **06** 계수

개념 확인 | 다항식의 연산

정답 및 해설 2쪽

곱셈 공식의 변형

❶ $a^2+b^2=(a+b)^2-2ab=(a-b)^2+2ab$

$a^2+\frac{1}{a^2}=\left(a+\frac{1}{a}\right)^2-2=\left(a-\frac{1}{a}\right)^2+2$

❷ $a^3+b^3=(a+b)^3-3ab(a+b)$

$a^3-b^3=(a-b)^3+3ab(a-b)$

❸ $a^2+b^2+c^2=(a+b+c)^2-2(ab+bc+ca)$

조립제법

다항식 x^3-2x^2-x+3을 $x-2$로 나누었을 때의 몫과 나머지를 조립제법을 이용하여 구하면 다음과 같다.

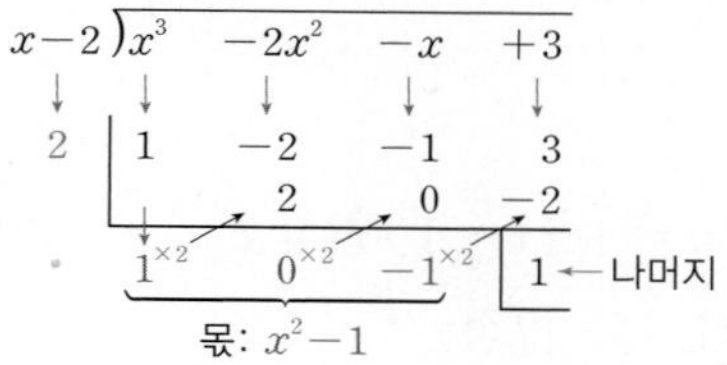

3-1 $x+y=2$, $xy=-1$일 때, 다음 식의 값을 구하시오.

(1) x^2+y^2

(2) x^3+y^3

(3) $x-y$

(4) x^2-y^2

3-2 $x-y=2$, $xy=-1$일 때, 다음 식의 값을 구하시오.

(1) x^2+y^2

(2) x^3-y^3

(3) $x+y$

(4) x^2-y^2

4-1 $x+\frac{1}{x}=4$일 때, 다음 식의 값을 구하시오.

(1) $x^2+\frac{1}{x^2}$

(2) $x^3+\frac{1}{x^3}$

4-2 $a-\frac{1}{a}=1$일 때, 다음 식의 값을 구하시오.

(1) $a^2+\frac{1}{a^2}$

(2) $a+\frac{1}{a}$

5-1 조립제법을 이용하여 다음 나눗셈의 몫과 나머지를 구하시오.

(1) $(x^3-4x^2+8)\div(x-3)$

(2) $(2x^3+3x^2-3x+1)\div(2x+1)$

5-2 조립제법을 이용하여 다음 나눗셈의 몫과 나머지를 구하시오.

(1) $(x^3-3x^2+1)\div(x+2)$

(2) $(3x^3-7x^2-3x)\div(3x+2)$

1주

1^일 기초 유형 | 다항식의 연산

2020 6월 실시
고1 교육청 2번

1-1

두 다항식 $A=x^2+2x-1$, $B=x^2-x+3$에 대하여 $2A-B$를 구하시오. [2점]

> **Tip** 두 다항식 A, B를 주어진 식에 대입하여 괄호를 풀고, 동류항끼리 모아서 정리한다.

풀이

$2A-B=2(x^2+2x-1)-(x^2-x+3)$

$\quad\quad\quad =2x^2+4x-2-x^2+x-3$

$\quad\quad\quad =(2-\boxed{})x^2+(4+1)x-2-\boxed{}$

$\quad\quad\quad =x^2+5x-\boxed{}$

답 x^2+5x-5

쌍둥이 교과서 문제

1-2

두 다항식 $A=2x^2-4x-2$, $B=3x+3$에 대하여 $X-A=B$를 만족시키는 다항식 X를 구하시오.

> 주어진 식을 정리한 후 두 다항식 A, B를 대입해야 해.

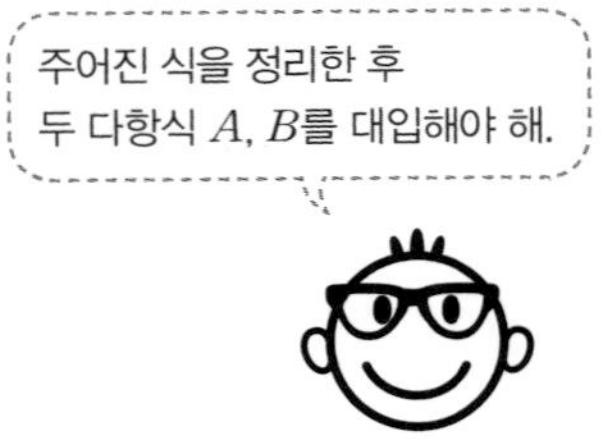

2018 6월 실시
고1 교육청 2번

2-1

$(2x+3y)(4x-y)$의 전개식에서 xy의 계수를 구하시오. [2점]

> **Tip** 지수법칙과 분배법칙을 이용하여 주어진 식을 전개한 다음 동류항끼리 모아서 정리한다.

풀이

$(2x+3y)(4x-y)$

$=8x^2-2xy+\boxed{}xy-3y^2$

$=8x^2+\boxed{}xy-3y^2$

따라서 xy의 계수는 $\boxed{}$이다.

답 10

2-2

다음 식을 간단히 하시오.

$$(x+2y)(3x+y)-(3x^2-xy+2y^2)$$

2020 3월 실시
고2 교육청 25번

쌍둥이 교과서 문제

3-1

세 실수 x, y, z가

$$x^2+y^2+4z^2=62,\ xy-2yz+2zx=13$$

을 만족시킬 때, $(x-y-2z)^2$의 값을 구하시오. [3점]

Tip $(a+b+c)^2=a^2+b^2+c^2+2ab+2bc+2ca$임을 이용한다.

풀이

$(x-y-2z)^2$

$=x^2+(-y)^2+(-2z)^2-2xy+\square yz-4zx$

$=x^2+y^2+4z^2-2(xy-\square yz+2zx)$

$=62-2\times\square=\square$

답 36

3-2

$x^6=10$일 때, $(x-1)(x+1)(x^4+x^2+1)$의 값을 구하시오.

2017 6월 실시
고1 교육청 23번

4-1

$x+y=5$, $xy=2$일 때, $(x-y)^2$의 값을 구하시오. [3점]

Tip $(a+b)^2=(a-b)^2+4ab$, $(a-b)^2=(a+b)^2-4ab$임을 이용한다.

풀이

$(x-y)^2=(x+y)^2-\square xy$

$=5^2-\square\times 2=\square$

답 17

4-2

두 실수 a, b에 대하여

$$a+b=4,\ a^3+b^3=40$$

일 때, ab의 값을 구하시오.

4-3

$a+b+c=1$, $ab+bc+ca=-2$일 때, $a^2+b^2+c^2$의 값을 구하시오.

2일 핵심 개념 | 항등식과 나머지정리

개념 ① **항등식의 성질**

[01~02] 다음 ☐ 안에 알맞은 것을 아래 보기에서 찾아 써넣으시오.

보기

$0,\ 1,\ a,\ a'$

01 $ax^2+bx+c=0$이 x에 대한 항등식이면 $a=0, b=0, c=$ ☐ 이다.

02 $ax^2+bx+c=a'x^2+b'x+c'$이 x에 대한 항등식이면 $a=$ ☐ , $b=b', c=c'$이다.

개념 ② **미정계수법**

[03~04] 다음 (　　) 안에 주어진 것 중 옳은 것을 고르시오.

03 양변의 계수를 비교하여 미지의 계수를 정하는 방법을 (계수비교법, 수치대입법)이라 한다.

04 등식의 문자에 적당한 수를 대입하여 미지의 계수를 정하는 방법을 (계수비교법, 수치대입법)이라 한다.

답 **01** 0　**02** a'　**03** 계수비교법　**04** 수치대입법

개념 확인 | 항등식과 나머지정리

정답 및 해설 4쪽

항등식의 성질

❶ $ax^2+bx+c=0$이 x에 대한 항등식이면 $a=0$, $b=0$, $c=0$이다.
또 $a=0$, $b=0$, $c=0$이면 $ax^2+bx+c=0$은 x에 대한 항등식이다.

❷ $ax^2+bx+c=a'x^2+b'x+c'$이 x에 대한 항등식이면 $a=a'$, $b=b'$, $c=c'$이다.
또 $a=a'$, $b=b'$, $c=c'$이면 $ax^2+bx+c=a'x^2+b'x+c'$은 x에 대한 항등식이다.

1-1 다음 등식이 x에 대한 항등식이 되게 하는 상수 a, b, c의 값을 구하시오.

(1) $x^2+ax+4=bx^2+3x-c$

(2) $(a+2)x^2+(4-b)x-c+2=0$

(3) $x^3+ax+b=(x-1)^2(x+c)$

(4) $a(x-1)^2+b(x-1)+c=2x^2-3x+4$

1-2 다음 등식이 x에 대한 항등식이 되게 하는 상수 a, b, c, d의 값을 구하시오.

(1) $x^2+ax-3=(x+3)(x+b)$

(2) $ax^3+bx^2+cx+d=x(x-1)(x-2)$

(3) $x^3+ax^2+bx+2=x(x^2+1)+c$

(4) $ax(x-1)(x+1)+b(x-1)(x+1)+x+1+c$
$=x^3-2x^2$

2-1 다음 등식이 x, y에 대한 항등식이 되게 하는 상수 a, b의 값을 구하시오.

(1) $(a+2b)x+(2a+b)y=2x+y$

(2) $a(x+2y)+b(x+3y)=3x+4y$

2-2 다음 등식이 x, y에 대한 항등식이 되게 하는 상수 a, b, c의 값을 구하시오.

(1) $ax^2+10xy-3y^2=(4x+by)(cx+3y)$

(2) $a(x+y)+b(x-y)+2=3x-5y+c$

2일 핵심 개념 | 항등식과 나머지정리

식을 직접 나누지 않고 나머지를 구할 수 있을까?

368개의 쿠키를 5개의 상자에 나누어 담을 때, 직접 나누어보지 않아도 3개의 쿠키가 남는다는 것을 알 수 있다.
'5의 배수는 일의 자리의 수가 0 또는 5이다.'라는 성질을 이용하면 일의 자리의 수가 8인 수는 5로 나누었을 때의 나머지가 3임을 알 수 있다.

개념 ③ 나머지정리와 인수정리

[05~08] 다항식 $P(x)$에 대하여 다음 ( ) 안에 주어진 것 중 옳은 것을 고르시오.

05 $P(x)$를 일차식 $x-a$로 나누었을 때의 나머지를 R라 하면 $R=(\ P(a),\ P(-a)\ )$이다.

06 $P(x)$를 일차식 $ax+b$로 나누었을 때의 나머지를 R라 하면 $R=\left(\ P\left(-\frac{b}{a}\right),\ P(-b)\ \right)$이다.

07 $P(x)$가 일차식 $x-a$로 나누어떨어지면 $P(a)=(\ 0,\ 1\ )$이다.

08 $P(a)=(\ 0,\ 1\ )$이면 $P(x)$는 일차식 $x-a$로 나누어떨어진다.

답 **05** $P(a)$ **06** $P\left(-\frac{b}{a}\right)$ **07** 0 **08** 0

개념 확인 | 항등식과 나머지정리

정답 및 해설 4쪽

나머지정리

다항식 $P(x)$를 일차식 $x-\alpha$로 나누었을 때의 나머지 R는 $R=P(\alpha)$

몫과 나머지를 구할 때 ➡ 직접 나누기 또는 조립제법

나머지만을 구할 때 ➡ 나머지정리

인수정리

다항식 $P(x)$가 일차식 $x-\alpha$로 나누어떨어지면 $P(\alpha)=0$

참고 다음은 모두 같은 의미이다.

❶ $P(x)$는 $x-\alpha$로 나누어떨어진다.

❷ $P(x)$를 $x-\alpha$로 나누었을 때의 나머지가 0이다.

❸ $P(\alpha)=0$

❹ $P(x)$는 $x-\alpha$를 인수로 갖는다.

3-1 다음 다항식을 ( ) 안의 일차식으로 나누었을 때의 나머지를 구하시오.

(1) $2x^2+4x-3$ $\quad(x-1)$

(2) x^3-2x^2-6x+1 $\quad(x+2)$

(3) $2x^3+x^2-5x-3$ $\quad(2x-1)$

3-2 다항식 $P(x)=x^3-3x^2+4$를 다음 일차식으로 나누었을 때의 나머지를 구하시오.

(1) $x+3$

(2) $x-2$

(3) $2x+1$

4-1 다음 각각의 $f(x)$, $g(x)$에 대하여 $f(x)$가 $g(x)$로 나누어떨어지도록 하는 상수 a의 값을 구하시오.

(1) $f(x)=x^2-2x+a$, $g(x)=x-1$

(2) $f(x)=x^3-ax+2$, $g(x)=x+2$

(3) $f(x)=3x^2-(a+1)x-a$, $g(x)=3x+1$

4-2 다음 각각의 $f(x)$, $g(x)$에 대하여 $f(x)$가 $g(x)$로 나누어떨어지도록 하는 상수 a의 값을 구하시오.

(1) $f(x)=x^3-ax+2$, $g(x)=x-2$

(2) $f(x)=x^3-ax^2-5x-6$, $g(x)=x+1$

(3) $f(x)=ax^3-2x^2-12x+8$, $g(x)=3x-2$

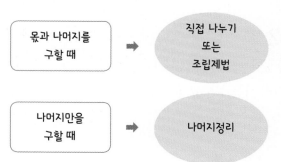

2일 기초 유형 | 항등식과 나머지정리

2019 6월 실시
고1 교육청 5번

쌍둥이 교과서 문제

1-1

모든 실수 x에 대하여 등식

$$x^2+5x+a=(x+4)(x+b)$$

가 성립할 때, $a+b$의 값을 구하시오.

(단, a, b는 상수이다.) [3점]

Tip 등식의 우변을 전개하여 양변의 동류항의 계수를 비교한다.

풀이

주어진 등식의 우변을 전개하여 정리하면

$x^2+5x+a=x^2+(4+b)x+4b$에서

$\square=4+b$, $a=4b$ $\quad\therefore a=4$, $b=\square$

$\therefore a+b=\square$

답 5

1-2

등식 $x^2+ax+b=(x-2)(x+5)$가 x에 대한 항등식이 되게 하는 상수 a, b의 값을 구하시오.

2020 9월 실시
고1 교육청 6번

2-1

등식 $a(x+1)^2+b(x-1)^2=5x^2-2x+5$가 x에 대한 항등식일 때, 두 상수 a, b의 곱 ab의 값을 구하시오.

[3점]

Tip 미정계수의 개수만큼 x에 적당한 수를 대입한다.

풀이

양변에 $x=\square$을 대입하면

$4a=8 \quad\therefore a=2$

양변에 $x=-1$을 대입하면

$4b=\square \quad\therefore b=\square$

$\therefore ab=\square$

답 6

2-2

등식 $a(x-1)^2+b(x-1)+c=x^2+4x-3$이 x에 대한 항등식이 되게 하는 상수 a, b, c의 값을 구하시오.

정답 및 해설 5쪽

2017 6월 실시
고1 교육청 3번

쌍둥이 교과서 문제

3-1

x에 대한 다항식 x^3+3x^2+a를 $x-1$로 나눈 나머지가 7일 때, 상수 a의 값을 구하시오. [2점]

Tip 다항식 $P(x)$를 $x-\alpha$로 나누었을 때의 나머지는 $P(\alpha)$이다.

풀이

$P(x)=x^3+3x^2+a$로 놓으면

$P(x)$를 $x-1$로 나누었을 때의 나머지가 7이므로

$P(1)=\square$

$1+3+a=\square$ $\therefore a=\square$

답 3

3-2

다항식 $P(x)=x^3+2x^2+a$를 일차식 $2x+1$로 나누었을 때의 나머지가 1일 때, 상수 a의 값을 구하시오.

1주

2018 9월 실시
고1 교육청 23번

4-1

x에 대한 다항식 x^3-2x-a가 $x-2$로 나누어떨어지도록 하는 상수 a의 값을 구하시오. [3점]

Tip 다항식 $P(x)$가 $x-\alpha$로 나누어떨어지면 $P(\alpha)=0$이다.

풀이

$P(x)=x^3-2x-a$로 놓으면

$P(x)$가 $x-2$로 나누어떨어지므로

$P(2)=\square$

$8-4-a=\square$ $\therefore a=\square$

답 4

4-2

다음 중 다항식 x^3-3x^2-x+3의 인수인 것을 모두 찾으시오.

$x-1,\ x+1,\ x-2,\ x+2,\ x-3,\ x+3$

4-3

다항식 $P(x)=x^3-2x^2-5x+a$가 $x-3$으로 나누어떨어질 때, 상수 a의 값을 구하시오.

3일 핵심 개념 | 인수분해

자율 학습실의 가로의 길이는?

오른쪽 그림은 어느 학교 기숙사의 1층 평면도이다.

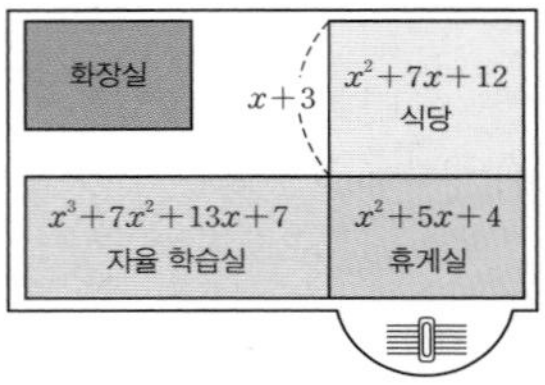

자율 학습실, 휴게실, 식당의 바닥은 모두 직사각형 모양이고, 그 넓이는 각각
$x^3+7x^2+13x+7$, x^2+5x+4,
$x^2+7x+12$이다.
식당의 세로의 길이가 $x+3$일 때
$x^2+7x+12=(x+3)(x+4)$
$x^2+5x+4=(x+4)(x+1)$
$x^3+7x^2+13x+7=(x+1)(x^2+6x+7)$
이므로 자율 학습실의 가로의 길이는
x^2+6x+7

개념 ① 인수분해

[01~05] 다음 (　　) 안에 주어진 것 중 옳은 것을 고르시오.

01 하나의 다항식을 두 개 이상의 다항식의 곱으로 나타내는 것을 (곱셈정리, 인수분해)라 한다.

02 다항식을 인수분해했을 때, 곱을 이루는 각각의 다항식을 처음 다항식의 (인수, 약수)라 한다.

03 $a^2+b^2+c^2-2ab-2bc+2ca$를 인수분해하면 ($(a-b+c)^2$, $(a-b-c)^2$)이다.

04 a^3-3a^2+3a-1을 인수분해하면 ($(a+1)^3$, $(a-1)^3$)이다.

05 a^3+1을 인수분해하면 ($(a+1)(a^2-a+1)$, $(a-1)(a^2+a+1)$)이다.

답 **01** 인수분해 **02** 인수 **03** $(a-b+c)^2$ **04** $(a-1)^3$ **05** $(a+1)(a^2-a+1)$

개념 확인 | 인수분해

정답 및 해설 5쪽

인수분해 공식 ❶

❶ $a^2+2ab+b^2=(a+b)^2$
❷ $a^2-2ab+b^2=(a-b)^2$
❸ $a^2-b^2=(a+b)(a-b)$
❹ $x^2+(a+b)x+ab=(x+a)(x+b)$
❺ $acx^2+(ad+bc)x+bd=(ax+b)(cx+d)$

인수분해 공식 ❷

❶ $a^2+b^2+c^2+2ab+2bc+2ca=(a+b+c)^2$
❷ $a^3+3a^2b+3ab^2+b^3=(a+b)^3$
❸ $a^3-3a^2b+3ab^2-b^3=(a-b)^3$
❹ $a^3+b^3=(a+b)(a^2-ab+b^2)$
❺ $a^3-b^3=(a-b)(a^2+ab+b^2)$

1-1 다음 식을 인수분해하시오.

(1) a^3+8b^3

(2) $2x^3-128y^3$

(3) $2x^4y-54xy^4$

1-2 다음 식을 인수분해하시오.

(1) $27a^3+125b^3$

(2) a^6-b^6

(3) abx^3-a^4b

2-1 다음 식을 인수분해하시오.

(1) a^2-ac-b^2+bc

(2) $a^2-4b^2+a^2c-4b^2c$

(3) $x^2-y^2-z^2+2yz$

(4) $x^2+3xy+2y^2+3x+5y+2$

2-2 다음 식을 인수분해하시오.

(1) ab^3-b^2-ab+1

(2) $a^3+ac-c-1$

(3) $bc(b-c)+ca(c-a)+ab(a-b)$

(4) $6x^2+xy-y^2+x+3y-2$

1주

3일 핵심 개념 | 인수분해

케이크 상자의 높이를 x에 대한 식으로 나타내면?

가로의 길이, 세로의 길이, 높이가 각각 x, $x+5$, y인 직육면체 모양의 케이크 상자의 부피가 x^3+7x^2+10x일 때, y를 x에 대한 식으로 나타내 보자.

$$x^3+7x^2+10x=x(x^2+7x+10)$$
$$=x(x+2)(x+5)$$

따라서 케이크 상자의 높이는 $x+2$이므로 $y=x+2$

개념 ② **공통부분이 있는 다항식의 인수분해**

06 공통부분이 있는 다항식을 인수분해하는 과정이다. 다음 [ ] 안에 알맞은 것을 아래 보기에서 찾아 써넣으시오.

보기

대입, 치환, 인수분해

① 공통부분을 X로 [ ] 하여 주어진 다항식을 X에 대한 식으로 나타낸다.

② ①에서 얻은 식을 [ ] 한다.

③ X에 원래의 식을 대입하여 다시 인수분해한다.

개념 ③ **인수정리를 이용한 인수분해**

07 삼차 이상의 다항식 $P(x)$가 일차식을 인수로 갖는 경우에 $P(x)$를 인수분해하는 과정이다. 다음 ( ) 안에 주어진 것 중 옳은 것을 고르시오.

① $P(\alpha)=(0, 1)$을 만족시키는 상수 α의 값을 구한다.

② 조립제법을 이용하여 $P(x)$를 $(x-\alpha, x+\alpha)$로 나누었을 때의 몫을 구한다.

③ 몫이 더이상 인수분해되지 않을 때까지 인수분해한다.

답 **06** 치환, 인수분해 **07** 0, $x-\alpha$

개념 확인 | 인수분해

정답 및 해설 6쪽

공통부분이 있는 다항식의 인수분해

$(\underbrace{x^2-2x}_{X})^2+2(\underbrace{x^2-2x}_{X})-24$

$=X^2+2X-24$ ← $x^2-2x=X$로 치환

$=(X+6)(X-4)$ ← 인수분해

$=(x^2-2x+6)(x^2-2x-4)$ ← X 대신 x^2-2x 대입

인수정리를 이용한 인수분해

삼차 이상의 다항식이 일차식을 인수로 갖는 경우

⇨ 인수정리와 조립제법을 이용

참고 계수가 모두 정수인 다항식 $P(x)$에서 $P(\alpha)=0$을 만족시키는 α의 값은 $\pm\frac{(P(x)\text{의 상수항의 양의 약수})}{(P(x)\text{의 최고차항의 계수의 양의 약수})}$ 중에서 찾을 수 있다.

1 주

3-1 다음 식을 인수분해하시오.

(1) $(x^2-3x)^2-2(x^2-3x)-8$

(2) $(x^2-x)(x^2-x-8)+12$

(3) $(a+1)^2-2b(a+1)+b^2$

(4) $(x-4)(x-2)(x+1)(x+3)+24$

3-2 다음 식을 인수분해하시오.

(1) $(x-y)^2-5(x-y)+6$

(2) $(x^2+3x)^2-3x^2-9x-10$

(3) $(x+1)^2-(x+1)y-6y^2$

(4) $(x+1)(x+2)(x+3)(x+4)-8$

4-1 다음 식을 인수분해하시오.

(1) x^3-4x^2+5x-2

(2) $x^4+x^3-7x^2-x+6$

4-2 다음 식을 인수분해하시오.

(1) x^3-3x-2

(2) $x^4+2x^3-2x^2-2x+1$

3일 기초 유형 | 인수분해

2018 9월 실시
고1 교육청 2번

1-1

다항식 x^3-27이 $(x-3)(x^2+ax+b)$로 인수분해될 때, $a+b$의 값을 구하시오. (단, a, b는 상수이다.) [2점]

Tip $a^3-b^3=(a-b)(a^2+ab+b^2)$임을 이용한다.

풀이

$x^3-27=(x-3)(x^2+\square x+9)$이므로

$a=\square$, $b=9$ $\quad\therefore a+b=\square$ 답 12

쌍둥이 교과서 문제

1-2

다항식 $x^3-9x^2+27x-27$을 인수분해하시오.

2017 3월 실시
고2 교육청 나형 12번

2-1

$\dfrac{218^3+1}{217^3-1}$의 값을 구하시오. [3점]

Tip 적당한 수를 a로 놓고 인수분해를 이용하여 주어진 식을 정리한다.

풀이

218을 a라 하면

$218^3+1=a^3+1^3=(a+1)(a^2-a+1)$

$217^3-1=(a-1)^3-1^3$

$=\{(a-1)-\square\}\{(a-1)^2+(a-1)+1\}$

$=(a-\square)(a^2-a+1)$

$\therefore \dfrac{218^3+1}{217^3-1}=\dfrac{(a+1)(a^2-a+1)}{(a-\square)(a^2-a+1)}=\dfrac{a+1}{a-\square}$

$=\dfrac{218+1}{218-\square}=\dfrac{73}{72}$ 답 $\dfrac{73}{72}$

2-2

$\dfrac{47^3-8}{47\times49+4}$의 값을 구하시오.

정답 및 해설 7쪽

2019 11월 실시
고1 교육청 6번

쌍둥이 교과서 문제

3-1

다항식 $(x^2+x)^2+2(x^2+x)-3$이 $(x^2+ax-1)(x^2+x+b)$로 인수분해될 때, 두 상수 a, b에 대하여 $a+b$의 값을 구하시오. [3점]

Tip 공통부분 x^2+x를 X로 놓는다.

풀이
$x^2+x=X$로 놓으면

$$(x^2+x)^2+2(x^2+x)-3=X^2+2X-3$$
$$=(X-1)(X+3)$$
$$=(x^2+x-1)(x^2+x+3)$$

따라서 $a=1$, $b=$ ☐ 이므로

$a+b=$ ☐

답 4

3-2

다항식 x^4+2x^2-24를 인수분해하시오.

3-3

다항식 $(x^2+2x)(x^2+2x+4)+4$를 인수분해하시오.

2017 11월 실시
고1 교육청 6번

4-1

다항식 x^3+x^2-2가 $(x-1)(x^2+ax+b)$로 인수분해될 때, 두 상수 a, b에 대하여 $a+b$의 값을 구하시오. [3점]

Tip 삼차 이상의 다항식 $P(x)$에 대하여 $P(\alpha)=0$을 만족시키는 상수 α의 값을 구한 다음 조립제법을 이용하여 인수분해한다.

풀이
$P(x)=x^3+x^2-2$로 놓으면 $P(1)=0$이므로 $P(x)$는 $x-1$을 인수로 갖는다.

조립제법을 이용하여 $P(x)$를 인수분해하면

1	1	1	0	−2
		1	2	2
	1	2	2	0

x^3+x^2-2
$=(x-1)(x^2+2x+$ ☐ $)$

따라서 $a=2$, $b=$ ☐ 이므로

$a+b=$ ☐

답 4

4-2

다항식 x^3-7x-6을 인수분해하시오.

4-3

다항식 x^4-2x^3+2x-1을 인수분해하면 $(x+a)^3(x+b)$일 때, 상수 a, b의 값을 구하시오.

1주

4일 핵심 개념 | 복소수

정수의 범위에서는 일차방정식 $3x-1=0$의 해가 존재하지 않으므로 $\frac{1}{3}$과 같은 분수를 만들어 수의 범위를 유리수로 확장했어.
유리수의 범위에서는 이차방정식 $x^2=3$의 해가 존재하지 않으므로 $\sqrt{3}$과 같은 무리수를 만들어 수의 범위를 실수로 확장했지.
마찬가지로 실수의 범위에서는 이차방정식 $x^2=-1$의 해가 존재하지 않으므로 i와 같은 새로운 수를 만들어 수의 범위를 복소수로 확장할 수 있어.
허수루
곱빼기를 시킬거야.
다이어트 중인데 괜찮을까?
이 메뉴가 i
곱빼기를 넘어서 제곱인데도 칼로리가 마이너스라고?

개념 1 복소수

[01~04] 다음 ☐ 안에 알맞은 것을 아래 보기에서 찾아 써넣으시오.

> **보기**
> 실수, 허수, $a-bi$, $-a+bi$, c, d

01 제곱하여 -1이 되는 새로운 수를 기호 i로 나타내고 이러한 수 i를 ☐ 단위라 한다.

02 임의의 두 실수 a, b에 대하여 $a+bi$ 꼴로 나타내어지는 수를 복소수라 한다. 이때 a를 이 복소수의 ☐ 부분, b를 허수부분이라 한다.

03 두 복소수 $a+bi$, $c+di$ (a, b, c, d는 실수)에 대하여 $a+bi=c+di$이면 $a=$ ☐, $b=d$이다.

04 복소수 $a+bi$ (a, b는 실수)의 허수부분의 부호를 바꾼 복소수 ☐ 를 $a+bi$의 켤레복소수라 하고, 기호로 $\overline{a+bi}$와 같이 나타낸다.

답 **01** 허수 **02** 실수 **03** c **04** $a-bi$

개념 확인 | 복소수

정답 및 해설 8쪽

서로 같은 복소수

두 복소수 $a+bi$, $c+di$ (a, b, c, d는 실수)에 대하여

❶ $a+bi=c+di$이면 $a=c$, $b=d$
❷ $a+bi=0$이면 $a=0$, $b=0$

실수부분은 실수부분끼리, 허수부분은 허수부분끼리 같다.

복소수의 사칙연산

a, b, c, d가 실수일 때

❶ $(a+bi)+(c+di)=(a+c)+(b+d)i$
❷ $(a+bi)-(c+di)=(a-c)+(b-d)i$
❸ $(a+bi)(c+di)=(ac-bd)+(ad+bc)i$
❹ $\dfrac{a+bi}{c+di}=\dfrac{ac+bd}{c^2+d^2}+\dfrac{bc-ad}{c^2+d^2}i$ (단, $c+di\neq0$)

1-1 다음 등식을 만족시키는 실수 x, y의 값을 구하시오.

(1) $(x+2y)+(2x-y)i=3-4i$

(2) $(x-2)+(y+1)i=0$

1-2 다음 등식을 만족시키는 실수 x, y의 값을 구하시오.

(1) $(2x+y)+(-x+2y)i=1+2i$

(2) $(x-y-2)+(x-2y)i=0$

2-1 다음을 계산하시오.

(1) $(1+i)+4i$

(2) $(-2+i)-(-1+4i)$

(3) $(1-2i)(2-i)$

(4) $\dfrac{-3+2i}{2+i}$

2-2 다음을 계산하시오.

(1) $(2-3i)+(1+i)$

(2) $(1-3i)-(2+3i)$

(3) $(2-3i)(1+2i)$

(4) $\dfrac{1+i}{1-i}$

1주

4일 핵심 개념 | 복소수

개념 ② i의 거듭제곱

05 다음 ☐ 안에 알맞은 것을 아래 보기에서 찾아 써넣으시오.

보기
0, 1

$i^2=-1$임을 이용하여 $i, i^2, i^3, i^4, \cdots$의 값을 차례로 구하면 $i, -1, -i,$ ☐ 이 반복되어 나타난다.

개념 ③ 음수의 제곱근

[06~07] 다음 ( ) 안에 주어진 것 중 옳은 것을 고르시오.

06 $(a>0, a<0)$이고 $(b>0, b<0)$이면 $\sqrt{a}\sqrt{b}=-\sqrt{ab}$

07 $(a>0, a<0)$이고 $(b>0, b<0)$이면 $\dfrac{\sqrt{a}}{\sqrt{b}}=-\sqrt{\dfrac{a}{b}}$

답 **05** 1 **06** $a<0, b<0$ **07** $a>0, b<0$

개념 확인 | 복소수

정답 및 해설 8쪽

i의 거듭제곱

i의 거듭제곱은 다음과 같은 규칙을 갖는다.

$$i^{4k+1}=i,\ i^{4k+2}=-1,\ i^{4k+3}=-i,\ i^{4k+4}=1$$

(단, k는 음이 아닌 정수)

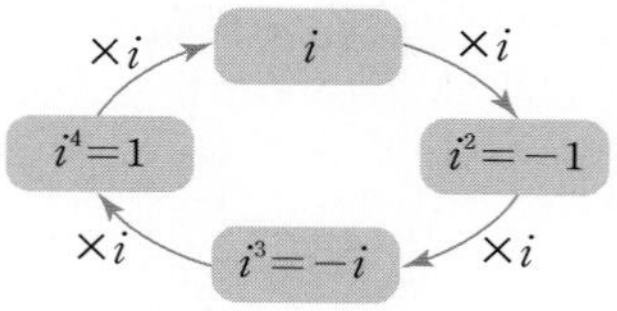

음수의 제곱근

$a>0$일 때

❶ $\sqrt{-a}=\sqrt{a}i$

❷ $-a$의 제곱근은 $\sqrt{a}i$와 $-\sqrt{a}i$이다.

음수의 제곱근의 성질

❶ $a<0$, $b<0$이면 $\sqrt{a}\sqrt{b}=-\sqrt{ab}$

❷ $a>0$, $b<0$이면 $\dfrac{\sqrt{a}}{\sqrt{b}}=-\sqrt{\dfrac{a}{b}}$

3-1 다음 식을 간단히 하시오.

(1) $(1-i)^3$

(2) $i+i^2+i^3+\dfrac{1}{i}$

(3) $i^4+i^5+i^6+i^7$

3-2 다음 식을 간단히 하시오.

(1) $(2+i)^3$

(2) $1+2i+3i^2+4i^3$

(3) $\dfrac{1}{i}+\dfrac{1}{i^2}+\dfrac{1}{i^3}+\dfrac{1}{i^4}+\dfrac{1}{i^5}$

4-1 다음을 계산하여 $a+bi$ 꼴로 나타내시오. (단, a, b는 실수)

(1) $\sqrt{-8}+\sqrt{-18}$

(2) $\sqrt{-16}\sqrt{-25}$

(3) $\dfrac{\sqrt{48}}{\sqrt{-3}}$

(4) $(1+\sqrt{-2})^2$

4-2 다음을 계산하여 $a+bi$ 꼴로 나타내시오. (단, a, b는 실수)

(1) $\sqrt{-75}-\sqrt{-27}$

(2) $\sqrt{-6}\sqrt{-24}$

(3) $\dfrac{\sqrt{-72}}{\sqrt{32}}$

(4) $(\sqrt{-3}-\sqrt{-2})^2$

4일 기초 유형 | 복소수

2018 9월 실시
고1 교육청 1번

1-1

$(1+2i)+(3-i)$의 값을 구하시오.

(단, $i=\sqrt{-1}$) [2점]

Tip a, b, c, d는 실수일 때
$(a+bi)+(c+di)=(a+c)+(b+d)i$
$(a+bi)-(c+di)=(a-c)+(b-d)i$

풀이
$(1+2i)+(3-i)=(1+\square)+(2-1)i$
$=\square+i$

답 $4+i$

쌍둥이 교과서 문제

1-2

$(2+3i)-(-4+i)$의 값을 구하시오.

2019 9월 실시
고1 교육청 10번

2-1

두 실수 a, b에 대하여 $\dfrac{2a}{1-i}+3i=2+bi$일 때, $a+b$의 값을 구하시오. (단, $i=\sqrt{-1}$) [3점]

Tip 실수 a, b, c, d에 대하여 $a+bi=c+di$이면 $a=c, b=d$

풀이
주어진 등식의 좌변을 정리하면

$$\frac{2a(1+i)}{(1-i)(1+\square)}+3i=a(1+i)+3i$$
$$=a+(a+3)i$$

즉, $a+(a+3)i=2+bi$이므로 복소수가 서로 같을 조건에 의하여
$a=\square$, $a+3=b$
따라서 $a=\square$, $b=5$이므로
$a+b=\square$

답 7

2-2

등식 $(1+i)(x-yi)=3+i$를 만족시키는 실수 x, y에 대하여 x^2+y^2의 값을 구하시오.

정답 및 해설 8쪽

2019 11월 실시
고1 교육청 3번

쌍둥이 교과서 문제

3-1

복소수 z의 켤레복소수 $\bar{z}$가 $2-i$일 때, $z+\bar{z}$의 값을 구하시오. (단, $i=\sqrt{-1}$) [2점]

Tip 복소수 $z=a+bi$ (a, b는 실수)에 대하여 z의 켤레복소수는 $\bar{z}=a-bi$

풀이

z의 켤레복소수가 $\bar{z}$이므로 $z=2+\square$

$\therefore z+\bar{z}=2+\square+2-i=\square$

답 4

3-2

복소수 $z=1-2i$에 대하여 $\dfrac{z-\bar{z}}{z+\bar{z}}$를 구하시오.

(단, $\bar{z}$는 z의 켤레복소수이다.)

3-3

두 복소수 $\alpha=-2+i$, $\beta=1-2i$에 대하여 $\alpha\bar{\alpha}+\alpha\bar{\beta}+\bar{\alpha}\beta+\beta\bar{\beta}$의 값을 구하시오.

(단, $\bar{\alpha}$, $\bar{\beta}$는 각각 α, β의 켤레복소수이다.)

2015 3월 실시
고2 교육청 가형 23번

4-1

$(1+i)^8$의 값을 구하시오. (단, $i=\sqrt{-1}$) [3점]

Tip $i^{4k+1}=i$, $i^{4k+2}=-1$, $i^{4k+3}=-i$, $i^{4k+4}=1$

(단, k는 음이 아닌 정수)

풀이

$(1+i)^2=1+2i+i^2=\square i$

$\therefore (1+i)^8=\{(1+i)^2\}^4=(\square i)^4$

$=\square i^4=\square$

답 16

4-2

다음 식의 값을 구하시오.

$$i+i^2+i^3+i^4+\cdots+i^{100}$$

1 주

5일 핵심 개념 | 이차방정식

이차방정식의 근을 어떻게 판별할까?

먹어보지 않아도 과일의 당도를 알 수 있듯이, 불꽃의 색만 보고도 폭죽에 포함되어 있는 금속의 색을 알 수 있듯이 이차방정식에서도 근을 직접 구하지 않고도 근의 공식에서 근호 안의 값의 부호만 알면 근이 실수인지, 허수인지 쉽게 판별할 수 있다.

개념 ① 이차방정식의 근

01 다음 (　　) 안에 주어진 것 중 옳은 것을 고르시오.

계수가 실수인 이차방정식은 (실수, 복소수)의 범위에서 항상 근을 갖는다. 이때 실수인 근을 (실근, 허근)이라 하고, 허수인 근을 (실근, 허근)이라 한다.

개념 ② 이차방정식의 근의 판별

02 계수가 실수인 이차방정식 $ax^2+bx+c=0$에서 $D=b^2-4ac$라 할 때, 다음 (　　) 안에 주어진 것 중 옳은 것을 고르시오.

($D>0$, $D=0$, $D<0$)이면 서로 다른 두 실근을 갖는다.
($D>0$, $D=0$, $D<0$)이면 중근(서로 같은 두 실근)을 갖는다.
($D>0$, $D=0$, $D<0$)이면 서로 다른 두 허근을 갖는다.

답 **01** 복소수, 실근, 허근　**02** $D>0$, $D=0$, $D<0$

개념 확인 | 이차방정식

정답 및 해설 9쪽

근의 공식을 이용한 이차방정식의 풀이

계수가 실수인 이차방정식 $ax^2+bx+c=0$의 근은

$$x=\frac{-b\pm\sqrt{b^2-4ac}}{2a}$$

참고 계수가 실수이고 일차항의 계수가 짝수인 이차방정식 $ax^2+2b'x+c=0$의 근은 $x=\frac{-b'\pm\sqrt{b'^2-ac}}{a}$이다.

이차방정식의 근의 판별

계수가 실수인 이차방정식 $ax^2+bx+c=0$에서 $D=b^2-4ac$라 할 때

❶ $D>0$ ⇨ 서로 다른 두 실근

❷ $D=0$ ⇨ 중근 (서로 같은 두 실근)

❸ $D<0$ ⇨ 서로 다른 두 허근

1-1 다음 이차방정식을 풀고, 그 근이 실근인지 허근인지 말하시오.

(1) $x^2-x-1=0$

(2) $2x^2+x+1=0$

(3) $x^2-2x+3=0$

1-2 다음 이차방정식을 풀고, 그 근이 실근인지 허근인지 말하시오.

(1) $2x^2-x+3=0$

(2) $x^2+2x-5=0$

(3) $3x^2-2x+1=0$

2-1 다음 이차방정식의 근을 판별하시오.

(1) $2x^2-5x+1=0$

(2) $x^2-4x+8=0$

(3) $0.3x^2-0.6x+0.3=0$

(4) $2(x+1)^2+5=0$

2-2 다음 이차방정식의 근을 판별하시오.

(1) $2x^2-3x+4=0$

(2) $x^2-4x+4=0$

(3) $\sqrt{3}x^2+2x-\sqrt{3}=0$

(4) $(x+1)(x-4)=x$

5일 핵심 개념 | 이차방정식

이차방정식의 근과 계수의 관계

직사각형 모양의 밭의 가로의 길이를 α m, 세로의 길이를 β m라 하면 둘레의 길이가 18 m이므로 $\alpha+\beta=9$

넓이가 20 m²이므로 $\alpha\beta=20$

α, β는 이차방정식 $x^2-9x+20=0$, 즉 $(x-4)(x-5)=0$의 두 근이므로 밭의 가로, 세로의 길이를 각각 4 m, 5 m 또는 5 m, 4 m로 만들면 된다.

개념 3 이차방정식의 근과 계수의 관계

[03~04] 다음 ( ) 안에 주어진 것 중 옳은 것을 고르시오.

03 이차방정식 $ax^2+bx+c=0$의 두 근을 α, β라 하면 $\alpha+\beta=-\frac{b}{a}$, $\alpha\beta=\left(\frac{c}{a}, -\frac{c}{a}\right)$

04 이차방정식 $x^2-4x+3=0$의 두 근을 α, β라 하면 $\alpha+\beta=(4, -4)$, $\alpha\beta=(3, -3)$

개념 4 이차방정식의 작성

[05~06] 다음 ☐ 안에 알맞은 것을 아래 보기에서 찾아 써넣으시오.

보기

$\alpha+\beta$, $\alpha-\beta$, $\alpha\beta$, 2, $2i$

05 두 수 α, β를 근으로 하고 x^2의 계수가 1인 이차방정식은 $x^2-(\square)x+\square=0$

06 두 수 $1+i$, $1-i$를 근으로 하고 x^2의 계수가 1인 이차방정식은 $x^2-\square x+\square=0$

답 **03** $\frac{c}{a}$ **04** 4, 3 **05** $\alpha+\beta$, $\alpha\beta$ **06** 2, 2

개념 확인 | 이차방정식

정답 및 해설 9쪽

이차방정식의 근과 계수의 관계

이차방정식 $ax^2+bx+c=0$의 두 근을 α, β라 하면

❶ 두 근의 합 : $\alpha+\beta=-\frac{b}{a}$

❷ 두 근의 곱 : $\alpha\beta=\frac{c}{a}$

두 수를 근으로 하는 이차방정식

❶ 두 수 α, β를 근으로 하고 x^2의 계수가 1인 이차방정식은

$(x-\alpha)(x-\beta)=0$

⇨ $x^2-(\alpha+\beta)x+\alpha\beta=0$

❷ 두 수 α, β를 근으로 하고 x^2의 계수가 a인 이차방정식은

$a(x-\alpha)(x-\beta)=0$

⇨ $a\{x^2-(\alpha+\beta)x+\alpha\beta\}=0$

3-1 이차방정식 $x^2-2x-1=0$의 두 근을 α, β라 할 때, 다음 식의 값을 구하시오.

(1) $\alpha\beta(\alpha+\beta)$

(2) $\alpha^2+\alpha\beta+\beta^2$

(3) $(\alpha+1)(\beta+1)$

(4) $\frac{1}{\alpha}+\frac{1}{\beta}$

3-2 이차방정식 $2x^2-4x-3=0$의 두 근을 α, β라 할 때, 다음 식의 값을 구하시오.

(1) $\alpha^2\beta+\alpha\beta^2$

(2) $(\alpha-\beta)^2$

(3) $(\alpha-1)(\beta-1)$

(4) $\frac{\beta}{\alpha}+\frac{\alpha}{\beta}$

4-1 다음 두 수를 근으로 하고 x^2의 계수가 1인 이차방정식을 구하시오.

(1) 1, -1

(2) $1+\sqrt{2}$, $1-\sqrt{2}$

4-2 다음 두 수를 근으로 하고 x^2의 계수가 1인 이차방정식을 구하시오.

(1) 3, 4

(2) $2+i$, $2-i$

5일 기초 유형 | 이차방정식

2020 9월 실시
고1 교육청 4번

쌍둥이 교과서 문제

1-1

x에 대한 이차방정식 $x^2+4x+a=0$이 실근을 갖도록 하는 자연수 a의 개수를 구하시오. [3점]

Tip 계수가 실수인 이차방정식 $ax^2+bx+c=0$의 판별식을 $D=b^2-4ac$라 할 때 실근을 가질 조건은 $D\geq 0$

풀이

$x^2+4x+a=0$의 판별식을 D라 하면

$\frac{D}{4}=2^2-1\times a\geq 0$

$4-a\geq$ ☐ $\quad \therefore a\leq$ ☐

따라서 구하는 자연수 a의 개수는 1, 2, 3, 4의 ☐이다.

답 4

1-2

이차방정식 $x^2-4x+a-5=0$이 서로 다른 두 허근을 가질 때, 실수 a의 값의 범위를 구하시오.

2018 9월 실시
고1 교육청 8번

2-1

이차방정식 $x^2+3x+1=0$의 서로 다른 두 실근을 α, β라 할 때, $\alpha^2+\beta^2-3\alpha\beta$의 값을 구하시오. [3점]

Tip 이차방정식 $ax^2+bx+c=0$의 두 근을 α, β라 하면

$\alpha+\beta=-\frac{b}{a}$, $\alpha\beta=\frac{c}{a}$

풀이

근과 계수의 관계에 의하여

$\alpha+\beta=$ ☐, $\alpha\beta=1$

$\therefore \alpha^2+\beta^2-3\alpha\beta=(\alpha+\beta)^2-5\alpha\beta$

$=($☐$)^2-5\times 1=$ ☐

답 4

2-2

이차방정식 $x^2-3x+5=0$의 두 근을 α, β라 할 때, $\frac{\beta^2}{\alpha}+\frac{\alpha^2}{\beta}$의 값을 구하시오.

정답 및 해설 10쪽

2016 3월 실시
고2 교육청 나형 24번

쌍둥이 교과서 문제

3-1

이차방정식 $x^2-ax+a-3=0$의 두 근의 합이 10일 때, 두 근의 곱을 구하시오. (단, a는 상수이다.) [3점]

Tip 이차방정식의 근과 계수의 관계를 이용하여 두 근의 합과 곱을 구한다.

풀이
이차방정식 $x^2-ax+a-3=0$의 두 근을 α, β라 하면 근과 계수의 관계에 의하여
$\alpha+\beta=a$, $\alpha\beta=a-3$
이때 두 근의 합이 10이므로 $a=\alpha+\beta=$ ☐
따라서 두 근의 곱은
$\alpha\beta=a-3=$ ☐ $-3=7$ 답 7

3-2

이차방정식 $x^2+ax-3=0$의 두 근 α, β가 $\alpha^2+\beta^2=12$를 만족시킬 때, 양수 a의 값을 구하시오.

2019 11월 실시
고1 교육청 4번

4-1

x에 대한 이차방정식 $x^2+ax+b=0$의 두 근이 2, 8일 때, 두 상수 a, b에 대하여 $a+b$의 값을 구하시오. [3점]

Tip 두 수 α, β를 근으로 하고 x^2의 계수가 1인 이차방정식은 $x^2-(\alpha+\beta)x+\alpha\beta=0$

풀이
(두 근의 합)$=2+8=10$
(두 근의 곱)$=2\times8=16$
이므로 2, 8을 두 근으로 하고 x^2의 계수가 1인 이차방정식은
x^2- ☐ $x+$ ☐ $=0$
따라서 $a=$ ☐, $b=$ ☐ 이므로
$a+b=6$ 답 6

4-2

이차방정식 $2x^2+6x+1=0$의 두 근을 α, β라 할 때, $\alpha+\beta$, $\alpha\beta$를 두 근으로 하고 x^2의 계수가 1인 이차방정식을 구하시오.

1주

누구나 100점 테스트

1

| 2019 11월 실시 고1 교육청 1번 |

두 다항식

$$A=xy+x-1,\ B=xy-x+2$$

에 대하여 $A+B$는?

① $xy+1$　② $xy+2$　③ $2xy+1$　④ $2xy+2$　⑤ $2xy+3$

2

| 2019 3월 실시 고2 교육청 가형 6번 |

$(a+b-c)^2=25$, $ab-bc-ca=-2$일 때, $a^2+b^2+c^2$의 값은?

① 27　② 29　③ 31　④ 33　⑤ 35

3

| 2018년 9월 실시 고1 교육청 5번 |

등식 $2x^2+3x+4=2(x+1)^2+a(x+1)+b$가 x에 대한 항등식일 때, $a-b$의 값은? (단, a, b는 상수이다.)

① -7　② -6　③ -5　④ -4　⑤ -3

4

| 2020 6월 실시 고1 교육청 24번 |

$(2020+1)(2020^2-2020+1)$을 2017로 나눈 나머지를 구하시오.

2020을 a로 놓고 주어진 식을 a에 대한 식으로 나타내 봐.

5

| 2016 3월 실시 고2 교육청 가형 9번 |

다항식 $2x^3-3x^2-12x-7$을 인수분해하면 $(x+a)^2(bx+c)$일 때, $a+b+c$의 값은?

(단, a, b, c는 상수이다.)

① -6　② -5　③ -4　④ -3　⑤ -2

6

| 2016 3월 실시 고2 교육청 가형 2번 |

$(2-3i)+i(-1+4i)$의 값은? (단, $i=\sqrt{-1}$)

① $-4-2i$ ② $-2-4i$ ③ $-2+4i$

④ $2-4i$ ⑤ $2+4i$

9

| 2018 3월 실시 고2 교육청 가형 23번 |

이차방정식 $x^2+8x-2=0$의 서로 다른 두 실근을 α, β라 할 때, $\dfrac{\alpha+\beta}{\alpha\beta}$의 값을 구하시오.

7

| 2020 6월 실시 고1 교육청 22번 |

$i+2i^2+3i^3+4i^4+5i^5=a+bi$일 때, $3a+2b$의 값을 구하시오. (단, $i=\sqrt{-1}$이고, a, b는 실수이다.)

10

| 2019 6월 실시 고1 교육청 24번 |

x에 대한 이차방정식 $x^2-kx+4=0$의 두 근을 α, β라 할 때, $\dfrac{1}{\alpha}+\dfrac{1}{\beta}=5$이다. 상수 k의 값을 구하시오.

이차방정식의 근과 계수의 관계를 이용하여 $\alpha+\beta$, $\alpha\beta$를 구해 봐.

8

| 2018 9월 실시 고1 교육청 6번 |

x에 대한 이차방정식 $x^2+4x+k-3=0$이 실근을 갖도록 하는 모든 자연수 k의 개수는?

① 4   ② 5   ③ 6

④ 7   ⑤ 8

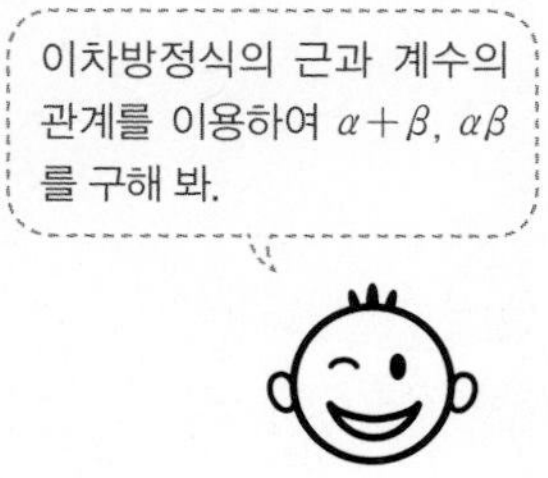

CANDY

정답 및 해설 11쪽

버튼을 한 번 누르면 복소수가 하나씩 적힌 세 개의 공이 굴러 나오는 기계가 있다.

어느 상점에서 이 기계를 이용한 사람에게 굴러 나온 세 개의 공 중 두 개를 선택하게 하여 적힌 수의 곱이 자연수가 될 때, 그 자연수만큼 사탕으로 교환해 준다고 한다.
한 학생이 버튼을 한 번 눌렀더니 세 복소수 $2-3i$, $1+2i$, $6+9i$가 각각 적힌 세 개의 공이 굴러 나왔다.
이 학생이 a개의 사탕으로 교환해 갔을 때, 자연수 a의 값을 구하시오. (단, $i=\sqrt{-1}$)

[2018 9월 실시 고1 교육청 11번]

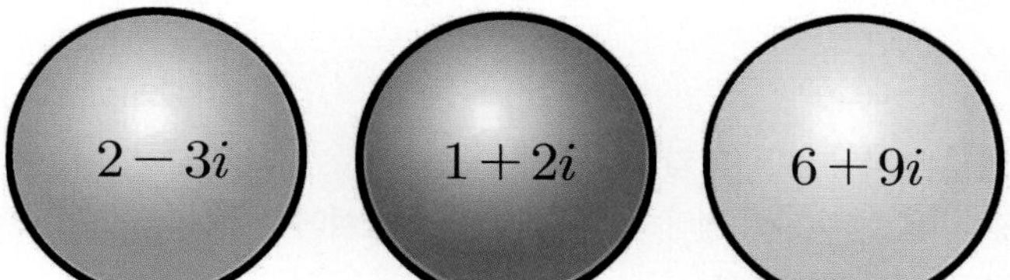

1

2019 9월 실시 고1 교육청 11번

나머지정리 + 연립일차방정식 중등

❶ 최고차항의 계수가 1인 이차다항식 $f(x)$를 $x-1$로 나누었을 때의 나머지와 $x-3$으로 나누었을 때의 나머지가 6으로 같다. ❷ 이차다항식 $f(x)$를 ❸ $x-4$로 나눈 나머지를 구하시오.

❶ **나머지정리를 이용하여 $f(1)$, $f(3)$의 값을 구한다.**

> **나머지정리**
> 다항식 $P(x)$를 일차식 $x-a$로 나누었을 때의 나머지를 R라 하면
> $R=P(a)$

$f(x)$를 $x-1$로 나누었을 때의 나머지와 $x-3$으로 나누었을 때의 나머지가 모두 6이므로 나머지정리에 의하여 $f(1)=$ ☐, $f(3)=$ ☐이다.

❷ **$f(x)=x^2+ax+b$ (a, b는 상수)로 놓고 $x=1$, $x=3$을 각각 대입하여 a, b의 값을 구한다.**

> **연립일차방정식의 풀이**
> (1) 식의 대입을 이용한 연립방정식의 풀이 (대입법)
> ⇨ 한 방정식을 하나의 미지수에 대하여 정리하고, 이를 다른 방정식에 대입하여 한 미지수를 없앤 후 연립방정식의 해를 구한다.
> (2) 식의 합, 차를 이용한 연립방정식의 풀이 (가감법)
> ⇨ 두 방정식을 변끼리 더하거나 빼어서 한 미지수를 없앤 후 연립방정식의 해를 구한다. 이때 두 방정식에서 x의 계수와 y의 계수의 절댓값이 각각 다른 경우에는 각 방정식의 양변에 적당한 수를 곱하여 x의 계수 또는 y의 계수의 절댓값을 같게 한 후 연립방정식을 푼다.

$f(x)=x^2+ax+b$로 놓으면

$f(1)=1+a+b=6$ $\quad\therefore a+b=5$ ……㉠

$f(3)=9+3a+b=6$ $\quad\therefore 3a+b=-3$ ……㉡

㉠, ㉡을 연립하여 풀면

$a=-4$, $b=$ ☐

❸ **나머지정리를 이용하여 $f(4)$의 값을 구한다.**

따라서 $f(x)=x^2-4x+9$이므로 $f(x)$를 $x-4$로 나누었을 때의 나머지는 나머지정리에 의하여

$f(4)=16-16+9=9$

답 9

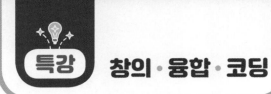

정답 및 해설 12쪽

2 2020 6월 실시 고1 교육청 6번

다항식의 연산 + 항등식

그림과 같이 8개의 다항식을 사각형 모양으로 배열하고 ❶ 각 변에 배열된 3개의 다항식의 합을 각각 A, B, C, D라 하자. ❷ 다항식 A, B, C, D가 x의 값에 관계없이 모두 같을 때, 두 다항식의 합 ❸ $P(x)+Q(x)$를 구하시오.

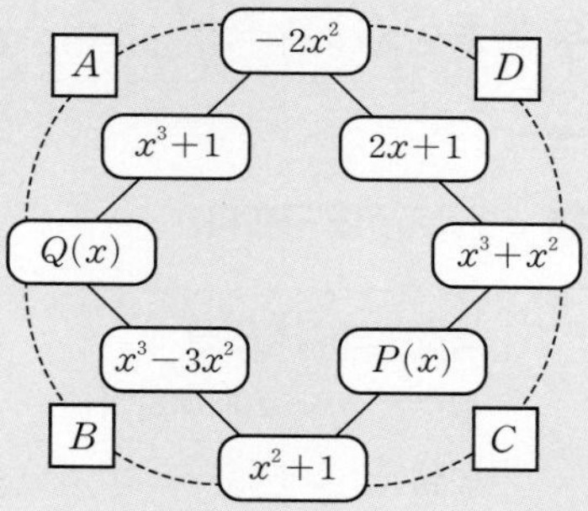

1 주

길잡이

❶ 다항식 A, B, C, D를 구한다.
❷ 다항식 $P(x), Q(x)$를 구한다.
❸ $P(x)+Q(x)$를 구한다.

3 2018 6월 실시 고1 교육청 26번

조립제법 + 인수정리

❶ x에 대한 다항식 x^4+ax+b가 $(x-2)^2$으로 나누어떨어질 때, ❷ 몫을 $Q(x)$라 하자. 두 상수 a, b에 대하여 ❸ $a+b+Q(2)$의 값을 구하시오.

길잡이

❶ 조립제법과 인수정리를 이용하여 a, b의 값을 구한다.
❷ $Q(x)$를 구한다.
❸ $Q(2)$의 값을 구하여 $a+b+Q(2)$를 계산한다.

4 2017 6월 실시 고1 교육청 14번

곱셈 공식 ⊕ 복소수

두 복소수 ❶ $\alpha=\frac{1+i}{2i}$, $\beta=\frac{1-i}{2i}$에 대하여 ❷ $(2\alpha^2+3)(2\beta^2+3)$의 값을 구하시오. (단, $i=\sqrt{-1}$)

❶ $\alpha+\beta$, $\alpha\beta$를 구한다.

> **복소수의 사칙연산**
> 실수 a, b, c, d에 대하여
> 덧셈 $(a+bi)+(c+di)=(a+c)+(b+d)i$
> 뺄셈 $(a+bi)-(c+di)=(a-c)+(b-d)i$
> 곱셈 $(a+bi)(c+di)=(ac-bd)+(ad+bc)i$
> 나눗셈 $\frac{a+bi}{c+di}=\frac{ac+bd}{c^2+d^2}+\frac{bc-ad}{c^2+d^2}i$ (단, $c+di\neq0$)

$\alpha=\frac{1+i}{2i}$, $\beta=\frac{1-i}{2i}$이므로

$$\alpha+\beta=\frac{1+i}{2i}+\frac{1-i}{2i}=\frac{2}{2i}=\frac{1}{i}=\frac{i}{i^2}=-i$$

$$\alpha\beta=\frac{1+i}{2i}\times\frac{1-i}{2i}=\frac{(1+i)(1-i)}{4i^2}=\frac{1-i^2}{4i^2}=\frac{2}{-4}=-\frac{1}{2}$$

α^2, β^2을 구한 다음 주어진 식에 대입하여 푸는 방법도 있어.

❷ $\alpha^2+\beta^2$을 구한 후 $(2\alpha^2+3)(2\beta^2+3)$의 값을 구한다.

> **곱셈 공식의 변형**
> $a^2+b^2=(a+b)^2-2ab=(a-b)^2+2ab$

$$\begin{aligned}\alpha^2+\beta^2&=(\alpha+\beta)^2-2\alpha\beta\\&=(\square)^2-2\times\left(-\frac{1}{2}\right)\\&=\square+1=\square\end{aligned}$$

$$\begin{aligned}\therefore (2\alpha^2+3)(2\beta^2+3)&=4\alpha^2\beta^2+6\alpha^2+6\beta^2+9\\&=4(\alpha\beta)^2+6(\alpha^2+\beta^2)+9\\&=4\times\frac{1}{4}+6\times0+9=10\end{aligned}$$

답 10

정답 및 해설 12쪽

5 2014 3월 실시 고2 교육청 B형 12번

곱셈 공식 + 이차방정식의 근과 계수의 관계

❶ 이차방정식 $(x-a)(x-b)+(x-b)(x-c)+(x-c)(x-a)=0$의 ❷ 두 근의 합과 곱이 각각 4, -3일 때, ❸ 이차방정식 $(x-a)^2+(x-b)^2+(x-c)^2=0$의 ❹ 두 근의 곱을 구하시오. (단, a, b, c는 상수이다.)

길잡이

❶ 주어진 식을 전개하여 정리한다.

❷ ❶의 이차방정식에서 근과 계수의 관계를 이용하여 $a+b+c$, $ab+bc+ca$의 값을 구한다.

❸ 주어진 식을 전개하여 정리한다.

❹ ❸의 이차방정식에서 근과 계수의 관계를 이용하여 두 근의 곱을 구한 후 곱셈 공식의 변형을 이용하여 값을 계산한다.

6 2014 9월 실시 고1 교육청 8번

나머지정리 + 이차방정식의 켤레근

다항식 $f(x)=x^2+px+q$ (p, q는 실수)가 다음 두 조건을 만족시킨다.

(가) ❶ 다항식 $f(x)$를 $x-1$로 나눈 나머지는 1이다.

(나) 실수 a에 대하여 이차방정식 ❷ $f(x)=0$의 한 근은 $a+i$이다.

❸ $p+2q$의 값을 구하시오. (단, $i=\sqrt{-1}$)

길잡이

❶ (가)에서 나머지정리를 이용하여 p, q의 관계식을 세운다.

❷ 이차방정식 $f(x)=0$의 한 근이 $a+i$이면 다른 한 근은 $a-i$이므로 근과 계수의 관계를 이용하여 p, q를 a에 대한 식으로 나타낸다.

❸ ❷의 식을 ❶의 식에 대입하여 a, p, q를 구한 다음 $p+2q$를 계산한다.

1주

이번 주에는 무엇을 공부할까? ①

중학 내용 다시보기

1 방정식의 모든 항을 좌변으로 이항하여 정리한 식이

(x에 대한 일차식)$=0$

꼴로 나타나는 방정식을 x에 대한 일차방정식이라 한다.

2 x에 대한 일차방정식은 다음과 같은 순서로 푼다.

[1] 미지수를 포함한 항은 좌변으로, 상수항은 우변으로 이항한다.

[2] 동류항끼리 정리하여 $ax=b$ $(a\neq0)$ 꼴로 고친다.

[3] 양변을 x의 계수 a로 나누어 $x=$(수) 꼴로 나타낸다.

3 $2x+y=3$과 같이 미지수가 x, y로 2개이고, x, y의 차수가 1인 방정식을 미지수가 2개인 일차방정식이라 하고, 미지수가 2개인 두 일차방정식을 한 쌍으로 묶어 놓은 것을 미지수가 2개인 연립일차방정식이라 한다.

박하맛 사탕을 x개, 딸기맛 사탕을 y개 산다고 하면

$$\begin{cases} x+y=12 & \cdots\cdots ㉠ \\ 300x+500y=5000 & \cdots\cdots ㉡ \end{cases}$$

㉡에서 $3x+5y=50$ ······㉢

㉠×3−㉢을 하면

$-2y=-14$ $\quad\therefore y=7$

$y=7$을 ㉠에 대입하면 $x=5$

2
주

1 다음 일차방정식을 푸시오.

(1) $4(2+x)=6x$

(2) $3(x+3)=5(x-1)$

2 일차방정식 $2x-3=ax+1$의 해가 $x=-4$일 때, 상수 a의 값을 구하시오.

3 다음은 비례식 $(2+x):(3x+1)=3:4$를 방정식으로 나타내 푸는 과정이다. ☐ 안에 알맞은 수를 써넣으시오.

외항의 곱과 내항의 곱은 같으므로

☐$(2+x)=3(3x+1)$

$8+$☐$x=9x+3$

$-5x=$☐

$x=$☐

답 1 (1) $x=4$ (2) $x=7$ **2** 3 **3** 4, 4, -5, 1

중학 내용 다시보기

4 부등호 $<$, $>$, $\leq$, $\geq$를 사용하여 수 또는 식의 대소 관계를 나타낸 식을 부등식이라 한다.

5 부등호를 사용하여 다음과 같이 대소 관계를 나타낼 수 있다.

$a>b$	$a<b$	$a\geq b$	$a\leq b$
a는 b보다 크다. a는 b 초과이다.	a는 b보다 작다. a는 b 미만이다.	a는 b보다 크거나 같다. a는 b 이상이다. a는 b보다 작지 않다.	a는 b보다 작거나 같다. a는 b 이하이다. a는 b보다 크지 않다.

6 **부등식의 성질**

❶ 부등식의 양변에 같은 수를 더하거나 양변에서 같은 수를 빼어도 부등호의 방향은 바뀌지 않는다.

❷ 부등식의 양변에 같은 양수를 곱하거나 양변을 같은 양수로 나누어도 부등호의 방향은 바뀌지 않는다.

❸ 부등식의 양변에 같은 음수를 곱하거나 양변을 같은 음수로 나누면 부등호의 방향은 바뀐다.

$$1000x > 500x + 1600$$

$$x > \frac{16}{5} = 3.2$$

4 다음 중에서 부등식인 것을 모두 찾으시오.

ㄱ. $x+2<5$	ㄴ. $2+5=7$
ㄷ. $5x+2=3x-1$	ㄹ. $6+1\geq 3+4$

5 x의 값이 1, 2, 3, 4, 5일 때, 다음 부등식의 해를 구하시오.

(1) $x+2\leq 7-x$ (2) $3x-1>2(x+1)$

6 $a<b$일 때, 다음 □ 안에 알맞은 부등호를 써넣으시오.

(1) $a+2$ □ $b+2$ (2) $a-5$ □ $b-5$

(3) $3a$ □ $3b$ (4) $a\div(-4)$ □ $b\div(-4)$

답 4 ㄱ, ㄹ 5 (1) 1, 2 (2) 4, 5 6 (1) $<$ (2) $<$ (3) $<$ (4) $>$

1일 핵심 개념 | 이차방정식과 이차함수

이차방정식과 이차함수는 어떤 관계가 있을까?

분수에서 뿜어져 나오는 물줄기가 그리는 곡선을 분석하거나 불꽃 축제의 디자인을 결정하는 데 이차방정식과 이차함수의 관계가 유용하게 쓰인다. 또한 골프에서 포물선을 그리며 날아가는 공의 비거리를 구할 때도 쓰인다.

개념 ① 이차방정식과 이차함수의 관계

01 다음 (　　) 안에 주어진 것 중 옳은 것을 고르시오.

이차함수 $y=ax^2+bx+c$의 그래프와 x축의 교점의 x좌표는 이차방정식 $ax^2+bx+c=0$의 (실근, 허근)과 같다.

개념 ② 이차함수의 그래프와 x축의 위치 관계

[02~04] 이차함수 $y=ax^2+bx+c$의 그래프에 대하여 이차방정식 $ax^2+bx+c=0$의 판별식을 D라 할 때, 다음 (　　) 안에 주어진 것 중 옳은 것을 고르시오.

02 $(D>0, D=0, D<0)$이면 x축과 서로 다른 두 점에서 만난다.

03 $(D>0, D=0, D<0)$이면 x축과 한 점에서 만난다.

04 $(D>0, D=0, D<0)$이면 x축과 만나지 않는다.

답 **01** 실근　**02** $D>0$　**03** $D=0$　**04** $D<0$

개념 확인 | 이차방정식과 이차함수

정답 및 해설 13쪽

이차함수의 그래프와 직선의 위치 관계

이차함수 $y=ax^2+bx+c$의 그래프와 직선 $y=mx+n$의 위치 관계는 이차방정식 $ax^2+bx+c=mx+n$, 즉 $ax^2+(b-m)x+c-n=0$의 판별식 D의 부호에 따라 다음과 같다.

	$D>0$	$D=0$	$D<0$
$y=ax^2+bx+c$ $(a>0)$의 그래프와 직선 $y=mx+n$ $(m>0)$의 위치 관계	 서로 다른 두 점에서 만난다.	 한 점에서 만난다. (접한다.)	 만나지 않는다.

1-1 다음 이차함수의 그래프와 x축의 위치 관계를 말하시오.

(1) $y=-x^2-3x+4$

(2) $y=9x^2-6x+1$

(3) $y=x^2-2x+5$

1-2 다음 이차함수의 그래프와 x축의 위치 관계를 말하시오.

(1) $y=4x^2-12x+9$

(2) $y=3x^2-2x+6$

(3) $y=3x^2-x-6$

2-1 이차함수 $y=x^2-2x-1$의 그래프와 직선 $y=2x+k$의 위치 관계가 다음과 같을 때, 실수 k의 값 또는 그 범위를 구하시오.

(1) 서로 다른 두 점에서 만난다.

(2) 한 점에서 만난다. (접한다.)

(3) 만나지 않는다.

2-2 이차함수 $y=x^2-x+k$의 그래프와 직선 $y=4x-2$의 위치 관계가 다음과 같을 때, 실수 k의 값 또는 그 범위를 구하시오.

(1) 서로 다른 두 점에서 만난다.

(2) 한 점에서 만난다. (접한다.)

(3) 만나지 않는다.

핵심 개념 | 이차방정식과 이차함수

얼마에 팔면 판매 금액이 최대일까?

한 봉지의 가격이 $(2000-100x)$원인 붕어빵이 $(200+20x)$봉지 팔릴 때 판매 금액 y는

$y=(2000-100x)(200+20x)$

$\quad=-2000(x-5)^2+450000$

따라서 $x=5$일 때 y가 최대이므로 한 봉지 가격을 $2000-100\times5=1500$원으로 정하면 판매 금액이 최대가 된다.

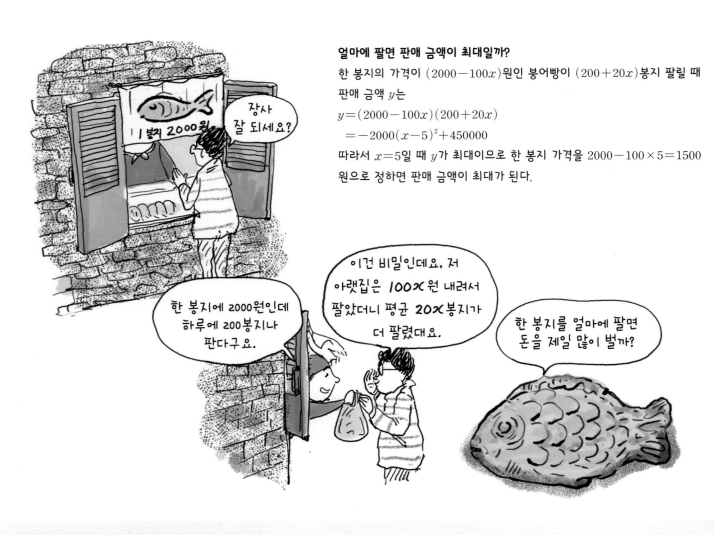

개념 3 이차함수의 최대, 최소

[05~07] 다음 ☐ 안에 알맞은 것을 아래 보기에서 찾아 써넣으시오.

보기: 최댓값, 최솟값, $f(\alpha)$, $f(p)$, $f(\beta)$

05 이차함수 $y=ax^2+bx+c$를 $y=a(x-p)^2+q$ 꼴로 고쳤을 때,

$a>0$이면 ☐은 $x=p$일 때 q이고, ☐은 없다.

$a<0$이면 ☐은 $x=p$일 때 q이고, ☐은 없다.

06 이차함수 $f(x)=a(x-p)^2+q$ $(\alpha\le x\le\beta)$에서 꼭짓점의 x좌표 p가 x의 값의 범위에 포함될 때, ☐, $f(\alpha)$, $f(\beta)$ 중 가장 큰 값이 최댓값, 가장 작은 값이 최솟값이다.

07 이차함수 $f(x)=a(x-p)^2+q$ $(\alpha\le x\le\beta)$에서 꼭짓점의 x좌표 p가 x의 값의 범위에 포함되지 않을 때, ☐, $f(\beta)$ 중 큰 값이 최댓값, 작은 값이 최솟값이다.

답 **05** 최솟값, 최댓값, 최댓값, 최솟값 **06** $f(p)$ **07** $f(\alpha)$

개념 확인 | 이차방정식과 이차함수

정답 및 해설 13쪽

제한된 범위에서 이차함수의 최대, 최소

$\alpha \le x \le \beta$일 때, 이차함수 $f(x)=a(x-p)^2+q$의 최대, 최소는 다음과 같다.

$\alpha \le p \le \beta$일 때		$p<\alpha$ 또는 $p>\beta$일 때	
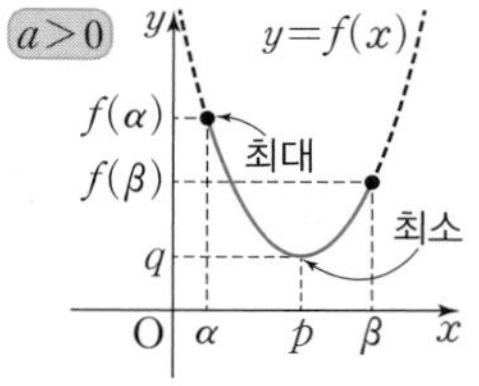	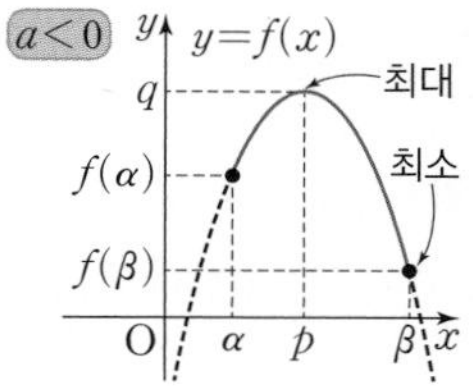	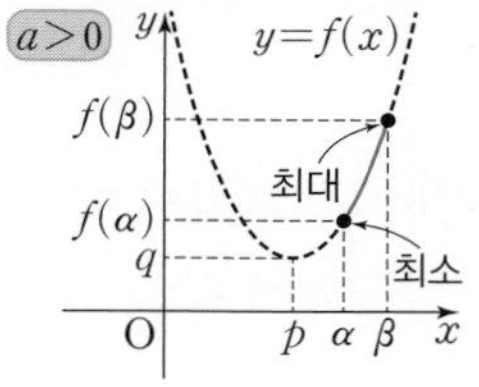	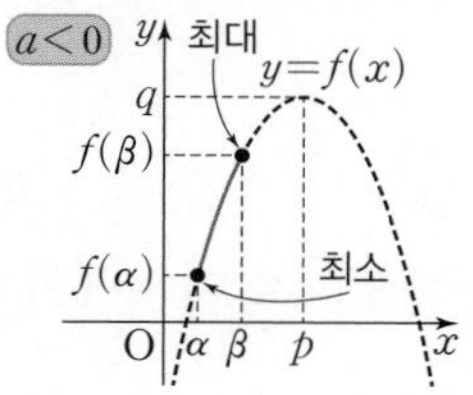
➡ $f(p), f(\alpha), f(\beta)$ 중 가장 큰 값이 최댓값, 가장 작은 값이 최솟값이다.		➡ $f(\alpha), f(\beta)$ 중 큰 값이 최댓값, 작은 값이 최솟값이다.	

2 주

3-1 다음 이차함수의 최댓값과 최솟값을 구하시오.

(1) $y=x^2-4x+5$

(2) $y=-2x^2-4x+1$

(3) $y=3x^2+6x+2$

3-2 다음 이차함수의 최댓값과 최솟값을 구하시오.

(1) $y=2x^2-4x-1$

(2) $y=-3x^2+6x-5$

(3) $y=-\frac{1}{4}x^2+5x$

4-1 다음 주어진 x의 값의 범위에서 이차함수의 최댓값과 최솟값을 구하시오.

(1) $y=x^2-2x+2$ $(-1\le x\le 2)$

(2) $y=-x^2+2x+3$ $(-2\le x\le 0)$

(3) $y=-\frac{1}{2}x^2+4x-5$ $(1\le x\le 4)$

4-2 다음 주어진 x의 값의 범위에서 이차함수의 최댓값과 최솟값을 구하시오.

(1) $y=2x^2+4x-1$ $(-3\le x\le 0)$

(2) $y=-x^2+x-1$ $(-3\le x\le -1)$

(3) $y=x^2-6x+5$ $(3\le x\le 5)$

1일 기초 유형 | 이차방정식과 이차함수

2019 3월 실시
고2 교육청 나형 9번

1-1

이차함수 $y=2x^2+ax-1$의 그래프가 x축과 만나는 두 점의 x좌표의 합이 -1일 때, 상수 a의 값을 구하시오. [3점]

Tip 이차함수 $y=ax^2+bx+c$의 그래프와 x축의 교점의 x좌표는 이차방정식 $ax^2+bx+c=0$의 실근과 같음을 이용한다.

풀이

이차함수 $y=2x^2+ax-1$의 그래프가 x축과 만나는 두 점의 x좌표는 이차방정식 $2x^2+ax-1=0$의 두 실근과 같다.
이때 이차방정식 $2x^2+ax-1=0$에서 근과 계수의 관계에 의하여 두 근의 합이 $-\frac{a}{\square}$이므로

$-\frac{a}{\square}=-1 \quad \therefore a=\square$

답 2

쌍둥이 교과서 문제

1-2

이차함수 $y=x^2+ax+b$의 그래프가 x축과 두 점 $(-3, 0)$, $(2, 0)$에서 만날 때, 실수 a, b의 값을 구하시오.

2019 6월 실시
고1 교육청 10번

2-1

이차함수 $y=x^2+5x+2$의 그래프와 직선 $y=-x+k$가 서로 다른 두 점에서 만나도록 하는 정수 k의 최솟값을 구하시오. [3점]

Tip 이차함수 $y=f(x)$의 그래프와 직선 $y=g(x)$의 위치 관계는 이차방정식 $f(x)=g(x)$, 즉 $f(x)-g(x)=0$의 판별식을 이용한다.

풀이

이차함수 $y=x^2+5x+2$의 그래프와 직선 $y=-x+k$가 서로 다른 두 점에서 만나려면 이차방정식 $x^2+5x+2=-x+k$, 즉 $x^2+6x+2-k=0$이 서로 다른 두 실근을 가져야 하므로 이 이차방정식의 판별식을 D라 하면

$\frac{D}{4}=3^2-(2-k)\square 0 \quad \therefore k>\square$

따라서 정수 k의 최솟값은 $\square$이다.

답 -6

2-2

이차함수 $y=x^2+ax+6$의 그래프와 직선 $y=x-3$이 접할 때, 실수 a의 값을 구하시오.

정답 및 해설 14쪽

2020 3월 실시
고2 교육청 8번

쌍둥이 교과서 문제

3-1

곡선 $y=2x^2-5x+a$와 직선 $y=x+12$가 서로 다른 두 점에서 만나고 두 교점의 x좌표의 곱이 -4일 때, 상수 a의 값을 구하시오. [3점]

Tip 이차함수 $y=f(x)$의 그래프와 직선 $y=g(x)$의 교점의 x좌표는 이차방정식 $f(x)=g(x)$, 즉 $f(x)-g(x)=0$의 실근과 같음을 이용한다.

풀이

곡선 $y=2x^2-5x+a$와 직선 $y=x+12$의 교점의 x좌표는 이차방정식 $2x^2-5x+a=x+12$, 즉 $2x^2-6x+a-12=0$의 실근과 같으므로 근과 계수의 관계에 의하여 두 근의 곱은

$\frac{a-12}{\square}=-4$, $a-12=\square$

$\therefore a=\square$

답 4

3-2

이차함수 $y=x^2+ax+b$의 그래프와 직선 $y=-x+3$이 만나는 두 점의 x좌표가 각각 -1, 2일 때, 상수 a, b의 값을 구하시오.

2018 3월 실시
고2 교육청 나형 9번

4-1

$0\le x\le 4$에서 정의된 이차함수 $f(x)=x^2-6x+k$의 최댓값이 17일 때, 이차함수 $f(x)$의 최솟값을 구하시오. (단, k는 상수이다.) [3점]

Tip 주어진 이차함수를 $y=a(x-p)^2+q$ 꼴로 나타낸다.

풀이

$f(x)=x^2-6x+k$

$\quad=(x-3)^2+k-9$

이므로 $0\le x\le 4$에서 이차함수 $y=f(x)$의 그래프는 오른쪽 그림과 같다.

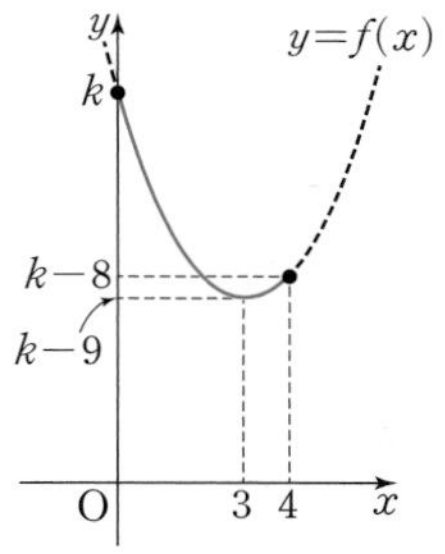

즉, $x=\square$일 때 최댓값 k, $x=3$일 때 최솟값 $k-9$를 갖는다.

이때 최댓값이 17이므로 $k=\square$

따라서 최솟값은

$k-9=17-9=\square$

답 8

4-2

$1\le x\le 4$에서 이차함수 $y=x^2-4x+k-3$의 최댓값이 6일 때, 이 이차함수의 최솟값을 구하시오.

(단, k는 상수이다.)

2주

2일 핵심 개념 | 고차방정식

초코 케이크의 높이는 얼마일까?

딸기 케이크의 지름의 길이와 높이가 모두 $2r$일 때,

부피는 $\pi r^2 \times 2r = 2\pi r^3$

초코 케이크의 부피는 $\pi(r+4)^2 \times (2r+4)$

초코 케이크의 부피는 딸기 케이크의 부피의 6배이므로

$\pi(r+4)^2 \times (2r+4) = 6 \times 2\pi r^3$,

$5r^3 - 10r^2 - 32r - 32 = 0$

$(r-4)(5r^2+10r+8) = 0 \qquad \therefore r = 4$

4	5	-10	-32	-32
		20	40	32
	5	10	8	0

따라서 초코 케이크의 높이는

$2 \times 4 + 4 = 12$ cm이다.

개념 ① 고차방정식의 풀이

[01~04] 다음 ☐ 안에 알맞은 것을 아래 보기에서 찾아 써넣으시오.

> **보기**
>
> $0,\ 1,\ x+a,\ x-a,\ x^2,\ x^2+1$

01 방정식 $P(x)=0$은 다항식 $P(x)$를 인수분해한 후 다음을 이용한다.

$ABC=0 \Rightarrow A=0$ 또는 $B=$ ☐ 또는 $C=0$

02 $x^4+ax^2+b=0$ (a, b는 상수) 꼴의 방정식에서 좌변이 인수분해가 되는 경우에는 ☐ $=X$로 치환하여 X에 대한 이차방정식 $X^2+aX+b=0$으로 변형한 다음 인수분해한다.

03 $(x^2+1)^2-3(x^2+1)+2=0$처럼 공통부분이 보이는 경우에는 공통부분인 ☐ 을 X로 치환하여 $X^2-3X+2=0$과 같이 식을 간단히 한 다음 인수분해한다.

04 방정식 $P(x)=0$에서 다항식 $P(x)$에 대하여 $P(a)=0$이면 $P(x)=($ ☐ $)Q(x)$ 꼴로 인수분해할 수 있다.

답 **01** 0 **02** x^2 **03** x^2+1 **04** $x-a$

개념 확인 | 고차방정식

정답 및 해설 15쪽

인수분해 공식을 이용한 풀이

❶ $ABC=0 \Rightarrow A=0$ 또는 $B=0$ 또는 $C=0$

❷ $ABCD=0 \Rightarrow A=0$ 또는 $B=0$ 또는 $C=0$ 또는 $D=0$

치환을 이용한 풀이

공통부분이 보이는 경우에는 공통부분을 한 문자로 치환하여 식을 간단히 한 다음 인수분해한다.

인수정리를 이용한 풀이

방정식 $P(x)=0$에서 다항식 $P(x)$에 대하여

$P(\alpha)=0$이면 $P(x)$는 $x-\alpha$를 인수로 갖는다.

⇩

$P(x)=(x-\alpha)Q(x)$ 꼴로 인수분해된다.

1-1 다음 방정식을 푸시오.

(1) $x^3+27=0$

(2) $x^4-1=0$

1-2 다음 방정식을 푸시오.

(1) $x^3-8=0$

(2) $x^4-36=0$

2-1 다음 방정식을 푸시오.

(1) $x^4+x^2-2=0$

(2) $(x^2+x)^2-5(x^2+x)-6=0$

2-2 다음 방정식을 푸시오.

(1) $x^4+10x^2+9=0$

(2) $(x^2-6x+7)(x^2-6x+6)=2$

3-1 다음 방정식을 푸시오.

(1) $x^3-4x+3=0$

(2) $x^4+x^3-x^2+x-2=0$

3-2 다음 방정식을 푸시오.

(1) $2x^3-x^2-3x-6=0$

(2) $x^4+5x^3-20x-16=0$

2주

2일 핵심 개념 | 고차방정식

계란말이의 높이는 얼마일까?

계란말이의 높이를 $x\,\text{cm}$라 하면 $x^3-9x^2+20x-12=0$의 세 근이 $6,\ 2,\ x$이므로 삼차방정식의 근과 계수의 관계에 의하여

$6+2+x=9 \qquad \therefore\ x=1$

따라서 계란말이의 높이는 $1\,\text{cm}$이다.

개념 ② 삼차방정식의 근과 계수의 관계

[05~07] 삼차방정식 $ax^3+bx^2+cx+d=0$의 세 근을 α, β, γ라 할 때, 다음 (　　) 안에 주어진 것 중 옳은 것을 고르시오.

05 $\alpha+\beta+\gamma=\left(-\dfrac{b}{a},\ \dfrac{b}{a}\right)$

06 $\alpha\beta+\beta\gamma+\gamma\alpha=\left(-\dfrac{c}{a},\ \dfrac{c}{a}\right)$

07 $\alpha\beta\gamma=\left(-\dfrac{d}{a},\ \dfrac{d}{a}\right)$

개념 ③ 삼차방정식의 켤레근

[08~09] 다음 ☐ 안에 알맞은 것을 아래 보기에서 찾아 써넣으시오.

> **보기**
>
> $a-\sqrt{b},\quad a+\sqrt{b},\quad a-bi,\quad a+bi$

08 계수가 유리수인 삼차방정식의 한 근이 $a+\sqrt{b}$ (a는 유리수, $\sqrt{b}$는 무리수)일 때, 다른 한 근은 ☐이다.

09 계수가 실수인 삼차방정식의 한 근이 $a+bi$ (a, b는 실수, $b\neq0$, $i=\sqrt{-1}$)일 때, 다른 한 근은 ☐이다.

답 05 $-\dfrac{b}{a}$　06 $\dfrac{c}{a}$　07 $-\dfrac{d}{a}$　08 $a-\sqrt{b}$　09 $a-bi$

개념 확인 | 고차방정식

■ 정답 및 해설 16쪽

삼차방정식의 근과 계수의 관계

삼차방정식 $ax^3+bx^2+cx+d=0$의 세 근을 α, β, γ라 하면

$\alpha+\beta+\gamma=-\frac{b}{a}$, $\alpha\beta+\beta\gamma+\gamma\alpha=\frac{c}{a}$, $\alpha\beta\gamma=-\frac{d}{a}$

삼차방정식의 작성

세 수 α, β, γ를 근으로 하고 x^3의 계수가 1인 삼차방정식은

$x^3-(\alpha+\beta+\gamma)x^2+(\alpha\beta+\beta\gamma+\gamma\alpha)x-\alpha\beta\gamma=0$

삼차방정식의 켤레근

❶ 계수가 유리수인 삼차방정식의
한 근이 $a+\sqrt{b}$ (a는 유리수, $\sqrt{b}$는 무리수)일 때
⇨ 다른 한 근은 $a-\sqrt{b}$

❷ 계수가 실수인 삼차방정식의
한 근이 $a+bi$ (a, b는 실수, $b\neq0$, $i=\sqrt{-1}$)일 때
⇨ 다른 한 근은 $a-bi$

4-1 삼차방정식 $x^3-3x^2-2x-4=0$의 세 근을 α, β, γ라 할 때, 다음 식의 값을 구하시오.

(1) $\frac{1}{\alpha}+\frac{1}{\beta}+\frac{1}{\gamma}$

(2) $\alpha^2+\beta^2+\gamma^2$

5-1 다음 세 수를 근으로 하고 x^3의 계수가 1인 삼차방정식을 구하시오.

(1) -2, 1, 4

(2) 3, $-1+\sqrt{2}$, $-1-\sqrt{2}$

6-1 삼차방정식 $x^3+ax^2+bx+c=0$의 두 근이 1, $1-\sqrt{3}$일 때, 유리수 a, b, c의 값을 구하시오.

4-2 삼차방정식 $x^3-5x^2+4x+2=0$의 세 근을 α, β, γ라 할 때, 다음 식의 값을 구하시오.

(1) $\frac{1}{\alpha\beta}+\frac{1}{\beta\gamma}+\frac{1}{\gamma\alpha}$

(2) $(1+\alpha)(1+\beta)(1+\gamma)$

5-2 다음 세 수를 근으로 하고 x^3의 계수가 1인 삼차방정식을 구하시오.

(1) -5, -1, 3

(2) 2, $1+i$, $1-i$

6-2 삼차방정식 $x^3+ax^2+bx+c=0$의 두 근이 4, $-1+\sqrt{2}i$일 때, 실수 a, b, c의 값을 구하시오.

2일 기초 유형 | 고차방정식

2016 11월 실시
고1 교육청 10번

1-1

사차방정식 $(x^2-3x)^2+5(x^2-3x)+6=0$의 모든 실근의 곱을 구하시오. [3점]

Tip 공통부분을 한 문자로 치환하여 식을 간단히 한 다음 인수분해한다.

풀이

$x^2-3x=X$로 놓으면 주어진 방정식은

$X^2+5X+6=0$, $(X+2)(X+3)=0$

$\therefore X=-2$ 또는 $X=-3$

(i) $X=-2$, 즉 $x^2-3x=-2$일 때

$x^2-3x+2=0$, $(x-1)(x-\square)=0$

$\therefore x=1$ 또는 $x=\square$

(ii) $X=-3$, 즉 $x^2-3x=-3$일 때

$x^2-3x+3=0 \qquad \therefore x=\dfrac{3\pm\square}{2}$

(i), (ii)에서

$x=1$ 또는 $x=2$ 또는 $x=\dfrac{3\pm\square}{2}$

따라서 모든 실근의 곱은

$1\times\square=\square$

답 2

쌍둥이 교과서 문제

1-2

사차방정식 $(x^2-4x+4)(x^2-4x-2)=-5$의 근 중에서 무리수인 두 근의 곱을 구하시오.

1-3

방정식 $x(x+1)(x+2)(x+3)=24$를 푸시오.

x와 $x+3$, $x+1$과 $x+2$를 묶으면 공통부분 x^2+3x를 찾을 수 있어.

정답 및 해설 16쪽

2017 6월 실시
고1 교육청 9번

쌍둥이 교과서 문제

2-1

삼차방정식 $x^3-2x^2-5x+6=0$의 세 실근 α, β, γ $(\alpha<\beta<\gamma)$에 대하여 $\alpha+\beta+2\gamma$의 값을 구하시오. [3점]

Tip 고차방정식 $P(x)=0$에서 $P(\alpha)=0$을 만족시키는 α의 값을 찾은 후 인수정리와 조립제법을 이용하여 인수분해한다.

풀이

$P(x)=x^3-2x^2-5x+6$으로 놓으면 $P(1)=0$

$P(x)$는 $x-$☐을 인수로 가지므로 조립제법을 이용하여 인수분해하면

1	1	−2	−5	6
		1	−1	−6
	1	−1	−6	0

$P(x)=(x-1)(x^2-x-6)$

$=(x-1)(x+2)(x-3)$

따라서 방정식 $(x-1)(x+2)(x-3)=0$의 근은

$x=-2$ 또는 $x=1$ 또는 $x=$☐

이때 $\alpha<\beta<\gamma$이므로 $\alpha=-2$, $\beta=1$, $\gamma=3$

$\therefore \alpha+\beta+2\gamma=$☐

답 5

2-2

사차방정식 $2x^4-3x^3-3x^2+2x=0$의 서로 다른 네 실근 중 가장 큰 수를 a, 가장 작은 수를 b라 할 때, a^2+b^2의 값을 구하시오.

2018 6월 실시
고1 교육청 8번

3-1

x에 대한 삼차방정식 $ax^3+x^2+x-3=0$의 한 근이 1일 때, 나머지 두 근의 곱을 구하시오.

(단, a는 상수이다.) [3점]

Tip 한 근을 주어진 방정식에 대입하여 미지수를 구한 후 주어진 방정식을 인수분해한다.

풀이

주어진 방정식에 $x=1$을 대입하면 $a=$☐

$P(x)=x^3+x^2+x-3$으로 놓으면 $P($☐$)=0$

$P(x)$는 $x-1$을 인수로 가지므로 조립제법을 이용하여 인수분해하면

1	1	1	1	−3
		1	2	3
	1	2	3	0

$P(x)=(x-1)(x^2+2x+3)$

따라서 방정식 $(x-1)(x^2+2x+3)=0$의 나머지 두 근은 이차방정식 $x^2+2x+3=0$의 두 근과 같으므로 근과 계수의 관계에 의하여 두 근의 곱은 ☐이다.

답 3

3-2

삼차방정식 $x^3+ax^2+x-1=0$의 한 근이 1일 때, 실수 a의 값과 나머지 두 근을 구하시오.

2주

3일 핵심 개념 | 연립방정식

가감법과 대입법의 연립방정식

이천 원, 삼천 원짜리를 각각 x접시, y접시 먹었다고 하면

$x=y+10$, $x+y=26$

가감법

$\begin{cases} x-y=10 & \cdots\cdots ㉠ \\ x+y=26 & \cdots\cdots ㉡ \end{cases}$

㉠+㉡을 하면

$2x=36$

$\therefore x=18, y=8$

대입법

$x=y+10$을 $x+y=26$에 대입하면

$(y+10)+y=26$, $2y=16$

$\therefore x=18, y=8$

개념 ① 연립이차방정식

[01~04] 다음 ( ) 안에 주어진 것 중 옳은 것을 고르시오.

01 미지수가 2개인 연립방정식에서 차수가 가장 높은 방정식이 이차방정식일 때, 이 연립방정식을 (연립일차방정식, 연립이차방정식)이라 한다.

02 연립방정식 $\begin{cases} 2x-y=0 & \cdots\cdots ㉠ \\ x^2+y^2=20 & \cdots\cdots ㉡ \end{cases}$을 풀 때는 ㉠을 (x, y)에 대하여 정리한 식 $y=2x$를 ㉡에 대입하여 푼다.

03 연립방정식 $\begin{cases} x^2-xy=0 & \cdots\cdots ㉠ \\ x^2+y^2=2 & \cdots\cdots ㉡ \end{cases}$를 풀 때는 (㉠, ㉡)을 인수분해하여 얻은 $x=0$ 또는 $y=x$를 (㉠, ㉡)에 대입하여 푼다.

04 연립방정식 $\begin{cases} x^2-xy=12 & \cdots\cdots ㉠ \\ xy-y^2=4 & \cdots\cdots ㉡ \end{cases}$를 풀 때는 ㉠−㉡×3을 하여 (이차항, 상수항)을 소거한 후 인수분해하여 푼다.

답 **01** 연립이차방정식 **02** y **03** ㉠, ㉡ **04** 상수항

개념 확인 | 연립방정식

정답 및 해설 17쪽

$\begin{cases} (\text{일차식})=0 \\ (\text{이차식})=0 \end{cases}$ **꼴의 연립이차방정식**

일차방정식과 이차방정식으로 이루어진 연립이차방정식은 일차방정식을 한 미지수에 대하여 정리하고, 이것을 이차방정식에 대입하여 푼다.

$\begin{cases} (\text{이차식})=0 \\ (\text{이차식})=0 \end{cases}$ **꼴의 연립이차방정식**

두 개의 이차방정식으로 이루어진 연립이차방정식은 인수분해를 이용하여 일차방정식과 이차방정식으로 이루어진 연립이차방정식으로 고쳐서 푼다.

1-1 다음 연립이차방정식을 푸시오.

(1) $\begin{cases} 2x-y=1 \\ x^2-y^2=-5 \end{cases}$

(2) $\begin{cases} x-y=2 \\ x^2-xy+2y^2=4 \end{cases}$

1-2 다음 연립이차방정식을 푸시오.

(1) $\begin{cases} 2x+y=7 \\ x^2+y^2=10 \end{cases}$

(2) $\begin{cases} x+y=3 \\ 2x^2+3xy-y^2=4 \end{cases}$

2-1 다음 연립이차방정식을 푸시오.

(1) $\begin{cases} x^2-y^2=0 \\ 3x^2+xy-y^2=9 \end{cases}$

(2) $\begin{cases} x^2-xy-2y^2=0 \\ 2x^2-y^2=49 \end{cases}$

(3) $\begin{cases} x^2-2xy-3y^2=5 \\ 2x^2+3xy+y^2=3 \end{cases}$

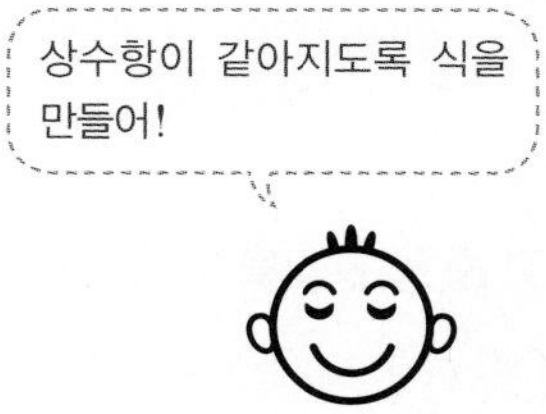

상수항이 같아지도록 식을 만들어!

2-2 다음 연립이차방정식을 푸시오.

(1) $\begin{cases} 3x^2-2xy-y^2=0 \\ x^2-xy-2y^2+2=0 \end{cases}$

(2) $\begin{cases} 2x^2+3xy-2y^2=0 \\ x^2+y^2=5 \end{cases}$

(3) $\begin{cases} x^2-2xy+2y^2=5 \\ 4x^2-11xy+7y^2=10 \end{cases}$

3일 핵심 개념 | 연립방정식

개념 ② x, y에 대한 대칭식인 연립이차방정식

[05~06] 연립방정식 $\begin{cases} x+y=3 \\ xy=-10 \end{cases}$ 의 풀이 과정이다. 다음 ☐ 안에 알맞은 것을 아래 보기에서 찾아 써넣으시오.

보기
-2, 3, 5, 7, 10

05 x, y는 이차방정식 t^2-3t-☐$=0$의 두 근이다.

06 $t^2-3t-10=0$에서 $(t+2)(t-5)=0$, $t=-2$ 또는 $t=5$ $\quad\therefore \begin{cases} x=-2 \\ y=\square \end{cases}$ 또는 $\begin{cases} x=5 \\ y=\square \end{cases}$

개념 ③ 부정방정식

07 실수 조건의 부정방정식을 푸는 과정이다. 다음 ( ) 안에 주어진 것 중 옳은 것을 고르시오.

❶ 실수 x, y에 대한 이차방정식은 한 문자에 대하여 정리한 다음 판별식 ($D\ge 0$, $D\le 0$)임을 이용한다.

❷ A, B가 실수이고 $A^2+B^2=0$이면 $A=0$, $B=0$임을 이용한다.

답 **05** 10 **06** 5, -2 **07** $D\ge 0$

개념 확인 | 연립방정식

정답 및 해설 19쪽

x, y에 대한 대칭식인 연립이차방정식의 풀이

1 $x+y=p$, $xy=q$로 치환한 후 p, q에 대한 연립방정식을 풀어 p, q의 값을 구한다.

2 x, y가 t에 대한 이차방정식 $t^2-pt+q=0$의 두 근임을 이용한다.

정수 조건의 부정방정식

(일차식)×(일차식)=(정수) 꼴로 변형하여 푼다.

실수 조건의 부정방정식

❶ 한 미지수에 대한 이차방정식 꼴로 정리한 다음 판별식 $D\geq0$을 이용하여 푼다.

❷ A, B가 실수이고 $A^2+B^2=0$이면 $A=0$, $B=0$임을 이용한다.

3-1 다음 연립이차방정식을 푸시오.

(1) $\begin{cases} x+y=8 \\ xy=15 \end{cases}$

(2) $\begin{cases} x+y=2 \\ x^2+y^2=20 \end{cases}$

(3) $\begin{cases} x+y-xy=1 \\ x^2+xy+y^2=31 \end{cases}$

3-2 다음 연립이차방정식을 푸시오.

(1) $\begin{cases} x+y=1 \\ xy=-6 \end{cases}$

(2) $\begin{cases} x^2+y^2=10 \\ xy=3 \end{cases}$

(3) $\begin{cases} x^2+y^2=5 \\ x^2-xy+y^2=3 \end{cases}$

4-1 다음을 구하시오.

(1) 방정식 $x^2+xy-2y^2=-29$를 만족시키는 자연수 x, y의 순서쌍 (x, y)

(2) 방정식 $x^2+y^2-4x-2y+5=0$을 만족시키는 실수 x, y의 순서쌍 (x, y)

4-2 다음을 구하시오.

(1) 방정식 $xy-2x-3y+1=0$을 만족시키는 자연수 x, y의 순서쌍 (x, y)

(2) 방정식 $x^2+2xy+2y^2-2y+1=0$을 만족시키는 실수 x, y의 순서쌍 (x, y)

기초 유형 | 연립방정식

2019 11월 실시
고1 교육청 25번

1-1

x, y에 대한 연립방정식

$$\begin{cases} x-2y=1 \\ 2x-y^2=6 \end{cases}$$

의 해가 $x=\alpha$, $y=\beta$일 때, $\alpha+\beta$의 값을 구하시오. [3점]

Tip 일차방정식을 한 미지수에 대하여 정리하고, 이것을 이차방정식에 대입하여 푼다.

풀이

$x-2y=1$을 $\square$에 대하여 정리하면

$x=2y+1$ ……㉠

㉠을 $2x-y^2=6$에 대입하면

$2(2y+1)-y^2=6$, $y^2-4y+4=0$

$(y-2)^2=0$ $\therefore y=2$

$y=2$를 ㉠에 대입하여 해를 구하면

$$\begin{cases} x=\square \\ y=2 \end{cases}$$

따라서 $\alpha=\square$, $\beta=2$이므로

$\alpha+\beta=\square$

답 7

쌍둥이 교과서 문제

1-2

연립방정식 $\begin{cases} x-y=3 \\ x^2-y^2=15 \end{cases}$의 해를 $x=\alpha$, $y=\beta$라 할 때, $\alpha\beta$의 값을 구하시오.

1-3

연립이차방정식 $\begin{cases} 2x+y=a \\ x^2-xy-y^2=b \end{cases}$의 한 근이 $\begin{cases} x=1 \\ y=-1 \end{cases}$일 때, 상수 a, b의 값과 나머지 한 근을 구하시오.

정답 및 해설 20쪽

2019 3월 실시
고2 교육청 가형 13번

쌍둥이 교과서 문제

2-1

연립방정식

$$\begin{cases} x^2-2xy-3y^2=0 \\ x^2+y^2=20 \end{cases}$$

의 해를 $x=a$, $y=b$라 할 때, $a+b$의 값을 구하시오.

(단, $a>0$, $b>0$) [3점]

Tip 인수분해를 이용하여 일차방정식과 이차방정식으로 이루어진 연립이차방정식으로 고쳐서 푼다.

풀이

$$\begin{cases} x^2-2xy-3y^2=0 & \cdots\cdots ㉠ \\ x^2+y^2=20 & \cdots\cdots ㉡ \end{cases}$$

㉠의 좌변을 인수분해하면

$(x+y)(x-3y)=0$

$\therefore x=-y$ 또는 $x=3y$

(i) $x=-y$를 ㉡에 대입하면

$y^2+y^2=20$, $y^2=10$ $\qquad \therefore y=\pm\sqrt{10}$

$y=\sqrt{10}$일 때 $x=-\sqrt{10}$,

$y=-\sqrt{10}$일 때 $x=\sqrt{10}$

(ii) $x=$ ☐ 를 ㉡에 대입하면

$9y^2+y^2=20$, $y^2=2$ $\qquad \therefore y=\pm\sqrt{2}$

$y=\sqrt{2}$일 때 $x=3\sqrt{2}$,

$y=-\sqrt{2}$일 때 $x=$ ☐

(i), (ii)에서 구하는 해는

$\begin{cases} x=-\sqrt{10} \\ y=\sqrt{10} \end{cases}$ 또는 $\begin{cases} x=\sqrt{10} \\ y=-\sqrt{10} \end{cases}$

또는 $\begin{cases} x=3\sqrt{2} \\ y=\sqrt{2} \end{cases}$ 또는 $\begin{cases} x= ☐ \\ y=-\sqrt{2} \end{cases}$

이때 $a>0$, $b>0$에서 $a=3\sqrt{2}$, $b=\sqrt{2}$

$\therefore a+b=$ ☐ $\qquad$ 답 $4\sqrt{2}$

2-2

연립방정식 $\begin{cases} 3x^2-7xy+2y^2=0 \\ x^2+y^2=20 \end{cases}$ 을 푸시오.

2-3

연립방정식 $\begin{cases} x^2+xy-2y^2=0 \\ x^2+3xy+3y^2=7 \end{cases}$ 의 해를 $x=\alpha$, $y=\beta$라 할 때, $\alpha+\beta$의 최댓값을 구하시오.

2주

4일 핵심 개념 | 부등식

소고기는 몇 인분 주문할 수 있을까?

소고기를 x인분 주문한다고 하면

$$\begin{cases} 9000x+8000(8-x)\le 70000 & \cdots\cdots ㉠ \\ x>8-x & \cdots\cdots ㉡ \end{cases}$$

㉠에서 $9x+64-8x\le 70$ $\quad\therefore x\le 6$

㉡에서 $2x>8$ $\quad\therefore x>4$

따라서 $4<x\le 6$이므로 소고기는 5인분 또는 6인분 주문할 수 있다.

개념 ① 연립일차부등식

01 다음 [ ] 안에 알맞은 것을 아래 보기에서 찾아 써넣으시오.

> • 보기 •
> 연립방정식, 연립부등식, 연립일차방정식, 연립일차부등식

두 개 이상의 부등식을 한 쌍으로 묶어서 나타낸 것을 [ ]이라 한다. 이때 각각의 부등식이 일차부등식인 연립부등식을 [ ]이라 한다.

개념 ② 연립일차부등식의 풀이

02 연립부등식을 푸는 과정이다. 다음 ( ) 안에 주어진 것 중 옳은 것을 고르시오.

1 각 일차부등식을 푼다.

2 각 일차부등식의 해를 하나의 (수직선, 좌표평면) 위에 나타낸다.

3 공통부분을 찾아 (등호, 부등호)를 사용하여 나타낸다.

답 **01** 연립부등식, 연립일차부등식 **02** 수직선, 부등호

개념 확인 | 부등식

■ 정답 및 해설 21쪽

연립부등식

연립부등식에서 두 부등식의 공통인 해를 연립부등식의 해라 하며, 연립부등식의 해를 구하는 것을 연립부등식을 푼다고 한다.

$A<B<C$ 꼴의 연립부등식

$A<B<C$ 꼴의 연립부등식은 두 부등식 $A<B$와 $B<C$를 하나로 나타낸 것이므로 $\begin{cases} A<B \\ B<C \end{cases}$ 꼴로 고쳐서 푼다.

1-1 다음 연립부등식을 푸시오.

(1) $\begin{cases} 4x+7>-9 \\ 16-5x\geq 4+x \end{cases}$

(2) $\begin{cases} 3x+1\leq 4x-2 \\ 2x-9<12-x \end{cases}$

(3) $\begin{cases} x-2\leq 1 \\ 5x-2\geq 2x+7 \end{cases}$

1-2 다음 연립부등식을 푸시오.

(1) $\begin{cases} x+1\geq 3 \\ 2x-1<x+4 \end{cases}$

(2) $\begin{cases} 7x-4<2x-29 \\ x-5\geq 4x+1 \end{cases}$

(3) $\begin{cases} 3x+1\geq -5 \\ x\leq -x-4 \end{cases}$

2-1 다음 연립부등식을 푸시오.

(1) $2x-5<3x-1<x+7$

(2) $\frac{1}{3}x\leq -\frac{1+x}{2}<\frac{1}{6}x$

2-2 다음 연립부등식을 푸시오.

(1) $13<5x-7<12x$

(2) $-4\leq x-5\leq -x+1$

2 주

4일 핵심 개념 | 부등식

절댓값을 포함한 일차부등식

영하의 온도를 음수, 영상의 온도를 양수로 생각하면 적정 보관 온도 x의 값의 범위는 $-2 \leq x \leq 2$이므로 절댓값 기호를 이용하여 나타내면 $|x| \leq 2$이다.

한편 어떤 제품의 중량이 $50\text{ g} \pm 2\text{ g}$이라 적혀 있을 때, 실제 중량을 $x\text{ g}$이라 하면 $50-2 \leq x \leq 50+2$, $-2 \leq x-50 \leq 2$

$x-50$의 값의 범위를 절댓값 기호를 사용하여 나타내면 $|x-50| \leq 2$이다.

개념 3 $|x|<a$ 또는 $|x|>a$ 꼴의 부등식의 해

03 $a>0$일 때, 다음 (　　) 안에 주어진 것 중 옳은 것을 고르시오.

$|x|<a$의 해는 ($x<-a$ 또는 $x>a$, $-a<x<a$)이고, $|x|>a$의 해는 ($x<-a$ 또는 $x>a$, $-a<x<a$)이다.

개념 4 절댓값을 포함한 일차부등식의 풀이

[04~05] 절댓값을 포함한 일차부등식을 푸는 과정이다. 다음 □ 안에 알맞은 것을 아래 보기에서 찾아 써넣으시오.

보기

$0,\ 1,\ x,\ -x,\ x-a$

04 절댓값 기호 안의 식의 값이 □이 되는 x의 값을 기준으로 범위를 나눈다.

05 $|x|=\begin{cases} x & (x \geq 0) \\ \square & (x<0) \end{cases}$, $|x-a|=\begin{cases} \square & (x \geq a) \\ -(x-a) & (x<a) \end{cases}$를 이용하여 절댓값 기호를 없앤 후 푼다.

답 **03** $-a<x<a$, $x<-a$ 또는 $x>a$　**04** 0　**05** $-x$, $x-a$

개념 확인 | 부등식

정답 및 해설 21쪽

절댓값을 포함한 일차부등식의 풀이

일반적으로 절댓값 기호를 포함한 부등식은 다음과 같은 순서로 푼다.

[1] 절댓값 기호 안의 식의 값이 0이 되는 x의 값을 기준으로 범위를 나눈다.

[2] 각 범위에서 절댓값 기호를 없앤 후 식을 정리하여 해를 구한다.

[3] [2]에서 구한 해를 합한 x의 값의 범위를 구한다.

3-1 다음 부등식을 푸시오.

(1) $|2x+1|>3$

(2) $|x-1|<2-x$

(3) $2\le|x|<3$

3-2 다음 부등식을 푸시오.

(1) $|x-2|\le 1$

(2) $3x-5<2|x|$

(3) $2<|4x-5|\le 3$

4-1 다음 부등식을 푸시오.

(1) $3-2|x|>|x-1|$

(2) $|x+1|+|x-1|<4$

4-2 다음 부등식을 푸시오.

(1) $|x-2|+|x-5|\le 5$

(2) $|x-1|<|2x-3|-2$

2017 3월 실시
고1 교육청 9번

1-1

연립부등식

$$\begin{cases} 2x < x+9 \\ x+5 \le 5x-3 \end{cases}$$

을 만족시키는 정수 x의 개수를 구하시오. [3점]

Tip 각 일차부등식의 해의 공통부분을 구한다.

풀이

$2x < x+9$에서 $x <$ ☐ ……㉠

$x+5 \le 5x-3$에서 $-4x \le -8$ $\therefore x \ge 2$ ……㉡

㉠, ㉡을 수직선 위에 나타내면 다음과 같다.

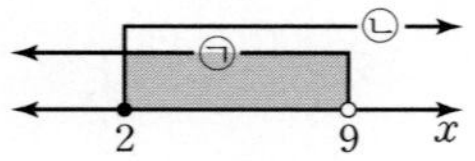

따라서 구하는 해는 $2 \le x <$ ☐ 이므로 정수 x의 개수는 $2, 3, \cdots, 8$의 ☐ 이다.

답 7

쌍둥이 교과서 문제

1-2

연립부등식 $\begin{cases} 8-2x > x+2 \\ x-3 \le 3x+1 \end{cases}$을 만족시키는 정수 x의 개수를 구하시오.

1-3

부등식 $3-x < 2x \le \frac{2}{3}(x+4)$의 해가 $a < x \le b$일 때, a, b의 값을 구하시오.

정답 및 해설 23쪽

2019 6월 실시
고1 교육청 6번

쌍둥이 교과서 문제

2-1

부등식 $|x-3|\le 2$를 만족시키는 모든 정수 x의 값의 합을 구하시오. [3점]

Tip $a>0$일 때, $|x|<a$의 해는 $-a<x<a$임을 이용하여 부등식을 푼다.

풀이

$|x-3|\le 2$에서 $-2\le x-3\le \square$

$\therefore \square \le x\le 5$

따라서 모든 정수 x의 값의 합은

$1+2+3+4+5=\square$ 답 15

2-2

부등식 $|2x-a|<7$의 해가 $-5<x<b$일 때, 상수 a, b의 값을 구하시오.

2019 11월 실시
고1 교육청 10번

3-1

부등식 $x>|3x+1|-7$을 만족시키는 모든 정수 x의 값의 합을 구하시오. [3점]

Tip 절댓값 기호 안의 식을 0이 되게 하는 x의 값을 기준으로 범위를 나누어 부등식을 푼다.

풀이

(i) $x\ge -\frac{1}{3}$일 때 $x>(3x+1)-7$에서

$-2x>-6$, $x<\square$

그런데 $x\ge -\frac{1}{3}$이므로 $-\frac{1}{3}\le x<3$ ……㉠

(ii) $x<-\frac{1}{3}$일 때 $x>-(3x+1)-7$에서

$4x>-8$, $x>\square$

그런데 $x<-\frac{1}{3}$이므로 $-2<x<-\frac{1}{3}$ ……㉡

(i), (ii)에서

$-2<x<3$

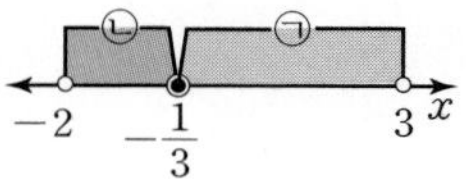

따라서 모든 정수 x의 값의 합은

$-1+0+1+2=\square$ 답 2

3-2

부등식 $|x-2|+6\le 2x$를 푸시오.

5일 핵심 개념 | 여러 가지 부등식

맛슐랭 코스 일인분 가격은?

맛슐랭 코스 가격이 13만 원일 때는 40인분이 팔렸고, 가격을 x만 원 인상하면 판매량이 $2x$인분 줄어든 것으로 나타났다.

맛슐랭 코스의 한 달 총 판매액이 540만 원 이상이 되게 하려면

$(13+x)(40-2x)\geq 540$, $-2x^2+14x+520\geq 540$

$x^2-7x+10\leq 0$, $(x-2)(x-5)\leq 0$, 즉 $2\leq x\leq 5$

따라서 $15\leq 13+x\leq 18$이므로 일인분의 가격을 15만 원 이상 18만 원 이하로 정하면 된다.

개념 ① 이차부등식과 이차함수의 관계

[01~02] 다음 (   ) 안에 주어진 것 중 옳은 것을 고르시오.

01 $ax^2+bx+c>0$의 해는 이차함수 $y=ax^2+bx+c$의 그래프에서 x축보다 (위쪽, 아래쪽)에 있는 부분의 x의 값의 범위이다.

02 $ax^2+bx+c<0$의 해는 이차함수 $y=ax^2+bx+c$의 그래프에서 x축보다 (위쪽, 아래쪽)에 있는 부분의 x의 값의 범위이다.

개념 ② 이차부등식의 해

03 $\alpha<\beta$일 때, 다음 □ 안에 알맞은 것을 아래 보기에서 찾아 써넣으시오.

보기

$x<\alpha$ 또는 $x>\beta$, $x\leq\alpha$ 또는 $x\geq\beta$, $\alpha<x<\beta$, $\alpha\leq x\leq\beta$

이차부등식 $(x-\alpha)(x-\beta)>0$의 해는 □이고, 이차부등식 $(x-\alpha)(x-\beta)<0$의 해는 □이다.

답 **01** 위쪽 **02** 아래쪽 **03** $x<\alpha$ 또는 $x>\beta$, $\alpha<x<\beta$

개념 확인 | 여러 가지 부등식

정답 및 해설 23쪽

이차부등식의 해

이차방정식 $ax^2+bx+c=0\,(a>0)$의 판별식을 $D=b^2-4ac$라 하면 이차부등식의 해와 이차함수의 그래프 사이에는 다음과 같은 관계가 성립함을 알 수 있다.

	$D>0$	$D=0$	$D<0$
$y=ax^2+bx+c$의 그래프	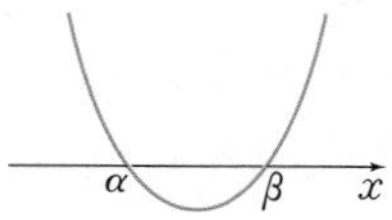	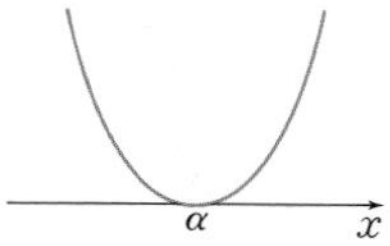	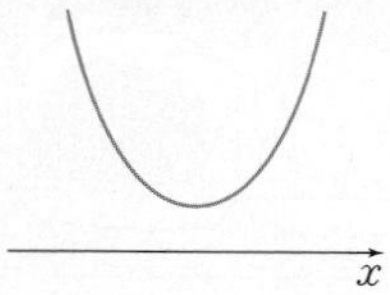
$ax^2+bx+c>0$의 해	$x<\alpha$ 또는 $x>\beta$	$x\neq\alpha$인 모든 실수	모든 실수
$ax^2+bx+c<0$의 해	$\alpha<x<\beta$	없다.	없다.
$ax^2+bx+c\geq0$의 해	$x\leq\alpha$ 또는 $x\geq\beta$	모든 실수	모든 실수
$ax^2+bx+c\leq0$의 해	$\alpha\leq x\leq\beta$	$x=\alpha$	없다.

2
주

1-1 이차함수의 그래프를 이용하여 다음 이차부등식을 푸시오.

(1) $x^2-8x+12>0$

(2) $x^2-2x+1\leq0$

(3) $x^2-6x+11\geq0$

1-2 이차함수의 그래프를 이용하여 다음 이차부등식을 푸시오.

(1) $x^2-2x-15\leq0$

(2) $x^2+4x+4>0$

(3) $x^2-5x+7<0$

2-1 다음 이차부등식을 푸시오.

(1) $x^2-10x+21>0$

(2) $x^2+64\leq16x$

(3) $4x^2+6x+3<0$

2-2 다음 이차부등식을 푸시오.

(1) $3x+2\geq2x^2$

(2) $9x^2+12x+4>0$

(3) $-x^2+6x-14\leq0$

핵심 개념 | 여러 가지 부등식

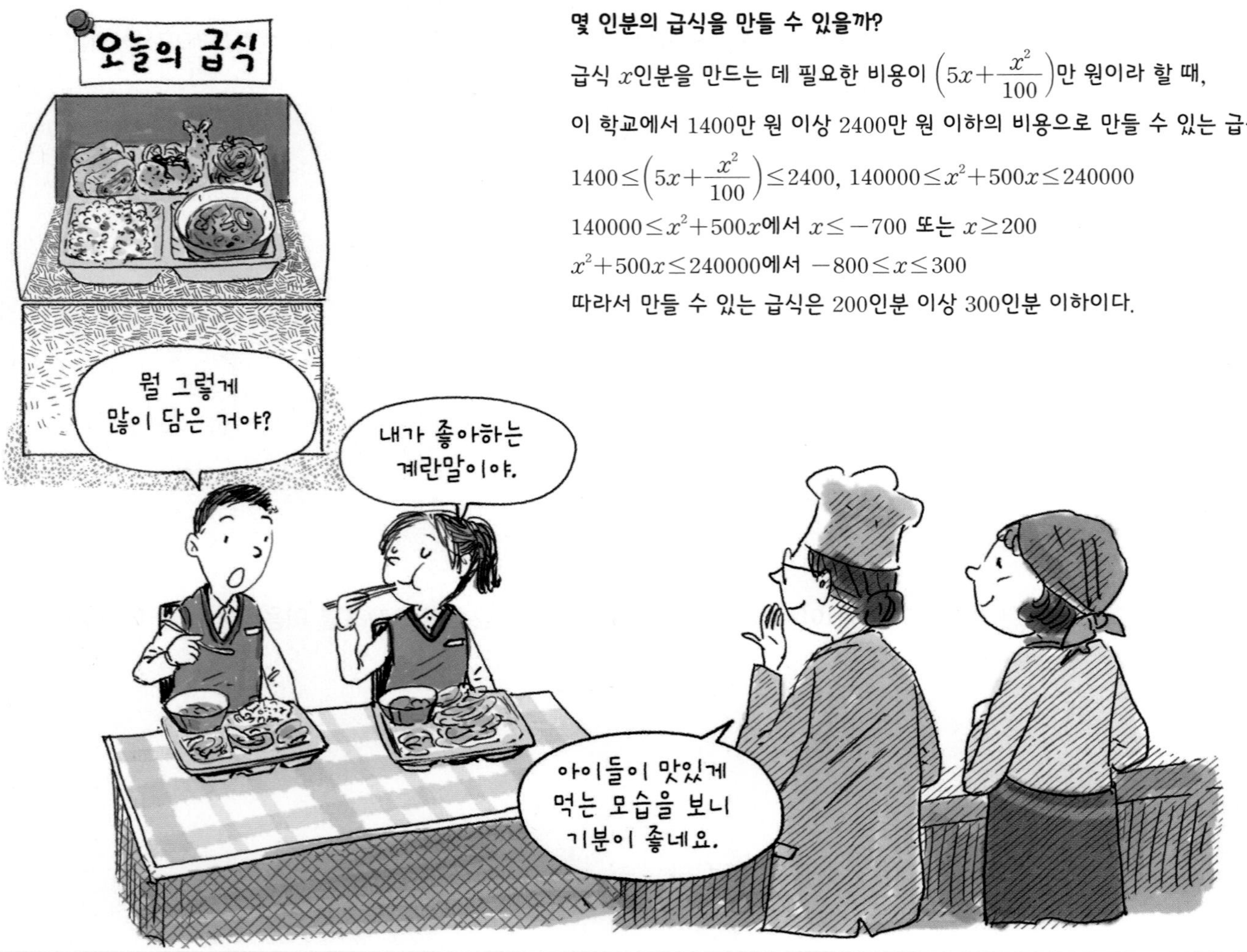

몇 인분의 급식을 만들 수 있을까?

급식 x인분을 만드는 데 필요한 비용이 $\left(5x+\frac{x^2}{100}\right)$만 원이라 할 때,

이 학교에서 1400만 원 이상 2400만 원 이하의 비용으로 만들 수 있는 급식은

$1400 \le \left(5x+\frac{x^2}{100}\right) \le 2400$, $140000 \le x^2+500x \le 240000$

$140000 \le x^2+500x$에서 $x \le -700$ 또는 $x \ge 200$

$x^2+500x \le 240000$에서 $-800 \le x \le 300$

따라서 만들 수 있는 급식은 200인분 이상 300인분 이하이다.

개념 ③ 연립이차부등식

[04~06] 다음 ( ) 안에 주어진 것 중 옳은 것을 고르시오.

04 연립부등식을 이루는 부등식 중에서 차수가 가장 높은 부등식이 (일차부등식, 이차부등식)인 연립부등식을 연립이차부등식이라 한다.

05 연립이차부등식 $\begin{cases} f(x)>0 \\ g(x)>0 \end{cases}$ 은 두 부등식 $f(x)>0$, $g(x)>0$의 해를 각각 구한 다음 이들의 (공통인수, 공통부분)을(를) 찾아 연립부등식의 해를 구한다.

06 $f(x)<g(x)<h(x)$ 꼴의 연립이차부등식은 두 부등식 $f(x)<g(x)$, ($f(x)<h(x)$, $g(x)<h(x)$)를 하나로 나타낸 것이므로 $\begin{cases} f(x)<g(x) \\ g(x)<h(x) \end{cases}$ 꼴로 고쳐서 해를 구한다.

답 **04** 이차부등식 **05** 공통부분 **06** $g(x)<h(x)$

개념 확인 | 여러 가지 부등식

정답 및 해설 24쪽

연립이차부등식

연립부등식을 이루는 부등식 중에서 차수가 가장 높은 부등식이 이차부등식인 연립부등식을 연립이차부등식이라 한다.

연립이차부등식의 풀이

연립이차부등식을 이루고 있는 각 부등식의 해를 구한 다음 이들의 공통부분을 구한다.

3-1 다음 연립부등식을 푸시오.

(1) $\begin{cases} 2x-6>0 \\ x^2-4x-5\geq 0 \end{cases}$

(2) $\begin{cases} x+6>-4x+1 \\ x^2-x-6\leq 0 \end{cases}$

3-2 다음 연립부등식을 푸시오.

(1) $\begin{cases} 2x+4\geq 0 \\ x^2+x-20<0 \end{cases}$

(2) $\begin{cases} 2x-1>5-x \\ x^2-2x-3\leq 0 \end{cases}$

4-1 다음 연립부등식을 푸시오.

(1) $\begin{cases} x^2-4<0 \\ x^2+2x-3>0 \end{cases}$

(2) $\begin{cases} 2x^2-5x+2\leq 0 \\ 1+x-2x^2>0 \end{cases}$

4-2 다음 연립부등식을 푸시오.

(1) $\begin{cases} x^2+x-12\leq 0 \\ x^2+x-6\geq 0 \end{cases}$

(2) $\begin{cases} x^2-5\leq 0 \\ x^2-1>0 \end{cases}$

5-1 다음 연립부등식을 푸시오.

(1) $-x<x^2<3x-2$

(2) $x^2+x<6x+6\leq x^2-x+16$

5-2 다음 연립부등식을 푸시오.

(1) $x+2\leq x^2<4x+21$

(2) $x^2+2x-15\leq 8x+1<x^2+8$

2주

5일 기초 유형 | 여러 가지 부등식

2018 6월 실시
고1 교육청 3번

쌍둥이 교과서 문제

1-1

이차부등식 $x^2-6x+5\le 0$의 해가 $\alpha\le x\le\beta$일 때, $\beta-\alpha$의 값을 구하시오. [2점]

Tip 이차부등식 $(x-\alpha)(x-\beta)\le 0\ (\alpha<\beta)$의 해는 $\alpha\le x\le\beta$임을 이용하여 부등식을 푼다.

풀이

$x^2-6x+5\le 0$에서 $(x-1)(x-5)\le 0$

$\therefore 1\le x\le$ ☐

따라서 $\alpha=1$, $\beta=$ ☐ 이므로

$\beta-\alpha=$ ☐

답 4

1-2

이차부등식 $x^2+2x-35<0$의 해가 $a<x<b$일 때, a, b의 값을 구하시오.

2016 6월 실시
고1 교육청 4번

2-1

이차부등식 $x^2+ax+b<0$의 해가 $-1<x<5$가 되도록 하는 두 상수 a, b의 곱 ab의 값을 구하시오. [3점]

Tip 해가 $\alpha<x<\beta$이고 x^2의 계수가 1인 이차부등식은 $(x-\alpha)(x-\beta)<0$, 즉 $x^2-(\alpha+\beta)x+\alpha\beta<0$이다.

풀이

해가 $-1<x<5$이고 x^2의 계수가 1인 이차부등식은

$(x+$ ☐ $)(x-5)<0$

$\therefore x^2-4x-$ ☐ <0

따라서 $a=-4$, $b=$ ☐ 이므로

$ab=$ ☐

답 20

2-2

이차부등식 $x^2+ax+b<0$의 해가 $-5<x<3$일 때, 상수 a, b의 값을 구하시오.

2019 3월 실시
고2 교육청 가형 11번

쌍둥이 교과서 문제

3-1

모든 실수 x에 대하여 부등식

$$x^2-2kx+2k+15\geq 0$$

이 성립하도록 하는 정수 k의 개수를 구하시오. [3점]

Tip 이차방정식 $ax^2+bx+c=0$의 판별식을 D라 할 때, 모든 실수 x에 대하여 $ax^2+bx+c\geq 0$이 성립할 조건은 $a>0$, $D\leq 0$이다.

풀이

이차함수 $y=x^2-2kx+2k+15$의 그래프가 x축에 접하거나 x축보다 위쪽에 있어야 하므로 이차방정식 $x^2-2kx+2k+15=0$의 판별식을 D라 하면

$\frac{D}{4}=(-k)^2-(2k+15)$ ☐ 0

$k^2-2k-15\leq 0$, $(k+3)(k-5)\leq 0$

$\therefore -3\leq k\leq$ ☐

따라서 정수 k의 개수는 $-3, -2, -1, \cdots, 5$의 ☐ 이다.

답 9

3-2

모든 실수 x에 대하여 부등식

$$x^2+2(k+3)x+k+5>0$$

이 성립하도록 하는 실수 k의 값의 범위를 구하시오.

2017 11월 실시
고1 교육청 9번

4-1

연립부등식 $\begin{cases} |x-1|\leq 3 \\ x^2-8x+15>0 \end{cases}$을 만족시키는 정수 x의 개수를 구하시오. [3점]

Tip 각 부등식의 해를 구한 후에 이들의 공통부분을 구한다.

풀이

$|x-1|\leq 3$에서 $-3\leq x-1\leq 3$

$\therefore$ ☐ $\leq x\leq 4$ ······㉠

$x^2-8x+15>0$에서 $(x-3)(x-5)>0$

$\therefore x<3$ 또는 $x>$ ☐ ······㉡

㉠, ㉡을 수직선 위에 나타내면 오른쪽 그림과 같다.

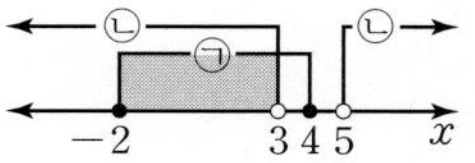

따라서 구하는 해는

$-2\leq x<$ ☐ 이므로 정수 x의 개수는 $-2, -1, 0, 1, 2$의 5이다.

답 5

4-2

연립부등식 $\begin{cases} |x-1|>1 \\ x^2-2x\leq 8 \end{cases}$을 만족시키는 모든 정수 x의 값의 합을 구하시오.

2주

누구나 100점 테스트

1

| 2019 9월 실시 고1 교육청 9번 |

기울기가 5인 직선이 이차함수 $f(x)=x^2-3x+17$의 그래프에 접할 때, 이 직선의 y절편은?

① 1　② 2　③ 3　④ 4　⑤ 5

2

| 2019 11월 실시 고1 교육청 9번 |

$-1\leq x\leq 3$에서 이차함수 $f(x)=x^2-4x+k$의 최댓값이 9일 때, 상수 k의 값은?

① 1　② 2　③ 3　④ 4　⑤ 5

3

| 2016 6월 실시 고1 교육청 12번 |

사차방정식 $x^4-5x^3+5x^2+5x-6=0$의 네 실근 중 가장 작은 것을 α, 가장 큰 것을 β라 할 때, $\beta-\alpha$의 값은?

① 1　② 2　③ 3　④ 4　⑤ 5

4

| 2017 3월 실시 고2 교육청 가형 9번 |

삼차방정식 $2x^3+x^2+2x+3=0$의 한 허근을 α라 할 때, $4\alpha^2-2\alpha+7$의 값은?

① 1　② 3　③ 5　④ 7　⑤ 9

$x=-1$은 주어진 삼차방정식의 한 실근이므로 α의 값이 될 수 없어.

5

| 2019 6월 실시 고1 교육청 25번 |

연립방정식

$$\begin{cases} x=y+5 \\ x^2-2y^2=50 \end{cases}$$

의 해를 $x=\alpha$, $y=\beta$라 할 때, $\alpha+\beta$의 값을 구하시오.

6

|2018 9월 실시 고1 교육청 13번|

연립방정식

$$\begin{cases} x^2-3xy+2y^2=0 \\ 2x^2-y^2=2 \end{cases}$$

의 해를 $x=\alpha,\ y=\beta$라 할 때, $\alpha^2+\beta^2$의 최댓값은?

① 4   ② $\dfrac{9}{2}$ ③ 5

④ $\dfrac{11}{2}$ ⑤ 6

7

|2019 3월 실시 고2 교육청 나형 12번|

x에 대한 부등식 $|x-3|\leq a$를 만족시키는 정수 x의 개수가 15가 되도록 하는 자연수 a의 값은?

① 5   ② 6   ③ 7

④ 8   ⑤ 9

8

|2018 3월 실시 고2 교육청 가형 11번|

부등식 $|3x-2|\leq x+6$의 해가 $\alpha\leq x\leq\beta$일 때, $\alpha+\beta$의 값은?

① 3   ② 4   ③ 5

④ 6   ⑤ 7

9

|2014 6월 실시 고1 교육청 9번|

모든 실수 x에 대하여 이차부등식

$$x^2-2(k-2)x-k^2+5k-3\geq 0$$

이 성립하도록 하는 모든 정수 k의 값의 합은?

① 2   ② 4   ③ 6

④ 8   ⑤ 10

이차함수
$y=x^2-2(k-2)x-k^2+5k-3$
의 그래프가 x축에 접하거나 x축
보다 위쪽에 있어야 해.

10

|2017 6월 실시 고1 교육청 24번|

연립부등식

$$\begin{cases} 2x+1<x-3 \\ x^2+6x-7<0 \end{cases}$$

의 해가 $\alpha<x<\beta$일 때, $\beta-\alpha$의 값을 구하시오.

다음은 어느 학교의 수학 캠프에서 두 학생이 참가자들에게 나눠줄 초콜릿을 상자에 담으면서 나눈 대화의 일부이다.

위 학생들의 대화를 만족시키는 상자의 개수의 최댓값을 M, 최솟값을 m이라 할 때, $M+m$의 값을 구하시오.

[2020 3월 실시 고1 교육청 28번]

1

2014 9월 실시 고1 교육청 25번

이차함수의 그래프 ⊕ 이차방정식

❶ 원점을 지나고 기울기가 양수 m인 직선이 ❷ 이차함수 $y=x^2-2$의 그래프와 서로 다른 두 점 A, B에서 만난다. ❸ 두 점 A, B에서 x축에 내린 수선의 발을 각각 A′, B′이라 하자. ❹ 선분 AA′과 선분 BB′의 길이의 차가 16일 때, m의 값을 구하시오.

❶ 주어진 조건에 맞는 직선의 방정식을 세운다.

원점을 지나고 기울기가 m인 직선의 방정식은 $y=mx\ (m>0)$

❷ 이차함수의 그래프와 직선의 교점의 x좌표는 두 식을 연립한 이차방정식의 근과 같음을 이용한다.

> **이차함수의 그래프와 직선의 교점의 x좌표**
> 이차함수 $y=ax^2+bx+c$의 그래프와 직선 $y=mx+n$의 교점의 x좌표는 이차방정식
> $ax^2+bx+c=mx+n$, 즉 $ax^2+(b-m)x+c-n=0$의 실근과 같다.

오른쪽 그림과 같이 이차함수 $y=x^2-2$의 그래프와 직선 $y=mx$의 교점을 $\mathrm{A}(\alpha, m\alpha)$, $\mathrm{B}(\beta, m\beta)$라 하면 두 점 A, B의 x좌표인 α, β는 이차방정식 $x^2-2=mx$, 즉 $x^2-mx-2=0$의 두 근이다.

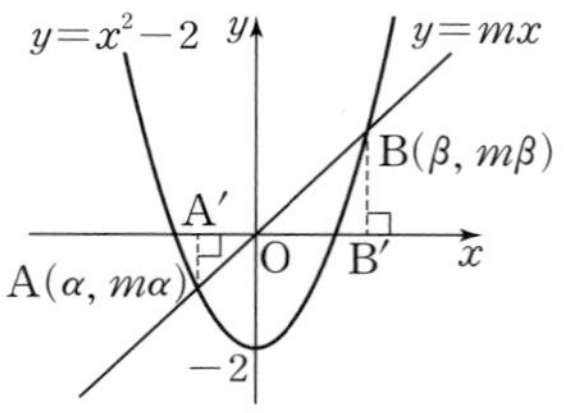

❸ 이차방정식의 근과 계수의 관계를 이용하여 $\overline{\mathrm{AA'}}$, $\overline{\mathrm{BB'}}$의 길이를 나타낸다.

> **이차방정식의 근과 계수의 관계**
> 이차방정식 $ax^2+bx+c=0$의 두 근을 α, β라 하면
> $\alpha+\beta=-\dfrac{b}{a}$, $\alpha\beta=\dfrac{c}{a}$

근과 계수의 관계에 의하여 $\alpha+\beta=$ ☐

또 $m>0$이고 $\alpha<0<\beta$이므로

$\overline{\mathrm{AA'}}=-m\alpha$, $\overline{\mathrm{BB'}}=m\beta$

❹ 선분 AA′과 선분 BB′의 길이의 차가 16임을 이용하여 m의 값을 구한다.

따라서 선분 AA′과 선분 BB′의 길이의 차는

$|m\beta-(-m\alpha)|=|m(\alpha+\beta)|$

$=|m^2|\ (\because \alpha+\beta=m)$

$=$ ☐ $(\because m^2>0)$

이때 선분 AA′과 선분 BB′의 길이의 차가 16이므로

$m^2=16 \qquad \therefore m=$ ☐ $(\because m>0)$

답 4

정답 및 해설 27쪽

2 2018 9월 실시 고1 교육청 14번

이차함수의 그래프 ⊕ 항등식

x에 대한 이차함수 $y=x^2-4kx+4k^2+k$의 그래프와 직선 $y=2ax+b$가 ❷ 실수 k의 값에 관계없이 ❶ 항상 접할 때, ❸ $a+b$의 값을 구하시오. (단, a, b는 상수이다.)

길잡이

❶ 이차함수의 그래프와 직선이 접하므로 두 식을 연립한 이차방정식의 판별식 D의 값은 0임을 이용한다.

❷ k에 대한 항등식임을 이용하여 a, b의 값을 구한다.

❸ $a+b$의 값을 구한다.

2주

3 2020 3월 실시 고2 교육청 26번

삼차방정식 ⊕ 곱셈 공식

❶ 삼차방정식 $x^3+x-2=0$의 ❷ 서로 다른 두 허근을 α, β라 할 때, ❸ $\alpha^3+\beta^3$의 값을 구하시오.

길잡이

❶ 조립제법을 이용하여 주어진 삼차방정식을 인수분해한다.

❷ 이차방정식의 근과 계수의 관계를 이용하여 $\alpha+\beta$, $\alpha\beta$의 값을 구한다.

❸ 곱셈 공식을 이용하여 $\alpha^3+\beta^3$의 값을 구한다.

4 2017 9월 실시 고1 교육청 9번

삼차방정식 ⊕ 이차방정식의 켤레근

삼차방정식 ❶ $x^3+x^2+x-3=0$의 ❷ 두 허근을 각각 z_1, z_2라 할 때, ❸ $z_1\overline{z_1}+z_2\overline{z_2}$의 값을 구하시오.
(단, $\overline{z_1}$, $\overline{z_2}$는 각각 z_1, z_2의 켤레복소수이다.)

❶ 조립제법을 이용하여 주어진 방정식을 인수분해한다.

> **인수정리와 조립제법을 이용한 고차방정식의 풀이**
> 다항식 $P(x)$에 대하여 $P(\alpha)=0$이면 $P(x)$는 $x-\alpha$를 인수로 가지므로 조립제법을 이용하여 $P(x)$를 $x-\alpha$로 나눈 몫을 구해 인수분해한다.

$P(x)=x^3+x^2+x-3$으로 놓으면 $P(\boxed{})=0$

$P(x)$는 $x-1$을 인수로 가지므로 조립제법을 이용하여 인수분해하면

$P(x)=(x-1)(x^2+2x+3)$

1	1	1	1	−3
		1	2	3
	1	2	3	0

❷ 삼차방정식의 두 허근 z_1, z_2가 이차방정식 $x^2+2x+3=0$의 두 근임을 이용하여 z_1z_2의 값을 구한다.

삼차방정식 $x^3+x^2+x-3=0$의 두 허근 z_1, z_2는 이차방정식 $x^2+2x+3=0$의 두 근이므로 근과 계수의 관계에 의하여

$z_1z_2=\boxed{}$

❸ 이차방정식의 켤레근의 성질을 이용하여 $z_1\overline{z_1}+z_2\overline{z_2}$의 값을 구한다.

한 근이 주어진 이차방정식의 다른 한 근

계수	이차방정식의 한 근	다른 한 근
유리수	$a+b\sqrt{m}$ (a, b는 유리수, $b\neq0$, $\sqrt{m}$은 무리수)	$a-b\sqrt{m}$
실수	$a+bi$ (a, b는 실수, $b\neq0$, $i=\sqrt{-1}$)	$a-bi$

이차방정식의 켤레근의 성질에 의하여 $z_1=\overline{z_2}$, $z_2=\overline{z_1}$이므로

$z_1\overline{z_1}+z_2\overline{z_2}=z_1z_2+z_2z_1=\boxed{}z_1z_2=2\times3=6$

답 6

정답 및 해설 28쪽

5 2015 3월 실시 고2 교육청 가형 24번

연립방정식 + 이차방정식의 판별식

x, y에 대한 ❶ 연립방정식 $\begin{cases} 2x-y=5 \\ x^2-2y=k \end{cases}$가 ❷ 오직 한 쌍의 해 $x=\alpha, y=\beta$를 가질 때, ❸ $\alpha+\beta+k$의 값을 구하시오.

(단, k는 상수이다.)

길잡이

❶ 주어진 연립방정식에서 일차방정식을 y에 대하여 정리한 후 이차방정식에 대입한다.

❷ ❶에서 정리한 이차방정식의 판별식 D의 값이 0임을 이용하여 k의 값을 구한다.

❸ k의 값을 이용하여 α, β의 값을 구하고 $\alpha+\beta+k$의 값을 구한다.

2주

6 2016 9월 실시 고1 교육청 10번

이차부등식 + 이차함수의 그래프

이차함수 $f(x)=x^2-2ax+9a$에 대하여 ❶ 이차부등식 $f(x)<0$을 만족시키는 해가 없도록 하는 ❷ 정수 a의 개수를 구하시오.

길잡이

❶ 이차방정식 $f(x)=0$의 판별식 D에 대하여 $D\le 0$임을 이용하여 a의 값의 범위를 구한다.

❷ 정수 a의 개수를 구한다.

Week 3

이번 주에는 무엇을 공부할까? ①

중학 내용 다시보기

1 좌표평면 위의 한 점 P에서 x축, y축에 각각 수선을 그어 이 수선과 x축, y축이 만나는 점에 대응하는 수를 각각 a, b라 할 때, 순서쌍 (a, b)를 점 P의 좌표라 하고, 기호로 $\mathrm{P}(a, b)$와 같이 나타낸다. 이때 a를 점 P의 x좌표, b를 점 P의 y좌표라 한다.

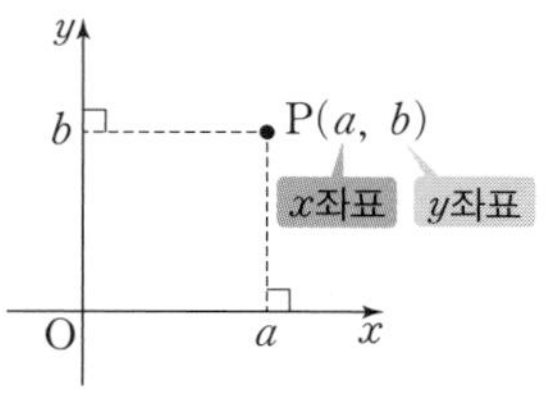

2 오른쪽 그림과 같이 선분 AB 위의 한 점 M에 대하여 $\overline{\mathrm{AM}}=\overline{\mathrm{BM}}$일 때, 점 M을 선분 AB의 중점이라 한다.

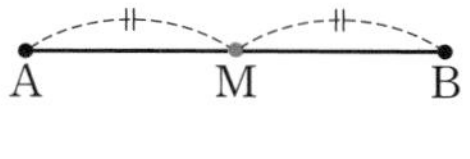

3 직각삼각형에서 직각을 낀 두 변의 길이를 각각 a, b라 하고, 빗변의 길이를 c라 하면

$$a^2+b^2=c^2$$

이 성립한다. 이와 같은 성질을 피타고라스 정리라 한다.

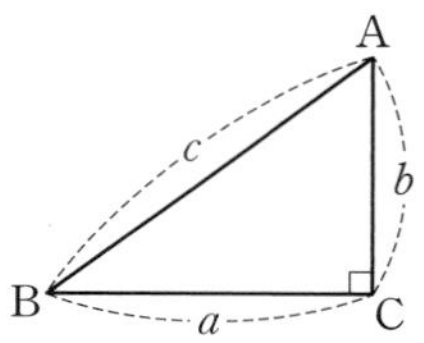

1 오른쪽 그림에서 다섯 점 A, B, C, D, E의 좌표를 구하시오.

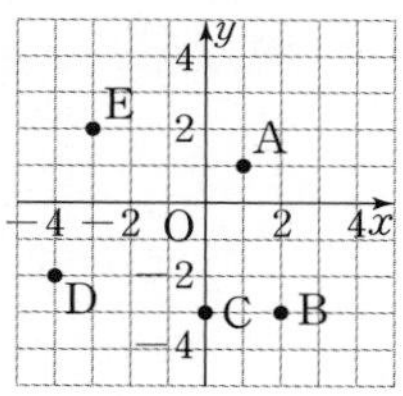

2 오른쪽 그림에서 점 M은 $\overline{AB}$의 중점이고, 점 N은 $\overline{AM}$의 중점이다. $\overline{AB}=12$ cm일 때, 다음 선분의 길이를 구하시오.

(1) $\overline{MB}$　　　(2) $\overline{NM}$

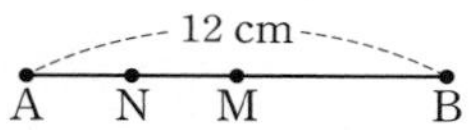

3 오른쪽 그림과 같이 $\angle C=90°$인 직각삼각형 ABC에서 $\overline{AC}=6$ cm, $\overline{BC}=8$ cm일 때, $\overline{AB}$의 길이를 구하시오.

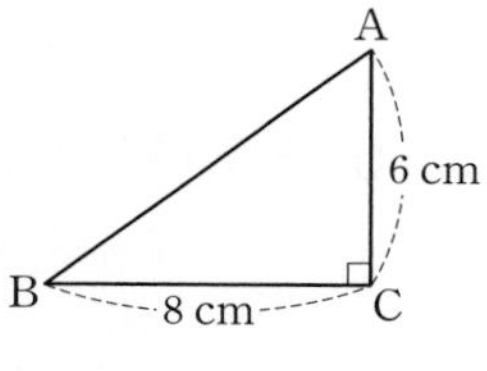

답 **1** A(1, 1), B(2, −3), C(0, −3), D(−4, −2), E(−3, 2)　**2** (1) 6 cm (2) 3 cm　**3** 10 cm

중학 내용 다시보기

4 한 도형을 일정한 방향으로 일정한 거리만큼 옮기는 것을 평행이동이라 한다. 일차함수 $y=ax+b$의 그래프는 일차함수 $y=ax$의 그래프를 y축의 방향으로 b만큼 평행이동한 직선이다.

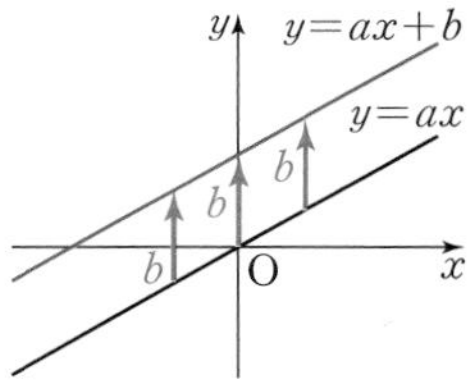

5 일차함수의 그래프가 x축과 만나는 점의 x좌표를 이 그래프의 x절편이라 하고, y축과 만나는 점의 y좌표를 이 그래프의 y절편이라 한다.

6 일차함수 $y=ax+b$에서 x의 값의 증가량에 대한 y의 값의 증가량의 비율은 항상 일정하며, 그 비율은 x의 계수 a와 같다. 이 증가량의 비율 a를 일차함수 $y=ax+b$의 그래프의 기울기라 한다.

$$(\text{기울기})=\frac{(y\text{의 값의 증가량})}{(x\text{의 값의 증가량})}=a$$

일차함수의 그래프의 성질

양초에 불을 붙인 후 흐른 시간을 x분, 이때 남은 양초의 길이를 y cm라 하면 시간이 5분 흐를 때 양초의 길이는 2 cm 줄어들므로 기울기는

$a=\frac{-2}{5}=-0.4$

5분 경과했을 때 양초의 길이가 18 cm이므로

$18=-0.4\times5+b$, $b=20$ $\therefore y=-0.4x+20$

20분 지났을 때 양초의 길이는 $-0.4\times20+20=12$ cm이다.

4 **다음 ☐ 안에 알맞은 수를 써넣으시오.**

(1) 일차함수 $y=2x+5$의 그래프는 일차함수 $y=2x$의 그래프를 y축의 방향으로 ☐ 만큼 평행이동한 것이다.

(2) 일차함수 $y=-x+4$의 그래프는 일차함수 $y=-x$의 그래프를 y축의 방향으로 ☐ 만큼 평행이동한 것이다.

5 **다음 일차함수의 그래프의 x절편과 y절편을 구하시오.**

(1) $y=2x-4$ (2) $y=-3x+9$

6 **다음 일차함수의 그래프의 기울기를 구하시오.**

(1) $y=x-\frac{4}{3}$ (2) $y=5-\frac{2}{3}x$

답 **4** (1) 5 (2) 4 **5** (1) x절편: 2, y절편: -4 (2) x절편: 3, y절편: 9 **6** (1) 1 (2) $-\frac{2}{3}$

3 주

1일 핵심 개념 | 평면좌표

와플집과 서점 사이의 직선 거리는?

피타고라스 정리를 이용하면 두 점 사이의 거리를 구할 수 있다.
와플집과 서점의 좌표는 각각 $(-2, 2)$, $(2, 4)$이므로 와플집과 서점 사이의 거리는

$$\sqrt{\underbrace{\{2-(-2)\}}_{x\text{좌표의 차}}{}^2+\underbrace{(4-2)}_{y\text{좌표의 차}}{}^2}=\sqrt{20}=2\sqrt{5}$$

개념 ① 좌표평면 위의 두 점 사이의 거리

01 다음 ☐ 안에 알맞은 것을 아래 보기에서 찾아 써넣으시오.

보기
x_1, x_2, y_1+y_2, y_2-y_1

좌표평면 위의 두 점 $\mathrm{A}(x_1, y_1)$, $\mathrm{B}(x_2, y_2)$ 사이의 거리는 $\overline{\mathrm{AB}}=\sqrt{(x_2-x_1)^2+(\square)^2}$

개념 ② 선분의 내분점과 외분점

[02~03] 다음 ( ) 안에 주어진 것 중 옳은 것을 고르시오.

02 선분 AB 위의 점 P에 대하여 $\overline{\mathrm{AP}}:\overline{\mathrm{PB}}=m:n(m>0, n>0)$일 때, 점 P는 선분 AB를 $m:n$으로 (내분, 외분)한다고 하며, 점 P를 선분 AB의 (내분점, 외분점)이라 한다.

03 선분 AB의 연장선 위의 점 Q에 대하여 $\overline{\mathrm{AQ}}:\overline{\mathrm{BQ}}=m:n(m>0, n>0, m\neq n)$일 때, 점 Q는 선분 AB를 (내분, 외분) 한다고 하며, 점 Q를 선분 AB의 (내분점, 외분점)이라 한다.

답 **01** y_2-y_1 **02** 내분, 내분점 **03** 외분, 외분점

개념 확인 | 평면좌표

정답 및 해설 29쪽

좌표평면 위의 두 점 사이의 거리

좌표평면 위의 두 점 $A(x_1, y_1)$, $B(x_2, y_2)$ 사이의 거리는

$\overline{AB}=\sqrt{(x_2-x_1)^2+(y_2-y_1)^2}$

좌표평면 위의 원점 $O(0, 0)$과 $A(x_1, y_1)$ 사이의 거리는

$\overline{OA}=\sqrt{x_1^2+y_1^2}$

수직선 위의 선분의 내분점과 외분점

수직선 위의 두 점 $A(x_1)$, $B(x_2)$에 대하여 선분 AB를 $m : n\,(m>0, n>0)$으로

❶ 내분하는 점 P의 좌표는 $\dfrac{mx_2+nx_1}{m+n}$

❷ 외분하는 점 Q의 좌표는 $\dfrac{mx_2-nx_1}{m-n}$ (단, $m\neq n$)

1-1 두 점 사이의 거리를 구하시오.

(1) $A(1, 3)$, $B(3, -1)$

(2) $A(-2, 1)$, $B(1, 5)$

1-2 두 점 사이의 거리를 구하시오.

(1) $O(0, 0)$, $A(-3, 2)$

(2) $A(1, -2)$, $B(2, -5)$

2-1 다음 세 점 A, B, C를 꼭짓점으로 하는 삼각형 ABC는 어떤 삼각형인지 말하시오.

(1) $A(5, 4)$, $B(3, -2)$, $C(1, 2)$

(2) $A(1, 0)$, $B(5, 3)$, $C(-2, 4)$

2-2 다음 세 점 A, B, C를 꼭짓점으로 하는 삼각형 ABC는 어떤 삼각형인지 말하시오.

(1) $A(1, 2)$, $B(-1, -2)$, $C(2\sqrt{3}, -\sqrt{3})$

(2) $A(-2, 1)$, $B(1, 0)$, $C(3, 6)$

3-1 수직선 위의 두 점 $A(-4)$, $B(6)$에 대하여 다음 점의 좌표를 구하시오.

(1) 선분 AB를 $1 : 2$로 내분하는 점 P

(2) 선분 AB를 $2 : 3$으로 외분하는 점 Q

(3) 선분 AB의 중점 M

3-2 수직선 위의 두 점 $A(1)$, $B(7)$에 대하여 다음 점의 좌표를 구하시오.

(1) 선분 AB를 $1 : 3$으로 내분하는 점 P

(2) 선분 AB를 $2 : 1$로 외분하는 점 Q

(3) 선분 AB의 중점 M

3주

1 일

핵심 개념 | 평면좌표

푸드 트럭의 위치는?

도서관, 아파트, 빌딩이 있는 세 지점을 꼭짓점으로 하는 삼각형의 무게중심에 푸드 트럭을 세워놓으려고 한다. 도서관, 아파트, 빌딩의 위치를 각각 A, B, C라 하고 좌표평면 위에 나타내면 A$(-2, 2)$, B$(2, 4)$, C$(0, -2)$일 때, 푸드 트럭의 위치는

$\left(\frac{-2+2+0}{3}, \frac{2+4-2}{3}\right)$, 즉 $\left(0, \frac{4}{3}\right)$

개념 3 좌표평면 위의 선분의 내분점과 외분점, 삼각형의 무게중심

[04~05] 좌표평면 위의 세 점 A(x_1, y_1), B(x_2, y_2), C(x_3, y_3)에 대하여 다음 ☐ 안에 알맞은 것을 아래 보기에서 찾아 써넣으시오.

보기

$m+n$, $m-n$, $y_1+y_2+y_3$, $y_1y_2y_3$

04 선분 AB를 $m:n(m>0, n>0)$으로 내분하는 점 P와 외분하는 점 Q의 좌표는 각각

$\left(\frac{mx_2+nx_1}{\square}, \frac{my_2+ny_1}{m+n}\right)$, $\left(\frac{mx_2-nx_1}{m-n}, \frac{my_2-ny_1}{\square}\right)$ (단, $m\neq n$)

특히 선분 AB의 중점 M의 좌표는 $\left(\frac{x_1+x_2}{2}, \frac{y_1+y_2}{2}\right)$

05 세 점 A, B, C를 꼭짓점으로 하는 삼각형 ABC의 무게중심 G의 좌표는

$\left(\frac{x_1+x_2+x_3}{3}, \frac{\square}{3}\right)$

답 **04** $m+n$, $m-n$ **05** $y_1+y_2+y_3$

개념 확인 | 평면좌표

정답 및 해설 29쪽

좌표평면 위의 선분의 내분점, 외분점

좌표평면 위의 두 점 $A(x_1, y_1)$, $B(x_2, y_2)$에 대하여 선분 AB를 $m : n$ $(m>0, n>0)$으로

❶ 내분하는 점 P의 좌표는 $\left(\frac{mx_2+nx_1}{m+n}, \frac{my_2+ny_1}{m+n}\right)$

❷ 외분하는 점 Q의 좌표는 $\left(\frac{mx_2-nx_1}{m-n}, \frac{my_2-ny_1}{m-n}\right)$

(단, $m\neq n$)

삼각형의 무게중심

좌표평면 위의 세 점 $A(x_1, y_1)$, $B(x_2, y_2)$, $C(x_3, y_3)$을 꼭짓점으로 하는 삼각형 ABC의 무게중심 G의 좌표는

$\left(\frac{x_1+x_2+x_3}{3}, \frac{y_1+y_2+y_3}{3}\right)$

4-1 두 점 $A(4, 4)$, $B(-2, -5)$에 대하여 다음 점의 좌표를 구하시오.

(1) 선분 AB를 $1 : 5$로 내분하는 점 P

(2) 선분 AB를 $2 : 1$로 외분하는 점 Q

(3) 선분 AB의 중점 M

4-2 두 점 $A(3, 1)$, $B(-1, 2)$에 대하여 다음 점의 좌표를 구하시오.

(1) 선분 AB를 $3 : 2$로 내분하는 점 P

(2) 선분 AB를 $3 : 2$로 외분하는 점 Q

(3) 선분 AB의 중점 M

5-1 다음 세 점 A, B, C를 꼭짓점으로 하는 삼각형 ABC의 무게중심 G의 좌표를 구하시오.

(1) $A(3, 2)$, $B(5, -2)$, $C(4, 1)$

(2) $A(-3, 0)$, $B(-4, 3)$, $C(1, 3)$

5-2 다음 세 점 A, B, C를 꼭짓점으로 하는 삼각형 ABC의 무게중심 G의 좌표를 구하시오.

(1) $A(-2, 4)$, $B(1, -2)$, $C(7, 1)$

(2) $A(1, 2)$, $B(-4, 3)$, $C(6, -5)$

1일 기초 유형 | 평면좌표

2018 9월 실시
고1 교육청 4번

1-1

좌표평면 위의 두 점 A$(2, 0)$, B$(0, a)$ 사이의 거리가 $\sqrt{13}$일 때, 양수 a의 값을 구하시오. [3점]

Tip 좌표평면 위의 두 점 A(x_1, y_1), B(x_2, y_2) 사이의 거리는
$\overline{\text{AB}}=\sqrt{(x_2-x_1)^2+(y_2-y_1)^2}$

풀이

$\overline{\text{AB}}=\sqrt{13}$이므로 $\sqrt{(0-2)^2+(\square-0)^2}=\sqrt{13}$

양변을 제곱하면 $a^2+4=\square$

$a^2-9=0$, $(a+3)(a-3)=0$

$\therefore a=3\ (\because a>0)$

답 3

쌍둥이 교과서 문제

1-2

두 점 A$(a, 2)$, B$(-3, 2a+3)$에 대하여 $\overline{\text{AB}}=5\sqrt{2}$일 때, a의 값을 모두 구하시오.

2016 3월 실시
고2 교육청 나형 4번

2-1

좌표평면에서 두 점 O$(0, 0)$, A$(8, 0)$에 대하여 선분 OA를 $3:1$로 내분하는 점의 좌표를 구하시오. [3점]

Tip 좌표평면 위의 두 점 A(x_1, y_1), B(x_2, y_2)에 대하여 선분 AB를 $m:n\,(m>0, n>0)$으로 내분하는 점과 외분하는 점의 좌표는 각각

$$\left(\frac{mx_2+nx_1}{m+n}, \frac{my_2+ny_1}{m+n}\right), \left(\frac{mx_2-nx_1}{m-n}, \frac{my_2-ny_1}{m-n}\right)$$

(단, $m\neq n$)

풀이

선분 OA를 $3:1$로 내분하는 점의 좌표는

$$\left(\frac{3\times\square+1\times\square}{3+1}, \frac{3\times0+1\times0}{3+1}\right)$$

$\therefore (\square, 0)$

답 $(6, 0)$

2-2

두 점 A$(-4, 1)$, B$(6, 11)$에 대하여 선분 AB를 $1:2$로 내분하는 점 P와 외분하는 점 Q의 좌표를 구하시오.

2-3

두 점 A$(2, 7)$, B$(-3, -3)$에 대하여 선분 AB를 $3:2$로 내분하는 점을 P, 외분하는 점을 Q라 할 때, 선분 PQ의 중점 M의 좌표를 구하시오.

2019 3월 실시
고2 교육청 가형 4번

쌍둥이 교과서 문제

3-1

좌표평면 위의 두 점 A$(-2, 0)$, B(a, b)에 대하여 선분 AB를 $2:1$로 외분하는 점의 좌표는 $(10, 0)$이다. $a+b$의 값을 구하시오. [3점]

Tip 선분의 외분점 공식을 이용하여 선분의 외분점의 좌표를 구한 다음 주어진 점의 좌표와 비교한다.

풀이

선분 AB를 $2:1$로 외분하는 점의 좌표는

$$\left(\frac{2\times a-1\times(-2)}{2-1}, \frac{\square\times b-1\times 0}{2-1}\right)$$

즉, $(2a+2, \square)$

이 점의 좌표가 $(10, 0)$이므로

$2a+2=10$, $\square=0$

따라서 $a=4$, $b=0$이므로

$a+b=4$ 답 4

3-2

두 점 A$(a, 3)$, B$(-1, 2)$에 대하여 선분 AB를 $4:3$으로 외분하는 점 C의 좌표가 $(11, b)$일 때, a, b의 값을 구하시오.

3-3

두 점 A$(2, -3)$, B$(a, 5)$에 대하여 선분 AB를 $1:2$로 내분하는 점 P가 y축 위에 있을 때, a의 값을 구하시오.

3주

2013 3월 실시
고2 교육청 B형 2번

4-1

좌표평면 위의 세 점 A$(a, 3)$, B$(-1, b)$, C$(4, -5)$를 꼭짓점으로 하는 삼각형 ABC의 무게중심의 좌표가 $(4, 0)$일 때, $a+b$의 값을 구하시오. [2점]

Tip 좌표평면 위의 세 점 A(x_1, y_1), B(x_2, y_2), C(x_3, y_3)을 꼭짓점으로 하는 삼각형 ABC의 무게중심의 좌표는

$$\left(\frac{x_1+x_2+x_3}{3}, \frac{y_1+y_2+y_3}{3}\right)$$

풀이

삼각형 ABC의 무게중심의 좌표는

$$\left(\frac{a+(-1)+4}{\square}, \frac{3+b+(-5)}{3}\right), \text{ 즉 } \left(\frac{a+3}{\square}, \frac{b-2}{3}\right)$$

이 점의 좌표가 $(4, 0)$이므로

$$\frac{a+3}{\square}=4, \frac{b-2}{3}=0$$

따라서 $a=\square$, $b=2$이므로

$a+b=\square$ 답 11

4-2

세 점 A$(6, -3)$, B$(1, 9)$, C를 꼭짓점으로 하는 삼각형 ABC의 무게중심이 G$(1, 3)$일 때, 점 C의 좌표를 구하시오.

2일 핵심 개념 | 직선의 방정식

일차방정식 $x-2y-4=0$이 나타내는 그래프는?

$$x-2y-4=0 \xrightarrow[\text{정리하면}]{y\text{에 대하여}} y=\frac{1}{2}x-2$$

그래프를 그리면

개념 ① 직선의 방정식

[01~04] 다음 ☐ 안에 알맞은 것을 아래 보기에서 찾아 써넣으시오.

> **보기**
> $m, \quad n, \quad x_1, \quad y_1, \quad 1, \quad -1$

01 기울기가 m이고 y절편이 n인 직선의 방정식은 $y=$ ☐ $x+n$

02 좌표평면 위의 점 $\mathrm{A}(x_1, y_1)$을 지나고 기울기가 m인 직선의 방정식은 $y-y_1=m(x-$ ☐ $)$

03 좌표평면 위의 서로 다른 두 점 $\mathrm{A}(x_1, y_1)$, $\mathrm{B}(x_2, y_2)$를 지나는 직선의 방정식은

❶ $x_1 \neq x_2$일 때, $y-$ ☐ $=\dfrac{y_2-y_1}{x_2-x_1}(x-x_1)$ ❷ $x_1=x_2$일 때, $x=x_1$

04 x절편이 a, y절편이 b인 직선의 방정식은 $\dfrac{x}{a}+\dfrac{y}{b}=$ ☐ (단, $a \neq 0$, $b \neq 0$)

답 **01** m **02** x_1 **03** y_1 **04** 1

개념 확인 | 직선의 방정식

정답 및 해설 30쪽

기울기와 y절편이 주어진 직선의 방정식

기울기가 m, y절편이 n인 직선의 방정식은

$y=mx+n$

한 점과 기울기가 주어진 직선의 방정식

좌표평면 위의 점 $A(x_1, y_1)$을 지나고 기울기가 m인 직선의 방정식은

$y-y_1=m(x-x_1)$

참고 점 (x_1, y_1)을 지나고 좌표축에 평행한(또는 수직인) 직선의 방정식

❶ x축에 평행한(y축에 수직인) 직선의 방정식 ⇨ $y=y_1$

❷ y축에 평행한(x축에 수직인) 직선의 방정식 ⇨ $x=x_1$

두 점을 지나는 직선의 방정식

좌표평면 위의 서로 다른 두 점 $A(x_1, y_1)$, $B(x_2, y_2)$를 지나는 직선의 방정식은

❶ $x_1\neq x_2$일 때, $y-y_1=\frac{y_2-y_1}{x_2-x_1}(x-x_1)$

❷ $x_1=x_2$일 때, $x=x_1$

x절편과 y절편이 주어진 직선의 방정식

x절편이 a, y절편이 b인 직선의 방정식은

$\frac{x}{a}+\frac{y}{b}=1$ (단, $a\neq0$, $b\neq0$)

1-1 다음 직선의 방정식을 구하시오.

(1) 점 $(2, 5)$를 지나고 기울기가 -3인 직선

(2) 점 $(4, -1)$을 지나고 x축에 평행한 직선

1-2 다음 직선의 방정식을 구하시오.

(1) x절편이 3이고 기울기가 2인 직선

(2) 점 $(-2, 4)$를 지나고 y축에 수직인 직선

2-1 다음 두 점을 지나는 직선의 방정식을 구하시오.

(1) $(3, -6)$, $(7, -2)$

(2) $(1, 3)$, $(3, -5)$

2-2 다음 두 점을 지나는 직선의 방정식을 구하시오.

(1) $(2, -1)$, $(3, 2)$

(2) $(-3, 6)$, $(1, 2)$

3-1 x절편이 -2, y절편이 4인 직선의 방정식을 구하시오.

3-2 x절편이 2, y절편이 -6인 직선의 방정식을 구하시오.

핵심 개념 | 직선의 방정식

두 직선의 수직은 어떻게 알 수 있을까?

두 직선 $3x-4y+8=0$과 $4x+3y-6=0$에서

$3x-4y+8=0 \Rightarrow y=\frac{3}{4}x+2$

$4x+3y-6=0 \Rightarrow y=-\frac{4}{3}x+2$

두 기울기의 곱이 $\frac{3}{4}\times\left(-\frac{4}{3}\right)=-1$이므로 두 직선은 서로 수직이다.

개념 ② 두 직선의 평행과 수직

[05~06] 두 직선 $y=mx+n$과 $y=m'x+n'$에 대하여 다음 ☐ 안에 알맞은 것을 아래 보기에서 찾아 써넣으시오.

•보기•

$=,\ \neq,\ -1,\ 1$

05 두 직선이 서로 평행하면 $m=m'$, n ☐ n'이다. 또 m ☐ m', $n\neq n'$이면 두 직선은 서로 평행하다.

06 두 직선이 서로 수직이면 $mm'=$ ☐ 이다. 또 $mm'=$ ☐ 이면 두 직선은 서로 수직이다.

개념 ③ 점과 직선 사이의 거리

07 다음 (　) 안에 주어진 것 중 옳은 것을 고르시오.

점과 직선 사이의 거리는 점과 그 점에서 직선에 내린 수선의 발 사이의 거리이다. 특히 (평행한, 수직인) 두 직선 사이의 거리는 한 직선 위의 임의의 점과 다른 직선 사이의 거리를 이용하여 구한다.

답 **05** $\neq$, $=$　**06** -1, -1　**07** 평행한

개념 확인 | 직선의 방정식

정답 및 해설 31쪽

두 직선의 평행과 수직

두 직선의 위치 관계	$\begin{cases} y=mx+n \\ y'=m'x+n' \end{cases}$	$\begin{cases} ax+by+c=0 \\ a'x+b'y+c'=0 \end{cases}$
평행하다.	$m=m'$, $n\neq n'$ 기울기는 같고, y절편은 다르다.	$\dfrac{a}{a'}=\dfrac{b}{b'}\neq\dfrac{c}{c'}$
일치한다.	$m=m'$, $n=n'$ 기울기와 y절편은 각각 같다.	$\dfrac{a}{a'}=\dfrac{b}{b'}=\dfrac{c}{c'}$
수직이다.	$mm'=-1$ 기울기의 곱이 -1이다.	$aa'+bb'=0$

점과 직선 사이의 거리

점 (x_1, y_1)과 직선 $ax+by+c=0$ 사이의 거리 d는

$$d=\frac{|ax_1+by_1+c|}{\sqrt{a^2+b^2}}$$

참고 평행한 두 직선 $l: ax+by+c=0$, $l': ax+by+c'=0$ 사이의 거리 d는 직선 l 위의 한 점 (x_1, y_1)과 직선 l' 사이의 거리와 같다.

$$d=\frac{|ax_1+by_1+c'|}{\sqrt{a^2+b^2}}$$

4-1 두 직선 $x+y-2=0$, $kx-2y-3=0$에 대하여 다음을 구하시오.

(1) 두 직선이 서로 평행하게 하는 상수 k의 값

(2) 두 직선이 서로 수직이게 하는 상수 k의 값

4-2 두 직선 $3x+4y+2=0$, $kx-2y+1=0$에 대하여 다음을 구하시오.

(1) 두 직선이 서로 평행하게 하는 상수 k의 값

(2) 두 직선이 서로 수직이게 하는 상수 k의 값

5-1 다음 직선의 방정식을 구하시오.

(1) 점 $(1, 2)$를 지나고 직선 $y=3x+1$에 평행한 직선

(2) 점 $(2, -1)$을 지나고 직선 $y=2x+1$에 수직인 직선

5-2 다음 직선의 방정식을 구하시오.

(1) 점 $(1, 2)$를 지나고 직선 $4x+y-1=0$에 평행한 직선

(2) 점 $(2, -1)$을 지나고 직선 $y=-\frac{1}{3}x+2$에 수직인 직선

6-1 다음 점과 직선 사이의 거리를 구하시오.

(1) 점 $(1, -2)$, 직선 $3x-2y-6=0$

(2) 점 $(1, 3)$, 직선 $x+y-2=0$

6-2 다음 점과 직선 사이의 거리를 구하시오.

(1) 점 $(0, 0)$, 직선 $2x+y-10=0$

(2) 점 $(2, 1)$, 직선 $4x-3y-7=0$

2일 기초 유형 | 직선의 방정식

2017 11월 실시
고1 교육청 7번

1-1

좌표평면 위의 두 점 $(-1, 2)$, $(2, a)$를 지나는 직선이 y축과 점 $(0, 5)$에서 만날 때, 상수 a의 값을 구하시오. [3점]

Tip 좌표평면 위의 두 점 $\mathrm{A}(x_1, y_1)$, $\mathrm{B}(x_2, y_2)$를 지나는 직선의 방정식은

$y-y_1=\frac{y_2-y_1}{x_2-x_1}(x-x_1)$ (단, $x_1 \neq x_2$)

풀이

두 점 $(-1, 2)$, $(2, a)$를 지나는 직선의 방정식은

$y-\square=\frac{a-2}{2-(-1)}\{x-(-1)\}$

$\therefore y=\frac{a-2}{3}x+\frac{a+4}{3}$

이 직선이 y축과 만나는 점의 좌표가 $(0, 5)$이므로

$\frac{a+4}{3}=\square$ $\quad\therefore a=\square$

답 11

쌍둥이 교과서 문제

1-2

두 점 $(1, 0)$, $(0, -2)$를 지나는 직선이 점 $(a, a+3)$을 지날 때, a의 값을 구하시오.

2020 9월 실시
고1 교육청 11번

2-1

좌표평면 위의 서로 다른 세 점 $\mathrm{A}(-1, a)$, $\mathrm{B}(1, 1)$, $\mathrm{C}(a, -7)$이 한 직선 위에 있도록 하는 양수 a의 값을 구하시오. [3점]

Tip 세 점 A, B, C가 한 직선 위에 있다.
⇨ 직선 AB의 기울기와 직선 BC(직선 AC)의 기울기가 같다.

풀이

세 점이 한 직선 위에 있으므로

(직선 AB의 기울기)=(직선 BC의 기울기)

$\frac{1-a}{1-(-1)}=\frac{-7-1}{a-1}$, $(a-1)^2=16$

$a^2-2a-15=0$, $(a+\square)(a-5)=0$

$\therefore a=\square$ $(\because a>0)$

답 5

2-2

세 점 $\mathrm{A}(-1, -1)$, $\mathrm{B}(1, a)$, $\mathrm{C}(-a, -5)$가 한 직선 위에 있도록 하는 양수 a의 값을 구하시오.

2015 9월 실시
고1 교육청 7번

쌍둥이 교과서 문제

3-1

좌표평면 위의 두 직선 $x-2y+2=0$, $2x+y-6=0$의 교점을 지나고 직선 $x-3y+6=0$에 수직인 직선의 y절편을 구하시오. [3점]

Tip 두 직선 $ax+by+c=0$, $a'x+b'y+c'=0$의 교점을 지나는 직선의 방정식을 $ax+by+c+k(a'x+b'y+c')=0$(k는 실수)으로 놓는다.

풀이

두 직선 $x-2y+2=0$, $2x+y-6=0$의 교점을 지나는 직선의 방정식을

$x-2y+2+k(2x+y-6)=0$ (k는 실수)

으로 놓으면

$(2k+1)x+(k-2)y-6k+2=0$ ……㉠

이 직선이 직선 $x-3y+6=0$과 수직이므로

$(2k+1)\times 1+(k-2)\times(-3)=$ □

$-k+7=$ □ $\therefore k=$ □

$k=$ □을(를) ㉠에 대입하면

$15x+5y-40=0$ $\therefore 3x+y-8=0$

따라서 이 직선의 y절편은 8이다. 답 8

3-2

두 직선 $x+2y-4=0$, $2x-y-3=0$의 교점과 점 $(3, -1)$을 지나는 직선의 방정식을 구하시오.

3-3

두 직선 $x-2y-5=0$, $2x+3y-3=0$의 교점을 지나고, 직선 $3x+y=2$에 평행한 직선의 방정식이 $y=ax+b$일 때, $b-a$의 값을 구하시오.

(단, a, b는 상수이다.)

2016 11월 실시
고1 교육청 23번

4-1

좌표평면 위의 점 $(0, 1)$과 직선 $\sqrt{3}x+y+23=0$ 사이의 거리를 구하시오. [3점]

Tip 점 (x_1, y_1)과 직선 $ax+by+c=0$ 사이의 거리 d는

$$d=\frac{|ax_1+by_1+c|}{\sqrt{a^2+b^2}}$$

풀이

점 $(0, 1)$과 직선 $\sqrt{3}x+y+23=0$ 사이의 거리는

$$\frac{|\sqrt{3}\times 0+1\times 1+23|}{\sqrt{(\sqrt{3})^2+\square^2}}=\frac{\square}{\sqrt{4}}=\square$$

답 12

4-2

점 $(2, -3)$과 직선 $3x+4y+a=0$ 사이의 거리가 2일 때, 모든 상수 a의 값의 합을 구하시오.

3주

3일 핵심 개념 | 원의 방정식

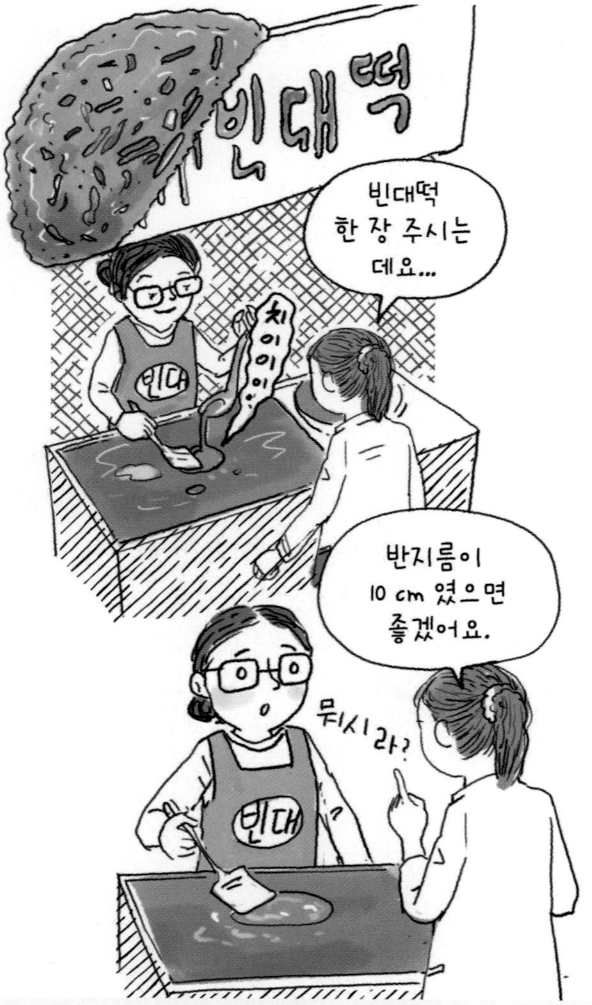

빈대떡의 방정식을 어떻게 구할까?

중심의 좌표가 $(4, 2)$이고 반지름의 길이가 10인 원의 방정식은

$$(x-4)^2+(y-2)^2=10^2$$

중심의 좌표 　 반지름의 길이

즉, $(x-4)^2+(y-2)^2=100$

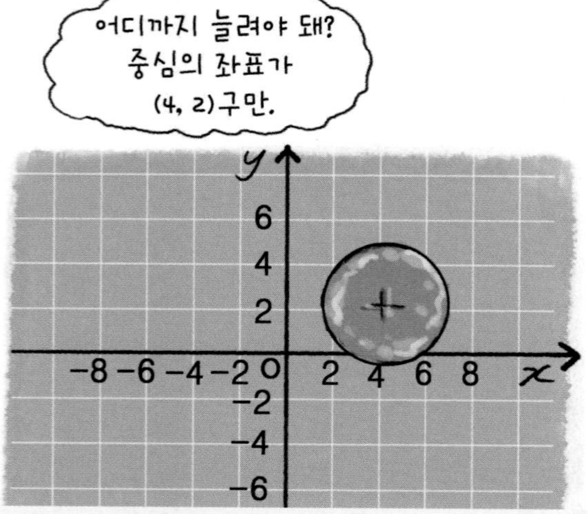

개념 ① 원의 방정식

[01~02] 다음 ☐ 안에 알맞은 것을 아래 보기에서 찾아 써넣으시오.

> **보기**
>
> $a,\ b,\ r,\ A,\ B,\ C$

01 중심이 $C(a, b)$이고 반지름의 길이가 r인 원의 방정식은

$(x-\square)^2+(y-\square)^2=\square^2$

02 x, y에 대한 이차방정식 $x^2+y^2+Ax+By+C=0$을 변형하면

$$\left(x+\frac{A}{2}\right)^2+\left(y+\frac{B}{2}\right)^2=\frac{A^2+B^2-4C}{4}$$

이므로 $A^2+B^2-4C>0$이면 주어진 이차방정식은

중심의 좌표가 $\left(-\frac{\square}{2}, -\frac{\square}{2}\right)$, 반지름의 길이가 $\frac{\sqrt{A^2+B^2-4C}}{2}$인 원을 나타낸다.

답 **01** a, b, r 　 **02** A, B

개념 확인 | 원의 방정식

정답 및 해설 32쪽

원의 방정식의 표준형

❶ 중심이 $\mathrm{C}(a, b)$이고 반지름의 길이가 r인 원의 방정식은 $(x-a)^2+(y-b)^2=r^2$

❷ 중심이 원점이고 반지름의 길이가 r인 원의 방정식은 $x^2+y^2=r^2$

원의 방정식의 일반형

x, y에 대한 이차방정식 $x^2+y^2+Ax+By+C=0$을 변형하면

$$\left(x+\frac{A}{2}\right)^2+\left(y+\frac{B}{2}\right)^2=\frac{A^2+B^2-4C}{4}$$

(단, $A^2+B^2-4C>0$)

1-1 다음 원의 방정식을 구하시오.

(1) 중심의 좌표가 $(1, 3)$이고 반지름의 길이가 2인 원

(2) 중심의 좌표가 $(2, 1)$이고 점 $(1, 4)$를 지나는 원

(3) 두 점 $\mathrm{A}(3, 2)$, $\mathrm{B}(5, -8)$을 지름의 양 끝점으로 하는 원

1-2 다음 원의 방정식을 구하시오.

(1) 중심이 원점이고 반지름의 길이가 6인 원

(2) 중심의 좌표가 $(-3, -4)$이고 원점을 지나는 원

(3) 두 점 $\mathrm{A}(-2, 3)$, $\mathrm{B}(4, 1)$을 지름의 양 끝점으로 하는 원

2-1 다음 물음에 답하시오.

(1) 방정식 $x^2+y^2+4x-6y+12=0$이 나타내는 도형을 말하시오.

(2) 방정식 $x^2+y^2+2x-2y+k=0$이 나타내는 도형이 원이 되도록 하는 실수 k의 값의 범위를 구하시오.

2-2 다음 물음에 답하시오.

(1) 방정식 $x^2+y^2+2x-6y+9=0$이 나타내는 도형을 말하시오.

(2) 방정식 $x^2+y^2+6ax-2ay+28a+6=0$이 나타내는 도형이 원이 되도록 하는 실수 a의 값의 범위를 구하시오.

3일 핵심 개념 | 원의 방정식

전과 젓가락의 위치 관계는?

원 $x^2+y^2=r^2$에 직선 $y=mx+n$을 대입하여 얻은 이차방정식의 판별식을 D라 할 때

판별식의 값의 부호	원과 직선의 위치 관계
$D>0$	서로 다른 두 점에서 만난다.
$D=0$	한 점에서 만난다. (접한다.)
$D<0$	만나지 않는다.

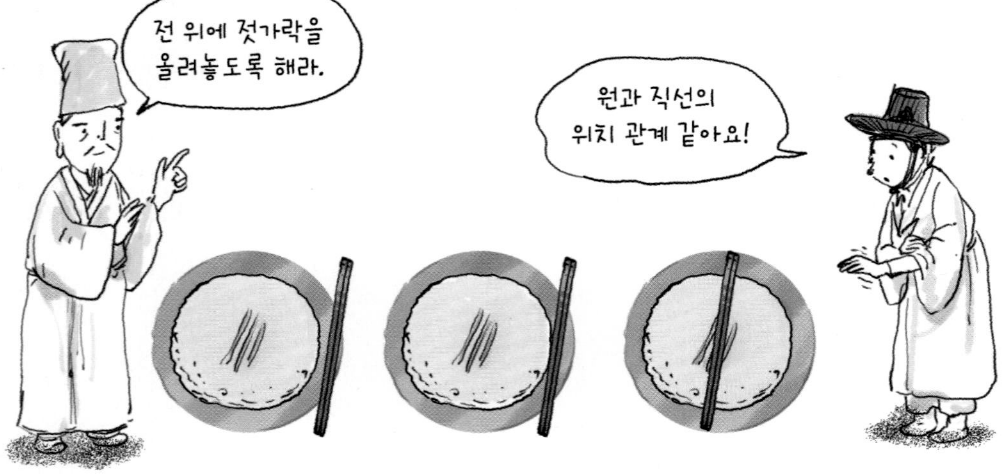

개념 ② 원과 직선의 위치 관계

03 원 $x^2+y^2=r^2$과 직선 $y=mx+n$을 연립하여 얻은 이차방정식의 판별식을 D라 할 때, 다음 (　　) 안에 주어진 것 중 옳은 것을 고르시오.

($D>0$, $D=0$, $D<0$)이면 서로 다른 두 점에서 만난다.

($D>0$, $D=0$, $D<0$)이면 한 점에서 만난다. (접한다.)

($D>0$, $D=0$, $D<0$)이면 만나지 않는다.

개념 ③ 원의 접선의 방정식

04 다음 □ 안에 알맞은 것을 아래 보기에서 찾아 써넣으시오.

보기

m, m^2, r, r^2

(1) 원 $x^2+y^2=r^2$에 접하고 기울기가 m인 접선의 방정식은 $y=mx\pm r\sqrt{\square+1}$

(2) 원 $x^2+y^2=r^2$ 위의 점 (x_1, y_1)에서의 접선의 방정식은 $x_1x+y_1y=\square$

답 **03** $D>0$, $D=0$, $D<0$　**04** m^2, r^2

개념 확인 | 원의 방정식

정답 및 해설 33쪽

원과 직선의 위치 관계

원의 방정식과 직선의 방정식을 연립하여 얻은 이차방정식의 판별식을 D라 할 때, 원과 직선의 위치 관계는

❶ $D>0$이면 서로 다른 두 점에서 만난다.

❷ $D=0$이면 한 점에서 만난다. (접한다.)

❸ $D<0$이면 만나지 않는다.

참고 원의 중심과 직선 사이의 거리를 d, 원의 반지름의 길이를 r라 할 때, 원과 직선의 위치 관계는

❶ $d<r$이면 서로 다른 두 점에서 만난다.

❷ $d=r$이면 한 점에서 만난다. (접한다.)

❸ $d>r$이면 만나지 않는다.

기울기가 주어진 원의 접선의 방정식

원 $x^2+y^2=r^2$에 접하고 기울기가 m인 접선의 방정식은

$y=mx\pm r\sqrt{m^2+1}$

원 위의 점에서의 접선의 방정식

원 $x^2+y^2=r^2$ 위의 점 (x_1, y_1)에서의 접선의 방정식은

$x_1x+y_1y=r^2$

원 밖의 한 점에서 그은 접선의 방정식

접점의 좌표를 (x_1, y_1)로 놓고 원 위의 점에서의 접선의 방정식을 구한다.

3-1 원 $x^2+y^2=4$와 직선 $y=-x+k$의 위치 관계가 다음과 같을 때, 실수 k의 값 또는 그 범위를 구하시오.

(1) 서로 다른 두 점에서 만난다.

(2) 접한다.

(3) 만나지 않는다.

3-2 원 $x^2+y^2=9$와 직선 $y=2x+k$의 위치 관계가 다음과 같을 때, 실수 k의 값 또는 그 범위를 구하시오.

(1) 서로 다른 두 점에서 만난다.

(2) 접한다.

(3) 만나지 않는다.

4-1 다음 접선의 방정식을 구하시오.

(1) 원 $x^2+y^2=9$에 접하고 기울기가 2인 접선

(2) 원 $x^2+y^2=4$에 접하고 직선 $y=3x+1$에 평행한 접선

(3) 원 $x^2+y^2=5$ 위의 점 $(1, 2)$에서의 접선

(4) 점 $(0, 2)$에서 원 $x^2+y^2=2$에 그은 접선

4-2 다음 접선의 방정식을 구하시오.

(1) 원 $x^2+y^2=2$에 접하고 기울기가 1인 접선

(2) 원 $x^2+y^2=1$에 접하고 직선 $x+3y+1=0$에 수직인 접선

(3) 원 $x^2+y^2=4$ 위의 점 $(1, \sqrt{3})$에서의 접선

(4) 점 $(4, -2)$에서 원 $x^2+y^2=10$에 그은 접선

3일 기초 유형 | 원의 방정식

2019 9월 실시
고1 교육청 24번

쌍둥이 교과서 문제

1-1

원 $x^2+y^2-2x+4y-11=0$의 반지름의 길이를 구하시오. [3점]

Tip 중심이 $C(a, b)$이고 반지름의 길이가 r인 원의 방정식은 $(x-a)^2+(y-b)^2=r^2$

풀이

주어진 방정식을 변형하면

$(x-1)^2+(y+2)^2=$ □

따라서 구하는 원의 반지름의 길이는 □이다. 답 4

1-2

방정식 $x^2+y^2-6x+5=0$이 나타내는 원의 중심의 좌표와 반지름의 길이를 구하시오.

1-3

원 $x^2+y^2-2kx-2y-k=0$의 반지름의 길이가 $\sqrt{7}$일 때, 상수 k의 값을 모두 구하시오.

2018 9월 실시
고1 교육청 24번

2-1

직선 $y=2x+k$를 x축의 방향으로 2만큼, y축의 방향으로 -3만큼 평행이동한 직선이 원 $x^2+y^2=5$와 한 점에서 만날 때, 모든 상수 k의 값의 합을 구하시오. [3점]

Tip 원의 중심과 직선 사이의 거리를 d, 원의 반지름의 길이를 r라 할 때, $d=r$이면 원과 직선은 한 점에서 만난다.

풀이

직선 $y=2x+k$를 평행이동한 직선의 방정식은

$y-(-3)=2(x-2)+k \qquad \therefore 2x-y+k-7=0$

이 직선이 원과 한 점에서 만나므로

$\frac{|k-7|}{\sqrt{2^2+(-1)^2}}=$ □, $|k-7|=5$

$\therefore k=$ □ 또는 $k=2$

따라서 모든 상수 k의 값의 합은 □이다. 답 14

2-2

원 $x^2+y^2=8$과 직선 $y=-2x+k$가 서로 다른 두 점에서 만날 때, 실수 k의 값의 범위를 구하시오.

2-3

원 $(x+1)^2+(y-2)^2=5$와 직선 $y=2x+n$이 서로 만나지 않게 하는 자연수 n의 최솟값을 구하시오.

■ 정답 및 해설 34쪽

2019 3월 실시
고2 교육청 나형 10번

쌍둥이 교과서 문제

3-1

좌표평면에서 점 A(4, 3)과 원 $x^2+y^2=16$ 위의 점 P에 대하여 선분 AP의 길이의 최솟값을 구하시오. [3점]

Tip 중심이 C이고 반지름의 길이가 r인 원 위의 점과 원 밖의 한 점 A 사이의 거리는
(최댓값)$=\overline{AC}+r$, (최솟값)$=\overline{AC}-r$

풀이
원의 중심의 좌표는 $(0, 0)$, 반지름의 길이는 4이므로
($\overline{AP}$의 최솟값)$=\sqrt{(4-0)^2+(3-0)^2}-\square$
$=5-\square=\square$

답 1

3-2

점 A$(-4, 7)$과 원 $(x-2)^2+(y+1)^2=9$ 위의 점 P에 대하여 선분 AP의 길이의 최댓값과 최솟값을 구하시오.

2018 3월 실시
고2 교육청 가형 25번

4-1

점 $(0, 3)$에서 원 $x^2+y^2=1$에 그은 접선이 x축과 만나는 점의 x좌표를 k라 할 때, $16k^2$의 값을 구하시오. [3점]

Tip (1) 원 $x^2+y^2=r^2$에 접하고 기울기가 m인 접선의 방정식은 $y=mx\pm r\sqrt{m^2+1}$
(2) 원 $x^2+y^2=r^2$ 위의 점 (x_1, y_1)에서의 접선의 방정식은
$x_1x+y_1y=r^2$

풀이
접점을 P(x_1, y_1)이라 하면 점 P에서의 접선의 방정식은
$x_1x+y_1y=1$ ……㉠
㉠이 점 $(0, 3)$을 지나므로 $3y_1=1$ $\therefore y_1=\frac{1}{3}$
또 점 P(x_1, y_1)은 원 $x^2+y^2=1$ 위의 점이므로
$x_1{}^2+y_1{}^2=1$ ……㉡
$y_1=\frac{1}{3}$을 ㉡에 대입하면 $x_1{}^2+\left(\frac{1}{3}\right)^2=1$ $\therefore x_1=\square$
따라서 구하는 접선의 방정식은
$\frac{2\sqrt{2}}{3}x+\frac{1}{3}y=1$ 또는 $\frac{2\sqrt{2}}{3}x-\frac{1}{3}y=-1$
두 접선이 x축과 만나는 점의 x좌표는 각각 $\frac{3\sqrt{2}}{4}$, $-\frac{3\sqrt{2}}{4}$이므로
$k^2=\square$ $\therefore 16k^2=16\times\square=\square$

답 18

4-2

점 $(-1, 3)$에서 원 $x^2+y^2=1$에 그은 접선의 방정식을 구하시오.

4-3

원 $x^2+y^2=8$ 위의 두 점 $(2, 2)$, $(2, -2)$에서의 접선과 y축으로 둘러싸인 삼각형의 넓이를 구하시오.

3주

핵심 개념 | 도형의 이동

고기 한 점을 평행이동하면?

점 A를 점 A′과 겹치게 하려면 점 A를 x축의 방향으로 8만큼, y축의 방향으로 4만큼 평행이동해야 한다.

점 $\mathrm{A}(-5, -2) \xrightarrow[y\text{축의 방향으로 4만큼 평행이동}]{x\text{축의 방향으로 8만큼,}}$ 점 $\mathrm{A}'(3, 2)$

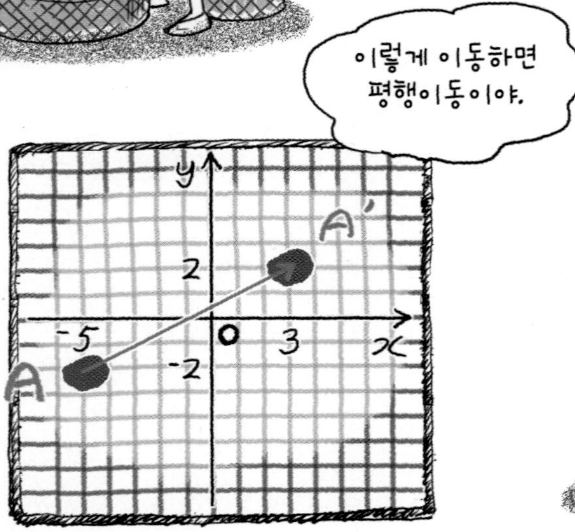

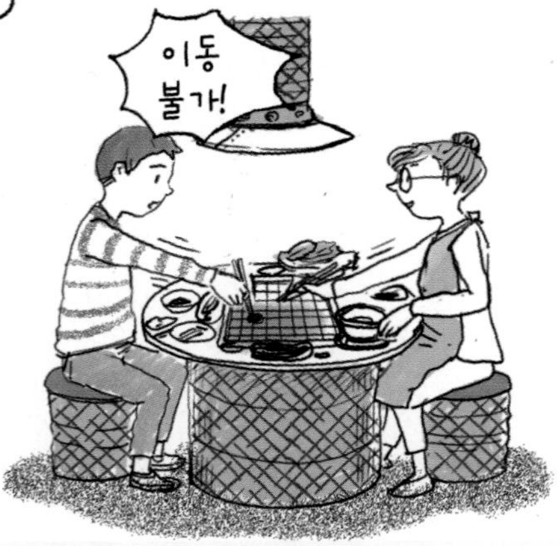

개념 ① 점과 도형의 평행이동

[01~03] 다음 ☐ 안에 알맞은 것을 아래 보기에서 찾아 써넣으시오.

> **보기**
> 평행이동, 대칭이동, $x-a$, $x+a$, $y-b$, $y+b$

01 좌표평면 위의 한 점 또는 도형을 일정한 방향으로 일정한 거리만큼 옮기는 것을 ☐이라 한다.

02 좌표평면 위의 한 점 (x, y)를 x축의 방향으로 a만큼, y축의 방향으로 b만큼 평행이동한 점의 좌표는 (☐, $y+b$)이다.

03 방정식 $f(x, y)=0$이 나타내는 도형을 x축의 방향으로 a만큼, y축의 방향으로 b만큼 평행이동한 도형의 방정식은 $f(x-a,$ ☐$)$이다.

답 **01** 평행이동 **02** $x+a$ **03** $y-b$

개념 확인 | 도형의 이동

정답 및 해설 35쪽

점과 도형의 평행이동

점 (x, y)	x축의 방향으로 a만큼, y축의 방향으로 b만큼 평행이동 →	점 $(x+a, y+b)$
도형 $f(x, y)=0$	→	도형 $f(x-a, y-b)=0$

참고 $\mathrm{P}(x, y)$를 x축의 방향으로 a만큼, y축의 방향으로 b만큼 평행이동하는 것을 $(x, y) \longrightarrow (x+a, y+b)$와 같이 나타낸다.

1-1 다음 점을 x축의 방향으로 -1만큼, y축의 방향으로 3만큼 평행이동한 점의 좌표를 구하시오.

(1) $(0, 0)$　　(2) $(1, 3)$

(3) $(-2, 5)$　　(4) $(4, -1)$

1-2 평행이동 $(x, y) \longrightarrow (x+5, y-2)$에 의하여 다음 점이 옮겨지는 점의 좌표를 구하시오.

(1) $(0, 0)$　　(2) $(2, 1)$

(3) $(-3, 2)$　　(4) $(-1, -5)$

2-1 다음 방정식이 나타내는 도형을 x축의 방향으로 2만큼, y축의 방향으로 -1만큼 평행이동한 도형의 방정식을 구하시오.

(1) $x-2y-4=0$

(2) $y=2x^2-x+1$

(3) $(x-3)^2+(y+1)^2=4$

2-2 평행이동 $(x, y) \longrightarrow (x-2, y+3)$에 의하여 다음 방정식이 나타내는 도형이 옮겨지는 도형의 방정식을 구하시오.

(1) $2x-y+1=0$

(2) $y=-x^2+5x+6$

(3) $(x+1)^2+(y-1)^2=2$

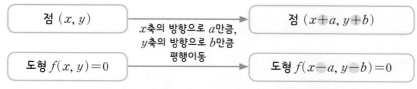

4일 핵심 개념 | 도형의 이동

라떼 아트의 도형의 방정식은?

도형 $f(x, y)=0$을

x축에 대하여 대칭이동한 도형의 방정식은 $f(x, -y)=0$

y축에 대하여 대칭이동한 도형의 방정식은 $f(-x, y)=0$

원점에 대하여 대칭이동한 도형의 방정식은 $f(-x, -y)=0$

직선 $y=x$에 대하여 대칭이동한 도형의 방정식은 $f(y, x)=0$

개념 2 점과 도형의 대칭이동

[04~06] 다음 ☐ 안에 알맞은 것을 아래 보기에서 찾아 써넣으시오.

보기
평행이동, 대칭이동, x, $-x$, y, $-y$

04 좌표평면 위의 한 점 또는 도형을 어떤 점이나 직선에 대하여 대칭인 점 또는 도형으로 옮기는 것을 각각 그 점 또는 그 직선에 대한 ☐이라 한다.

05 좌표평면 위의 한 점 (x, y)를

x축에 대하여 대칭이동한 점의 좌표는 $(x,$ ☐$)$, y축에 대하여 대칭이동한 점의 좌표는 $(-x, y)$

원점에 대하여 대칭이동한 점의 좌표는 $($☐$, -y)$, 직선 $y=x$에 대하여 대칭이동한 점의 좌표는 (y, x)

06 방정식 $f(x, y)=0$이 나타내는 도형을 x축, y축, 원점, 직선 $y=x$에 대하여 대칭이동한 도형의 방정식은 각각 $f(x, -y)=0$, $f(-x,$ ☐$)=0$, $f($☐$, -y)=0$, $f(y, x)=0$이다.

답 **04** 대칭이동 **05** $-y$, $-x$ **06** y, $-x$

개념 확인 | 도형의 이동

정답 및 해설 35쪽

점과 도형의 대칭이동

대칭이동	점 (x, y)	도형
x축	점 $(x, -y)$	도형 $f(x, -y)=0$
y축	점 $(-x, y)$	도형 $f(-x, y)=0$
원점	점 $(-x, -y)$	도형 $f(-x, -y)=0$
직선 $y=x$	점 (y, x)	도형 $f(y, x)=0$

참고 평행이동과 대칭이동이 연속적으로 이루어지는 경우에는 주어진 순서대로 적용해야 한다.

3-1 점 $(2, 4)$를 다음 점 또는 직선에 대하여 대칭이동한 점의 좌표를 구하시오.

(1) x축

(2) y축

(3) 원점

(4) 직선 $y=x$

3-2 점 $(3, -1)$을 다음 점 또는 직선에 대하여 대칭이동한 점의 좌표를 구하시오.

(1) x축

(2) y축

(3) 원점

(4) 직선 $y=x$

4-1 다음 도형을 x축, y축, 원점, 직선 $y=x$에 대하여 대칭이동한 도형의 방정식을 구하시오.

(1) $x+y+1=0$

(2) $y=x^2-3x$

(3) $(x-1)^2+(y+2)^2=9$

4-2 다음 도형을 x축, y축, 원점, 직선 $y=x$에 대하여 대칭이동한 도형의 방정식을 구하시오.

(1) $2x-y-1=0$

(2) $y=x^2-2x-1$

(3) $(x-5)^2+(y+2)^2=2$

4일 기초 유형 | 도형의 이동

2019 11월 실시
고1 교육청 12번

쌍둥이 교과서 문제

1-1

좌표평면 위의 점 $\mathrm{P}(a, a^2)$을 x축의 방향으로 $-\frac{1}{2}$만큼, y축의 방향으로 2만큼 평행이동한 점이 직선 $y=4x$ 위에 있을 때, 상수 a의 값을 구하시오. [3점]

Tip 점 (x, y)를 x축의 방향으로 a만큼, y축의 방향으로 b만큼 평행이동한 점의 좌표는 $(x+a, y+b)$

풀이

점 $\mathrm{P}(a, a^2)$을 x축의 방향으로 $-\frac{1}{2}$만큼, y축의 방향으로 2만큼 평행이동한 점의 좌표는 $\left(a-\frac{1}{2}, a^2+\square\right)$

이 점이 직선 $y=4x$ 위에 있으므로

$a^2+\square=4\left(a-\frac{1}{2}\right)$, $a^2-4a+4=0$

$(a-2)^2=0$ $\quad\therefore a=2$

답 2

1-2

좌표평면 위의 점 (a, b)를 x축의 방향으로 2만큼, y축의 방향으로 -1만큼 평행이동하였더니 점 $(3, 4)$가 되었다. 이때 a, b의 값을 구하시오.

2017 11월 실시
고1 교육청 23번

2-1

직선 $y=3x-5$를 x축의 방향으로 a만큼, y축의 방향으로 $2a$만큼 평행이동한 직선이 직선 $y=3x-10$과 일치할 때, 상수 a의 값을 구하시오. [3점]

Tip 방정식 $f(x, y)=0$이 나타내는 도형을 x축의 방향으로 a만큼, y축의 방향으로 b만큼 평행이동한 도형의 방정식은 $f(x-a, y-b)=0$

풀이

직선 $y=3x-5$를 x축의 방향으로 a만큼, y축의 방향으로 $2a$만큼 평행이동한 직선의 방정식은

$y-\square=3(x-\square)-5$ $\quad\therefore y=3x-a-5$

이 직선이 직선 $y=3x-10$과 일치하므로

$-a-5=-10$ $\quad\therefore a=5$

답 5

2-2

직선 $y=2x-3$을 x축의 방향으로 a만큼, y축의 방향으로 b만큼 평행이동하였더니 원래의 직선과 일치하였다. 이때 $\frac{b}{a}$의 값을 구하시오. (단, $a\neq0$)

2-3

원 $(x-a)^2+(y-b)^2=c$를 x축의 방향으로 -6만큼, y축의 방향으로 -1만큼 평행이동하였더니 원 $x^2+y^2=4$와 일치하였다. 상수 a, b, c의 값을 구하시오.

정답 및 해설 36쪽

2018 9월 실시
고1 교육청 9번

쌍둥이 교과서 문제

3-1

좌표평면 위의 점 $(3, 2)$를 직선 $y=x$에 대하여 대칭이동한 점을 A, 점 A를 원점에 대하여 대칭이동한 점을 B라 할 때, 선분 AB의 길이를 구하시오. [3점]

Tip 점 $\mathrm{P}(x, y)$를
(1) x축에 대하여 대칭이동한 점의 좌표는 $(x, -y)$
(2) y축에 대하여 대칭이동한 점의 좌표는 $(-x, y)$
(3) 원점에 대하여 대칭이동한 점의 좌표는 $(-x, -y)$
(4) 직선 $y=x$에 대하여 대칭이동한 점의 좌표는 (y, x)

풀이
$\mathrm{A}(2, 3)$, $\mathrm{B}(-2, \square)$이므로
$\overline{\mathrm{AB}}=\sqrt{(-2-2)^2+(\square-3)^2}$
$=\sqrt{\square}=2\sqrt{\square}$

답 $2\sqrt{13}$

3-2

점 $\mathrm{A}(2, 1)$을 원점, 직선 $y=x$에 대하여 대칭이동한 점을 각각 B, C라 할 때, 삼각형 ABC의 넓이를 구하시오.

2018 9월 실시
고1 교육청 7번

4-1

직선 $y=ax-6$을 x축에 대하여 대칭이동한 직선이 점 $(2, 4)$를 지날 때, 상수 a의 값을 구하시오. [3점]

Tip 방정식 $f(x, y)=0$이 나타내는 도형을
(1) x축에 대하여 대칭이동한 도형의 방정식은 $f(x, -y)=0$
(2) y축에 대하여 대칭이동한 도형의 방정식은 $f(-x, y)=0$
(3) 원점에 대하여 대칭이동한 도형의 방정식은 $f(-x, -y)=0$
(4) 직선 $y=x$에 대하여 대칭이동한 도형의 방정식은 $f(y, x)=0$

풀이
직선 $y=ax-6$을 x축에 대하여 대칭이동한 직선의 방정식은
$\square=ax-6$ $\quad\therefore y=-ax+6$
이 직선이 점 $(2, 4)$를 지나므로
$4=-2a+6$, $2a=\square$ $\quad\therefore a=1$

답 1

4-2

직선 $y=3x-1$을 x축의 방향으로 k만큼 평행이동한 후 원점에 대하여 대칭이동한 직선이 점 $(-1, 3)$을 지난다. 이때 상수 k의 값을 구하시오.

4-3

원 $(x+1)^2+(y-3)^2=4$를 y축에 대하여 대칭이동한 원의 중심이 직선 $y=-2x+k$ 위에 있을 때, 상수 k의 값을 구하시오.

5일 핵심 개념 | 집합

레스토랑의 메뉴를 집합으로 나타내면?

고기 요리의 집합은

원소나열법 : {낙지불고기전골, 소고기 스테이크, 돼지갈비, 오리등심, ……}

조건제시법 : $\{x \mid x$는 고기 요리$\}$

해물 요리의 집합은

원소나열법 : {고등어구이, 낙지불고기전골, 해물탕, 새우튀김, ……}

조건제시법 : $\{x \mid x$는 해물 요리$\}$

개념 ① 집합과 원소

[01~02] 다음 ( ) 안에 주어진 것 중 옳은 것을 고르시오.

01 집합에 속하는 모든 원소를 { } 안에 나열하여 집합을 나타내는 방법을 (원소나열법, 조건제시법)이라 하고, 집합에 속하는 원소들의 공통된 성질을 제시하여 집합을 나타내는 방법을 (원소나열법, 조건제시법)이라 한다.

02 집합 A의 원소가 유한개일 때, 집합 A의 원소의 개수를 기호로 $n(A)$와 같이 나타낸다. 한편, 원소가 하나도 없는 집합을 (공집합, 유한집합)이라 하고 기호로 $\varnothing$과 같이 나타낸다.

개념 ② 집합의 포함 관계

[03~04] 다음 ( ) 안에 주어진 것 중 옳은 것을 고르시오.

03 집합 A의 모든 원소가 집합 B에 속할 때, 집합 A는 집합 B의 부분집합이라 하고 기호로 ($A \in B$, $A \subset B$)와 같이 나타낸다.

04 두 집합 A, B가 $A \subset B$이고 $B \subset A$를 만족시킬 때, 기호로 ($A=B$, $A \neq B$)와 같이 나타낸다.

답 **01** 원소나열법, 조건제시법 **02** 공집합 **03** $A \subset B$ **04** $A=B$

개념 확인 | 집합

정답 및 해설 37쪽

부분집합

집합 A의 모든 원소가 집합 B에 속할 때, 집합 A는 집합 B의 부분집합이라 한다.

부분집합의 성질

세 집합 A, B, C에 대하여

❶ 모든 집합은 자기 자신의 부분집합이다. 즉, $A \subset A$

❷ 공집합은 모든 집합의 부분집합이다. 즉, $\varnothing \subset A$

❸ $A \subset B$이고 $B \subset C$이면 $A \subset C$이다.

부분집합의 개수

원소가 n개인 집합 $A=\{a_1, a_2, a_3, \cdots, a_n\}$에 대하여

❶ 부분집합의 개수 ⇨ 2^n

❷ 진부분집합의 개수 ⇨ 2^n-1

❸ 특정한 원소 k개를 반드시 포함하는 부분집합의 개수 ⇨ 2^{n-k}

❹ 특정한 원소 k개를 포함하지 않는 부분집합의 개수 ⇨ 2^{n-k}

1-1 집합 $\{0, 1\}$의 부분집합 중 다음을 구하시오.

(1) 원소가 0개인 부분집합

(2) 원소가 1개인 부분집합

(3) 원소가 2개인 부분집합

2-1 집합 $A=\{1, 2, 3, 4, 5, 6\}$에 대하여 다음 집합의 개수를 구하시오.

(1) 집합 A의 부분집합

(2) 집합 A의 진부분집합

(3) 집합 A의 부분집합 중 원소 1, 2를 포함하는 집합

(4) 집합 A의 부분집합 중 원소 1, 2는 포함하고 원소 3은 포함하지 않는 집합

1-2 집합 $\{a, b, c\}$의 부분집합 중 다음을 구하시오.

(1) 원소가 1개인 부분집합

(2) 원소가 2개인 부분집합

(3) 원소가 3개인 부분집합

2-2 집합 $A=\{1, 2, 3, 4, 5\}$에 대하여 다음 집합의 개수를 구하시오.

(1) 집합 A의 부분집합

(2) 집합 A의 진부분집합

(3) 집합 A의 부분집합 중 짝수를 포함하지 않는 집합

(4) 집합 A의 부분집합 중 원소 1은 포함하고 짝수는 포함하지 않는 집합

5일 핵심 개념 | 집합

주문한 요리가 속한 집합은?

고기와 해물이 들어가지 않은 요리의 집합은

{김치, 야채샐러드, 콩나물무침, 오이무침, ……}

주문한 낙지불고기전골은 고기 요리와 해물 요리의 교집합에 속하고,

김치와 콩나물무침은 고기 요리의 여집합, 해물 요리의 여집합에 속한다.

개념 ③ 집합의 연산

[05~06] 다음 ( ) 안에 주어진 것 중 옳은 것을 고르시오.

05 집합 A에도 속하고 집합 B에도 속하는 모든 원소로 이루어진 집합을 A와 B의 (교집합, 합집합)이라 하고, 집합 A에 속하거나 집합 B에 속하는 모든 원소로 이루어진 집합을 A와 B의 (교집합, 합집합)이라 한다.

06 전체집합 U의 원소 중에서 A에 속하지 않는 모든 원소로 이루어진 집합을 U에 대한 A의 (여집합, 차집합)이라 하고, 집합 A에는 속하지만 집합 B에는 속하지 않는 모든 원소로 이루어진 집합을 A에 대한 B의 (여집합, 차집합)이라 한다.

개념 ④ 여집합과 차집합의 성질

07 전체집합 U의 두 부분집합 A, B에 대하여 다음 □ 안에 알맞은 것을 아래 보기에서 찾아 써넣으시오.

> •보기•
> $\varnothing,\ A,\ A^C,\ B,\ B^C,\ U,\ U^C$

$A\cup A^C=U$, $A\cap A^C=$ □, $U^C=\varnothing$, $\varnothing^C=$ □

$A-B=A\cap$ □, $(A^C)^C=$ □

답 **05** 교집합, 합집합 **06** 여집합, 차집합 **07** $\varnothing, U, B^C, A$

개념 확인 | 집합

정답 및 해설 37쪽

집합의 연산

전체집합 U의 두 부분집합 A, B에 대하여

❶ 교집합 $A\cap B=\{x\mid x\in A$ 그리고 $x\in B\}$

❷ 합집합 $A\cup B=\{x\mid x\in A$ 또는 $x\in B\}$

❸ 여집합 $A^C=\{x\mid x\in U$ 그리고 $x\notin A\}$

❹ 차집합 $A-B=\{x\mid x\in A$ 그리고 $x\notin B\}$

유한집합의 원소의 개수

전체집합 U가 유한집합일 때, U의 두 부분집합 A, B에 대하여

❶ $n(A\cup B)=n(A)+n(B)-n(A\cap B)$

❷ $n(A^C)=n(U)-n(A)$

❸ $n(A-B)=n(A)-n(A\cap B)$
$=n(A\cup B)-n(B)$

3-1 전체집합 $U=\{1, 2, 3, 4, 5, 6, 7\}$의 두 부분집합 $A=\{1, 2, 3, 4\}$, $B=\{2, 3, 4, 6\}$에 대하여 다음을 구하시오.

(1) $A\cap B$

(2) $A\cup B$

(3) B^C

(4) $B-A$

3-2 전체집합 $U=\{1, 2, 3, \cdots, 12\}$의 두 부분집합 $A=\{2, 3, 5, 7, 11\}$, $B=\{x\mid x$는 12의 약수$\}$에 대하여 다음을 구하시오.

(1) $A\cap B$

(2) $A\cup B$

(3) A^C

(4) $A-B$

4-1 전체집합 U의 두 부분집합 A, B에 대하여 $n(U)=50$, $n(A)=26$, $n(B)=33$, $n(A\cap B)=15$일 때, 다음을 구하시오.

(1) $n(A\cup B)$

(2) $n(A^C)$

(3) $n(B-A)$

(4) $n(A\cap B^C)$

(5) $n(A^C\cap B^C)$

(6) $n(A^C\cup B^C)$

4-2 전체집합 U의 두 부분집합 A, B에 대하여 $n(U)=30$, $n(A)=20$, $n(B)=17$, $n(A\cup B)=25$일 때, 다음을 구하시오.

(1) $n(A\cap B)$

(2) $n(B^C)$

(3) $n(A-B)$

(4) $n(B\cap A^C)$

(5) $n(A^C\cap B^C)$

(6) $n(A^C\cup B^C)$

5일 기초 유형 | 집합

2019 11월 실시
고1 교육청 24번

쌍둥이 교과서 문제

1-1

두 집합

$A=\{x|(x-5)(x-a)=0\}, B=\{-3, 5\}$

에 대하여 $A \subset B$를 만족시키는 양수 a의 값을 구하시오. [3점]

Tip 두 집합 A, B에 대하여
(1) $A \subset B$이면 A의 원소는 모두 B의 원소이다.
(2) $A \subset B$이고 $B \subset A$이면 $A=B$이므로 A, B의 원소는 모두 같다.

풀이

$A=\{x|(x-5)(x-a)=0\}=\{5, a\}$에서

$a \in A$이고 $A \subset B$이므로 $a \in B$

$\therefore a=$ ☐ 또는 $a=$ ☐

그런데 a는 양수이므로 $a=$ ☐

답 5

1-2

두 집합 $A=\{1, a-1, 5\}, B=\{b+3, 5, 6\}$에 대하여 $A \subset B$이고 $B \subset A$일 때, 상수 a, b의 값을 구하시오.

1-3

두 집합 $A=\{1, 7, a\}, B=\{1, 3, a+b\}$에 대하여 $A=B$일 때, 상수 a, b의 값을 구하시오.

2020 6월
평가원 나형 3번

2-1

두 집합

$A=\{2, a\}, B=\{1, 2, 3, 5, 7\}$

에 대하여 $A \cup B=\{1, 2, 3, 5, 7, 9\}$일 때, 실수 a의 값을 구하시오. [2점]

Tip (1) $A \cap B=\{x|x \in A$ 그리고 $x \in B\}$
(2) $A \cup B=\{x|x \in A$ 또는 $x \in B\}$
(3) $A^C=\{x|x \in U$ 그리고 $x \notin A\}$
(4) $A-B=\{x| \in A$ 그리고 $x \notin B\}$

풀이

$9 \notin B, 9 \in A \cup B$이므로 $9 \in$ ☐

$\therefore a=$ ☐

답 9

2-2

실수 전체의 집합의 두 부분집합

$A=\{1, 2\}, B=\{x|x^2-ax-a+1=0\}$

에 대하여 $A-B=\{2\}$일 때, 상수 a의 값을 구하시오.

2017 11월 실시
고1 교육청 25번

쌍둥이 교과서 문제

3-1

두 집합 $A=\{1, 2, 3, 4, 5\}$, $B=\{1, 3, 5, 9\}$에 대하여

$$(A-B)\cap C=\varnothing,\ A\cap C=C$$

를 만족시키는 집합 C의 개수를 구하시오. [3점]

Tip 원소가 n개인 집합 A에 대하여 특정한 원소 k개를 포함하지 않는 부분집합의 개수는 2^{n-k}

풀이

$A-B=\{2, 4\}$이고 $(A-B)\cap C=\varnothing$이므로

$2\notin C$, $4\notin C$

또, $A\cap C=C$이므로 $C\subset A$

즉, 집합 C는 원소 ☐, ☐를 포함하지 않는 집합 A의 부분집합이므로 집합 C의 개수는

$2^{5-2}=2^3=$ ☐

답 8

3-2

두 집합 $A=\{x\,|\,x\text{는 }10\text{의 약수}\}$,

$B=\{x\,|\,x\text{는 }20\text{의 약수}\}$에 대하여

$$A\cap X=A,\ B\cup X=B$$

를 만족시키는 집합 X의 개수를 구하시오.

2015 9월 실시
고1 교육청 6번

4-1

전체집합 U의 두 부분집합 A, B에 대하여

$$n(U)=50,\ n(A\cap B)=12,\ n(A^C\cap B^C)=5$$

일 때, $n((A-B)\cup(B-A))$의 값을 구하시오. [3점]

Tip 전체집합 U의 두 부분집합 A, B에 대하여

(1) $n(A\cup B)=n(A)+n(B)-n(A\cap B)$

(2) $n(A^C)=n(U)-n(A)$

(3) $n(A-B)=n(A)-n(A\cap B)=n(A\cup B)-n(B)$

풀이

$n(A\cup B)=n(U)-n((A\cup B)^C)$

$=n(U)-n(A^C\cap B^C)$

$=50-$ ☐ $=$ ☐

$\therefore n((A-B)\cup(B-A))$

$=n(A\cup B)-n(A\cap B)$

$=$ ☐ $-12=$ ☐

답 33

4-2

전체집합 U의 두 부분집합 A, B에 대하여

$$n(U)=45,\ n(A)=25,\ n(B)=16,$$
$$n(A\cap B)=6$$

일 때, $n(A^C\cap B^C)$의 값을 구하시오.

4-3

두 집합 A, B에 대하여

$$n(A\cup B)=54,\ n(A)=37,\ n(B)=29$$

일 때, $n((A-B)\cup(B-A))$의 값을 구하시오.

누구나 100점 테스트

1

| 2019 3월 실시 고2 교육청 나형 23번 |

좌표평면 위의 두 점 $A(-1, 3)$, $B(4, 1)$에 대하여 선분 AB를 한 변으로 하는 정사각형의 넓이를 구하시오.

2

| 2017 11월 실시 고1 교육청 10번 |

좌표평면 위의 두 점 $A(2, 0)$, $B(-1, 5)$에 대하여 선분 AB를 $1:2$로 외분하는 점을 P라 할 때, 선분 OP를 $3:2$로 내분하는 점의 좌표는? (단, O는 원점이다.)

① $(2, -3)$ ② $(2, 2)$ ③ $(3, -3)$
④ $(3, -2)$ ⑤ $(3, 2)$

3

| 2015 11월 실시 고1 교육청 23번 |

좌표평면에서 두 점 $(-2, -3)$, $(2, 5)$를 지나는 직선이 점 $(a, 7)$을 지날 때, 상수 a의 값을 구하시오.

4

| 2018 3월 실시 고2 교육청 가형 6번 |

두 직선 $x+y+2=0$, $(a+2)x-3y+1=0$이 서로 수직일 때, 상수 a의 값은?

① $\frac{1}{2}$ ② 1 ③ $\frac{3}{2}$
④ 2 ⑤ $\frac{5}{2}$

5

| 2016 9월 실시 고1 교육청 8번 |

좌표평면 위의 두 점 $A(1, 3)$, $B(2, 1)$에 대하여 선분 AB를 $3:2$로 외분하는 점을 C라 하자. 선분 BC를 지름으로 하는 원의 중심의 좌표를 (a, b)라 할 때, $a+b$의 값은?

① 1 ② 2 ③ 3
④ 4 ⑤ 5

선분 BC의 중점이 원의 중심이야.

정답 및 해설 38쪽

6

| 2015 9월 실시 고1 교육청 9번 |

좌표평면 위의 원 $x^2+y^2+2x-4y-3=0$을 x축의 방향으로 a만큼, y축의 방향으로 b만큼 평행이동한 도형이 원 $(x-3)^2+(y+4)^2=c$일 때, 세 상수 a, b, c에 대하여 $a+b+c$의 값은?

① 5 ② 6 ③ 7
④ 8 ⑤ 9

7

| 2014 9월 실시 고1 교육청 13번 |

직선 $x-2y=9$를 직선 $y=x$에 대하여 대칭이동한 도형이 원 $(x-3)^2+(y+5)^2=k$에 접할 때, 실수 k의 값은?

① 80 ② 83 ③ 85
④ 88 ⑤ 90

8

| 2019 3월 실시 고2 교육청 가형 2번 |

두 집합 $A=\{1, 2, 3\}$, $B=\{3, 5\}$에 대하여 집합 $A\cup B$의 모든 원소의 합은?

① 9 ② 10 ③ 11
④ 12 ⑤ 13

9

| 2018 6월 평가원 나형 24번 |

전체집합 $U=\{1, 2, 3, 4, 5, 6\}$의 부분집합 A에 대하여 $\{1, 2, 3\}\cap A=\varnothing$을 만족시키는 모든 집합 A의 개수를 구하시오.

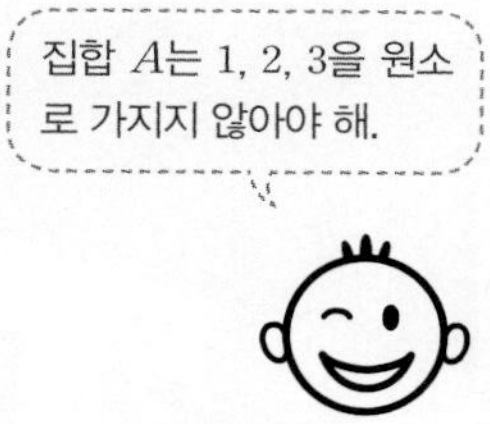

10

| 2015 6월 실시 고2 교육청 나형 24번 |

전체집합 U의 두 부분집합 A, B에 대하여

$$n(U)=40,\ n(A\cap B)=6$$

일 때, $n(A^C\cup B^C)$의 값을 구하시오.

정답 및 해설 39쪽

어느 학급 학생 30명을 대상으로 두 봉사 활동 A, B에 대한 신청을 받았다. 봉사 활동 A를 신청한 학생 수와 봉사 활동 B를 신청한 학생 수의 합이 36일 때, 봉사 활동 A, B를 모두 신청한 학생 수의 최댓값을 M, 최솟값을 m이라 하자. $M+m$의 값을 구하시오. [2017 3월 실시 고2 교육청 가형 15번]

봉사 활동 A

봉사 활동 B

특강 창의·융합·코딩

1

2019 9월 실시 고1 교육청 12번

선분의 내분점 ⊕ 삼각형의 넓이의 비 중등

직선 $y=\frac{1}{3}x$ 위의 두 점 $\mathrm{A}(3, 1)$, $\mathrm{B}(a, b)$가 있다. 제2 사분면 위의 한 점 C에 대하여

❶ 삼각형 BOC와 삼각형 OAC의 넓이의 비가 $2:1$일 때, ❷ $a+b$의 값을 구하시오.

(단, $a<0$이고, O는 원점이다.)

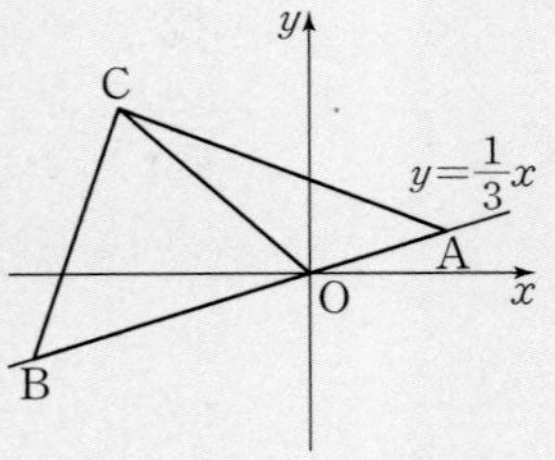

❶ **$\triangle\mathrm{BOC}:\triangle\mathrm{OAC}=2:1$임을 이용하여 $\overline{\mathrm{BO}}$, $\overline{\mathrm{OA}}$의 길이의 비를 구한다.**

삼각형 BOC와 삼각형 OAC의 넓이의 비가 $2:1$이므로

$\overline{\mathrm{BO}}:\overline{\mathrm{OA}}=\square:1$

❷ **$\overline{\mathrm{BO}}:\overline{\mathrm{OA}}=2:1$에서 점 O가 어떤 점인지 추론하여 a, b의 값을 각각 구한 다음 $a+b$의 값을 구한다.**

> **선분의 내분점과 외분점**
>
> 좌표평면 위의 두 점 $\mathrm{A}(x_1, y_1)$, $\mathrm{B}(x_2, y_2)$에 대하여 선분 AB를 $m:n$ $(m>0, n>0)$으로
>
> (1) 내분하는 점의 좌표는 $\left(\frac{mx_2+nx_1}{m+n}, \frac{my_2+ny_1}{m+n}\right)$
>
> (2) 외분하는 점의 좌표는 $\left(\frac{mx_2-nx_1}{m-n}, \frac{my_2-ny_1}{m-n}\right)$ (단, $m\neq n$)

$\overline{\mathrm{BO}}:\overline{\mathrm{OA}}=\square:1$에서 선분 BA를 $\square:1$로 내분하는 점이 점 O이므로

$\frac{2\times3+1\times a}{2+1}=0$, $\frac{2\times1+1\times b}{2+1}=0$

따라서 $a=-6$, $b=-2$이므로

$a+b=-8$

답 -8

정답 및 해설 40쪽

2 2016 3월 실시 고2 교육청 나형 18번

삼각형의 무게중심 ⊕ 점과 직선 사이의 거리

그림과 같이 좌표평면에 세 점 $\mathrm{O}(0, 0)$, $\mathrm{A}(8, 4)$, $\mathrm{B}(7, a)$와 ❶ 삼각형 OAB의 무게중심 $\mathrm{G}(5, b)$가 있다. ❷ 점 G와 직선 OA 사이의 거리가 $\sqrt{5}$일 때, ❸ $a+b$의 값을 구하시오.
(단, a는 양수이다.)

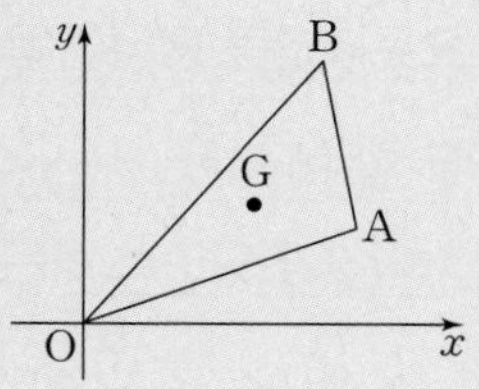

길잡이

❶ 삼각형 OAB의 무게중심의 좌표를 구한 다음 점 G의 좌표와 비교하여 a, b의 관계식을 구한다.
❷ 점과 직선 사이의 거리를 구하는 공식을 이용하여 b의 값을 구한다.
❸ a의 값을 구한 후 $a+b$의 값을 계산한다.

3주

3 2014 9월 실시 고1 교육청 6번

원의 방정식 ⊕ 점의 평행이동

두 양수 m, n에 대하여 좌표평면 위의 ❶ 점 $\mathrm{A}(-2, 1)$을 x축의 방향으로 m만큼 평행이동한 점을 B라 하고, ❷ 점 B를 y축의 방향으로 n만큼 평행이동한 점을 C라 하자. ❸ 세 점 A, B, C를 지나는 원의 중심의 좌표가 $(3, 2)$일 때, ❹ mn의 값을 구하시오.

길잡이

❶ 점 B의 좌표를 구한다.
❷ 점 C의 좌표를 구한다.
❸ 세 점 A, B, C를 지나는 원의 방정식을 이용하여 m, n의 값을 구한다.
❹ mn의 값을 구한다.

4 2014 6월 실시 고1 교육청 14번 도형의 평행이동 ⊕ 이차함수의 그래프와 직선의 교점

이차함수 $f(x)=x^2$의 그래프가 그림과 같다. ❶ 이차함수 $y=f(x)$의 그래프를 x축의 방향으로 p만큼 평행이동하였더니 함수 $y=g(x)$의 그래프와 일치하였다. ❷ 직선 $y=\frac{1}{2}x+1$이 두 함수 $y=f(x)$, $y=g(x)$의 그래프와 서로 다른 네 점에서 만날 때, ❸ 네 교점의 x좌표의 합이 9가 되도록 하는 p의 값을 구하시오. (단, $p>0$이다.)

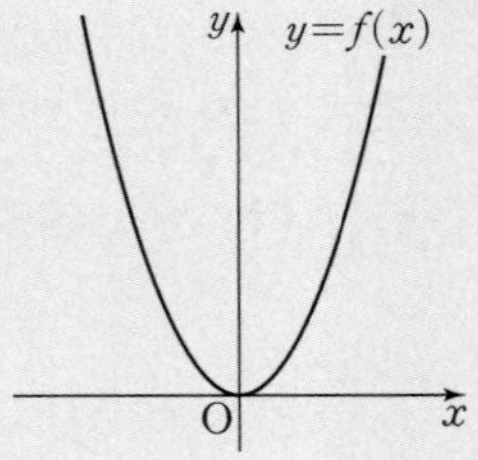

❶ $g(x)$를 구한다.

도형의 평행이동
방정식 $f(x, y)=0$이 나타내는 도형을 x축의 방향으로 a만큼, y축의 방향으로 b만큼 평행이동한 도형의 방정식은 $f(x-a, y-b)=0$이다.

이차함수 $y=x^2$의 그래프를 x축의 방향으로 p만큼 평행이동하면 $g(x)=(x-p)^2$

❷ 이차함수 $y=f(x)$의 그래프와 직선 $y=\frac{1}{2}x+1$, 이차함수 $y=g(x)$의 그래프와 직선 $y=\frac{1}{2}x+1$의 교점의 x좌표의 합을 각각 p에 대한 식으로 나타낸다.

이차함수의 그래프와 직선의 교점
이차함수 $y=f(x)$의 그래프와 직선 $y=g(x)$의 교점의 x좌표는 이차방정식 $f(x)=g(x)$, 즉 $f(x)-g(x)=0$의 실근과 같다.

이차함수 $y=x^2$의 그래프와 직선 $y=\frac{1}{2}x+1$의 교점의 x좌표를 x_1, x_2라 하면 x_1, x_2는 이차방정식 $x^2=\frac{1}{2}x+1$, 즉 $2x^2-x-2=0$의 두 근이므로 근과 계수의 관계에 의하여

$x_1+x_2=\square$ ······㉠

또 이차함수 $y=(x-p)^2$의 그래프와 직선 $y=\frac{1}{2}x+1$의 교점의 x좌표를 x_3, x_4라 하면 x_3, x_4는 이차방정식 $(x-p)^2=\frac{1}{2}x+1$, 즉 $2x^2-(4p+1)x+2p^2-2=0$의 두 근이므로 근과 계수의 관계에 의하여

$x_3+x_4=2p+\frac{1}{2}$ ······㉡

❸ p의 값을 구한다.

㉠+㉡을 하면 $x_1+x_2+x_3+x_4=2p+\square$
이때 네 교점의 x좌표의 합, 즉 $x_1+x_2+x_3+x_4=9$이므로
$2p+\square=9$ $\therefore p=\square$

답 4

정답 및 해설 40쪽

5 2017 3월 실시 고2 교육청 가형 12번

도형의 대칭이동 + 원의 넓이 중등

좌표평면에서 ❶ 방정식 $2|x|-y-10=0$이 나타내는 도형과 ❷ 이 도형을 x축에 대하여 대칭이동한 도형으로 둘러싸인 부분은 사각형이다. ❸ 이 사각형의 네 변에 모두 접하는 원의 ❹ 넓이를 구하시오.

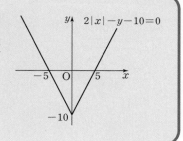

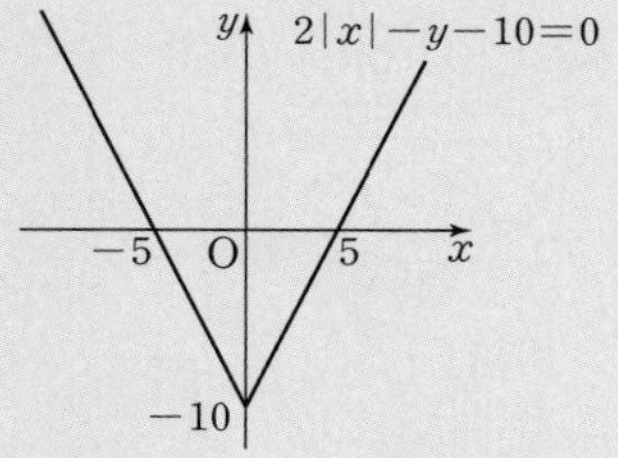

길잡이

❶ 주어진 방정식을 y에 대하여 정리한다.
❷ 주어진 방정식이 나타내는 도형을 x축에 대하여 대칭이동한 도형을 좌표평면 위에 나타낸다.
❸ 사각형의 네 변에 모두 접하는 원의 반지름의 길이를 구한다.
❹ 원의 넓이를 구한다.

6 2015 9월 실시 고1 교육청 24번

집합의 정의 + i의 거듭제곱

집합 ❶ $A=\{z\,|\,z=i^n,\ n\text{은 자연수}\}$에 대하여 집합 ❷ $B=\{{z_1}^2+{z_2}^2\,|\,z_1\in A,\ z_2\in A\}$일 때, ❸ 집합 B의 원소의 개수를 구하시오. (단, $i=\sqrt{-1}$이다.)

길잡이

❶ 집합 A의 원소를 구한다.
❷ 집합 A의 원소 z_1, z_2에 대하여 ${z_1}^2+{z_2}^2$의 값을 표로 나타낸다.
❸ 집합 B의 원소의 개수를 구한다.

3주

Week 4

이번 주에는 무엇을 공부할까? ①

중학 내용 다시보기

1 오른쪽 그림에서 x의 값이 0, 1, 2, 3, $\cdots$, 10으로 변함에 따라 y의 값은 25, 19, 13, 7, $\cdots$, -35와 같이 하나씩 정해진다. 이처럼 두 변수 x, y에 대하여 x의 값이 변함에 따라 y의 값이 하나씩 정해지는 대응 관계가 있을 때, y를 x의 함수라 한다.

x	0	1	2	3	⋯	10
y	25	19	13	7	⋯	−35

2 식 $y=3x$, $y=\dfrac{1}{x}$ (단, $x\neq 0$), $\cdots$은 x의 값이 정해짐에 따라 y의 값이 하나씩 정해지는 함수이다. 이처럼 y가 x의 함수일 때, 이것을 기호로 $y=f(x)$와 같이 나타낸다.

함수 $y=f(x)$에서 x의 값이 정해지면 그에 따라 정해지는 y의 값, 즉 $f(x)$를 x의 함숫값이라 한다.

3 함수 $y=f(x)$에서 y가 x에 대한 일차식 $y=ax+b$(a, b는 상수, $a\neq 0$)로 나타날 때, 이 함수를 x에 대한 일차함수라 한다.

함수란 무엇일까?

두 변수 x, y에 대하여 x의 값이 변함에 따라 y의 값이 하나씩 정해지는 대응 관계가 있을 때, y를 x의 함수라 한다.

1자루에 700원인 연필을 x자루 살 때 지불하는 금액 y원, 넓이가 $10\ \mathrm{cm}^2$인 삼각형의 밑변의 길이 x cm와 높이 y cm, 나이가 15살인 학생의 x년 후의 나이 y살 등은 모두 함수이다.

1 다음 중 두 변수 x, y에 대하여 y가 x의 함수인지 말하시오.

(1) 자연수 x의 배수 y

(2) 1권에 1200원인 공책을 x권 샀을 때, 지불한 금액 y원

2 함수 $f(x)=2x-4$에 대하여 다음 함숫값을 구하시오.

(1) $f(0)$ (2) $f(-1)$

(3) $f(2)$ (3) $f\left(\frac{1}{2}\right)$

3 다음 중 일차함수인 것을 찾으시오.

ㄱ. $y=1$ ㄴ. $y=-x+2$ ㄷ. $y=\frac{3}{x}$ ㄹ. $y=x^2$

답 **1** (1) 함수가 아니다. (2) 함수이다. **2** (1) -4 (2) -6 (3) 0 (4) -3 **3** ㄴ

중학 내용 다시보기

4 동일한 조건에서 반복할 수 있는 실험이나 관찰에 의하여 나타나는 결과를 사건이라 한다. 이때 어떤 사건이 일어나는 가짓수를 그 사건의 경우의 수라 한다.

5 두 사건 A, B가 동시에 일어나지 않을 때, 사건 A가 일어나는 경우의 수가 m, 사건 B가 일어나는 경우의 수가 n이면 다음이 성립한다.

(사건 A 또는 사건 B가 일어나는 경우의 수)$=m+n$

6 사건 A가 일어나는 경우의 수가 m, 그 각각에 대하여 사건 B가 일어나는 경우의 수가 n이면 다음이 성립한다.

(사건 A와 사건 B가 동시에 일어나는 경우의 수)$=m\times n$

사건의 경우의 수란 무엇일까?

어떤 사건이 일어나는 가짓수를 경우의 수라 한다.
윷을 던지면 도, 개, 걸, 윷, 모 중에서 하나가 나오므로 경우의 수는 5이다. 경우의 수를 구할 때는 모든 경우를 빠짐없이 중복되지 않게 구한다.

4 **한 개의 주사위를 던질 때, ☐ 안에 알맞은 수를 써넣으시오.**

(1) 짝수의 눈이 나오는 경우는 2, ☐, 6의 ☐ 가지이다.

(2) 6의 약수의 눈이 나오는 경우는 1, ☐, 3, ☐ 의 4가지이다.

5 **3종류의 쿠키와 4종류의 조각 케이크가 있을 때, 쿠키와 조각 케이크 중에서 하나를 선택하는 경우의 수를 구하시오.**

6 **흰색, 노란색, 빨간색의 티셔츠와 파란색, 검은색의 바지가 각각 한 벌씩 있을 때, 티셔츠와 바지를 한 벌씩 짝 지어 입는 경우의 수를 구하시오.**

답 **4** (1) 4, 3 (2) 2, 6 **5** 7 **6** 6

4 주

1일 핵심 개념 | 명제

주문이 까다로운 식당에서 주문은 어떻게 할까?

'양이 많은', '맛있는', '비싼' 등은 기준이 명확하지 않으므로 판단하기 어렵다. 이때 참, 거짓을 분명하게 판별할 수 있는 문장이나 식을 명제라 한다. '양이 많은', '맛있는', '비싼' 등은 기준이 명확하지 않으므로 명제가 될 수 없고, '제일 비싼'은 기준이 명확하므로 명제이다.

개념 ① 명제와 조건

01 다음 ☐ 안에 알맞은 것을 아래 보기에서 찾아 써넣으시오.

> 보기
> 명제, 조건, 가정, 결론

참, 거짓을 분명하게 판별할 수 있는 문장이나 식을 ☐(이)라 하고, 문자의 값에 따라 참, 거짓이 결정되는 문장이나 식을 ☐(이)라 한다.

개념 ② '모든' 또는 '어떤'을 포함한 명제와 명제 $p \longrightarrow q$

[02~03] 다음 ( ) 안에 주어진 것 중 옳은 것을 고르시오.

02 명제 '모든 x에 대하여 p이다.'의 부정은 '(모든, 어떤) x에 대하여 (p, $\sim p$)이다.'이고,
명제 '어떤 x에 대하여 p이다.'의 부정은 '(모든, 어떤) x에 대하여 (p, $\sim p$)이다.'

03 명제 $p \longrightarrow q$에서 p를 (가정, 결론), q를 (가정, 결론)이라 한다.

답 **01** 명제, 조건 **02** 어떤, $\sim p$, 모든, $\sim p$ **03** 가정, 결론

개념 확인 | 명제

정답 및 해설 41쪽

'모든' 또는 '어떤'을 포함한 명제의 참, 거짓

전체집합 U에 대하여 조건 p의 진리집합을 P라 할 때,

❶ 명제 '모든 x에 대하여 p이다.'

⇨ $P=U$이면 참이고, $P\neq U$이면 거짓이다.

❷ 명제 '어떤 x에 대하여 p이다.'

⇨ $P\neq\varnothing$이면 참이고, $P=\varnothing$이면 거짓이다.

명제 $p \longrightarrow q$의 참, 거짓

두 조건 p, q의 진리집합을 각각 P, Q라 할 때

❶ $P\subset Q$이면 명제 $p \longrightarrow q$는 참이다.

또 명제 $p \longrightarrow q$가 참이면 $P\subset Q$이다.

❷ $P\not\subset Q$이면 명제 $p \longrightarrow q$는 거짓이다.

또 명제 $p \longrightarrow q$가 거짓이면 $P\not\subset Q$이다.

참고 명제 $p \longrightarrow q$가 거짓임을 보이려면 조건 p는 만족시키지만 조건 q는 만족시키지 않는 예, 즉 반례를 찾으면 된다.

1-1 다음 명제의 참, 거짓을 판별하시오.

(1) 모든 실수 x에 대하여 $\sqrt{x^2}=x$이다.

(2) 어떤 실수 x에 대하여 $x^2\leq 0$이다.

(3) 모든 실수 x, y에 대하여 $x^2+y^2>0$이다.

1-2 다음 명제의 참, 거짓을 판별하시오.

(1) 모든 실수 x에 대하여 $x^2+2x+1>0$이다.

(2) 어떤 자연수 x에 대하여 $x-2=2$이다.

(3) 모든 실수 x, y에 대하여 $x^2\leq y^2+1$이다.

2-1 다음 명제의 참, 거짓을 판별하시오.

(1) $x=1$이면 $x^2=1$이다.

(2) $xy>0$이면 $x>0$이고 $y>0$이다.

(3) $a+b>0$이면 $a>0$이고 $b>0$이다.

2-2 다음 명제의 참, 거짓을 판별하시오.

(1) $x^2>0$이면 $x>0$이다.

(2) x가 9의 배수이면 x는 3의 배수이다.

(3) 실수 x, y에 대하여 $x+y=0$이면 $x^2+y^2=0$이다.

1일 핵심 개념 | 명제

짬뽕이 맛이 없으면 짜장면도 맛이 없을까?

명제 'p이면 q이다.'가 참이면 그 대우 '$\sim q$이면 $\sim p$이다.'도 참이다.
따라서 명제 '짜장면이 맛있으면 짬뽕도 맛있다.'가 참이면 그 대우 '짬뽕이 맛이 없으면 짜장면도 맛이 없다.'도 참이다.

개념 3 명제의 역과 대우

04 다음 ( ) 안에 주어진 것 중 옳은 것을 고르시오.

명제 $p \longrightarrow q$에서 가정 p와 결론 q를 서로 바꾸어 만든 명제 $q \longrightarrow p$를 명제 $p \longrightarrow q$의 (역, 대우)(이)라 하고, 가정 p와 결론 q를 각각 부정하여 서로 바꾸어 만든 명제 $\sim q \longrightarrow \sim p$를 명제 $p \longrightarrow q$의 (역, 대우)(이)라 한다.

개념 4 충분조건과 필요조건

05 두 조건 p, q에 대하여 다음 ( ) 안에 주어진 것 중 옳은 것을 고르시오.

명제 $p \longrightarrow q$가 참일 때, 기호로 $p \Longrightarrow q$와 같이 나타낸다. 이때 p는 q이기 위한 (충분, 필요, 필요충분)조건, q는 p이기 위한 (충분, 필요, 필요충분)조건이라 한다.

개념 5 절대부등식

06 다음 ( ) 안에 주어진 것 중 옳은 것을 고르시오.

문자를 포함한 부등식에서 그 문자가 가질 수 있는 어떤 실수를 대입해도 항상 성립하는 부등식을 (절대부등식, 항등식)이라 한다.

답 **04** 역, 대우 **05** 충분, 필요 **06** 절대부등식

개념 확인 | 명제

정답 및 해설 41쪽

명제의 역과 대우

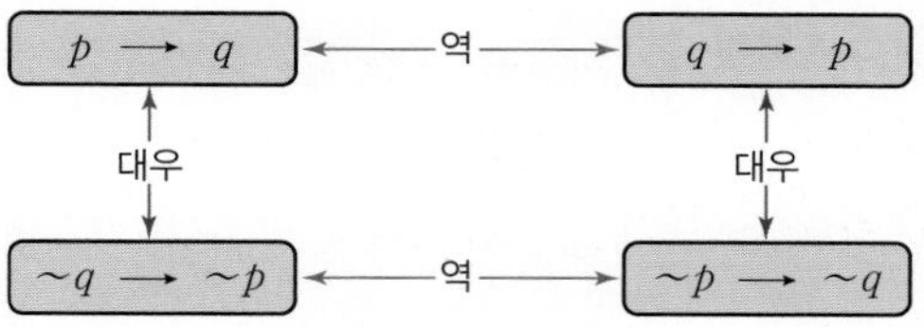

충분조건과 필요조건

명제 $p \longrightarrow q$에서 두 조건 p, q의 진리집합을 각각 P, Q라 할 때

❶ $P \subset Q$이면 $p \Longrightarrow q$이므로 p는 q이기 위한 충분조건

❷ $Q \subset P$이면 $q \Longrightarrow p$이므로 p는 q이기 위한 필요조건

❸ $P = Q$이면 $p \Longleftrightarrow q$이므로 p는 q이기 위한 필요충분조건

3-1 다음 명제의 역과 대우를 말하고, 그 참, 거짓을 판별하시오.

(1) $x^2=y^2$이면 $x=y$이다.

(2) 자연수 n에 대하여 n이 짝수이면 $n+1$은 홀수이다.

3-2 다음 명제의 역과 대우를 말하고, 그 참, 거짓을 판별하시오.

(1) $x>1$이면 $x^2>1$이다.

(2) $x<0$이면 $|x|=-x$이다.

4-1 두 조건 p, q가 다음과 같을 때, p는 q이기 위한 무슨 조건인지 말하시오. (단, x는 실수이다.)

(1) $p : x=-2$　　$q : x^2=4$

(2) $p : 3x-4>5$　　$q : 2x-3>1$

(3) $p : |x| \le 2$　　$q : 0 \le x \le 2$

4-2 두 조건 p, q가 다음과 같을 때, p는 q이기 위한 무슨 조건인지 말하시오. (단, x는 실수이다.)

(1) $p : x>1$　　$q : x^2>1$

(2) $p : x$는 12의 약수　　$q : x$는 4의 약수

(3) $p : x=0$ 또는 $x=1$　　$q : x^2=x$

1일 기초 유형 | 명제

2018 3월 실시
고2 교육청 나형 11번

1-1

실수 x에 대한 두 조건

$p : |x-a| \le 1,\ q : x^2-2x-8>0$

에 대하여 $p \longrightarrow \sim q$가 참이 되도록 하는 실수 a의 최댓값을 구하시오. [3점]

Tip 두 조건 p, q의 진리집합을 각각 P, Q라 할 때
명제 $p \longrightarrow q$가 참이면 $P \subset Q$이다.

풀이

$q : x^2-2x-8>0$에서 $\sim q : x^2-2x-8 \le 0$이므로

$(x+2)(x-4) \le 0 \qquad \therefore -2 \le x \le 4$

두 조건 p, q의 진리집합을 각각 P, Q라 하면

$P=\{x \mid -1 \le x-a \le 1\}=\{x \mid a-1 \le x \le a+1\}$

$Q^C=\{x \mid -2 \le x \le 4\}$

명제 $p \longrightarrow \sim q$가 참이 되려면 P ☐ Q^C이어야 하므로

오른쪽 그림에서

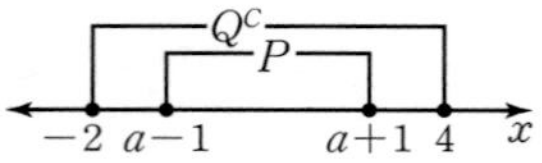

$-2 \le a-1,\ a+1 \le 4$

즉, $-1 \le a,\ a \le 3$

$\therefore -1 \le a \le 3$

따라서 실수 a의 최댓값은 ☐이다. 답 3

쌍둥이 교과서 문제

1-2

두 조건

$p : -1 \le x \le 1,\ q : a-4 \le x \le a+1$

에 대하여 명제 $p \longrightarrow q$가 참이 되도록 하는 정수 a의 개수를 구하시오.

1-3

두 조건

$p : x<a,\ q : x<0$ 또는 $3 \le x<6$

에 대하여 명제 $p \longrightarrow q$의 역이 참이 되도록 하는 실수 a의 값의 범위를 구하시오.

정답 및 해설 42쪽

2018 3월 실시
고2 교육청 가형 10번

쌍둥이 교과서 문제

2-1

실수 x에 대한 두 조건

$$p : (x-1)(x-1-a) \le 0,\ q : -3 < x \le 7$$

에 대하여 p가 q이기 위한 충분조건이 되도록 하는 자연수 a의 개수를 구하시오. [3점]

Tip 두 조건 p, q의 진리집합을 각각 P, Q라 할 때
❶ $P \subset Q$이면 p는 q이기 위한 충분조건이다.
❷ $Q \subset P$이면 p는 q이기 위한 필요조건이다.

풀이

두 조건 p, q의 진리집합을 각각 P, Q라 하면 자연수 a에 대하여 $1 < 1+a$이므로

$P = \{x \mid 1 \le x \le 1+a\}$, $Q = \{x \mid -3 < x \le 7\}$

p가 q이기 위한 충분조건이 되려면 $P \subset Q$이어야 하므로

$1+a \le$ ☐ $\quad \therefore a \le$ ☐

따라서 자연수 a의 개수는 1, 2, ⋯, ☐의 ☐이다.

답 6

2-2

두 조건

$$p : |x-3| < 2,\ q : a \le x \le b-4$$

에 대하여 p는 q이기 위한 충분조건일 때, a의 최댓값과 b의 최솟값을 구하시오.

2-3

세 조건

$$p : x^2 < a^2,\ q : x^2 - 2x < 3,\ r : x < b$$

에 대하여 p는 q이기 위한 충분조건이고, r는 q이기 위한 필요조건일 때, a의 최댓값과 b의 최솟값의 합을 구하시오. (단, a, b는 양수이다.)

2017 6월 실시
고2 교육청 가형 25번

3-1

$a > 1$일 때, $9a + \dfrac{1}{a-1}$의 최솟값을 구하시오. [3점]

Tip $a > 0$, $b > 0$일 때, $\dfrac{a+b}{2} \ge \sqrt{ab}$

(단, 등호는 $a=b$일 때 성립)

풀이

$a > 1$에서 $a-1 > 0$이므로

$$9a + \frac{1}{a-1} = \square + 9(a-1) + \frac{1}{a-1}$$

$$\ge \square + 2\sqrt{9(a-1) \times \frac{1}{a-1}}$$

$$= \square + 2 \times 3 = \square$$

$\left(\text{단, 등호는 } 9(a-1) = \dfrac{1}{a-1}\text{일 때 성립}\right)$

따라서 구하는 최솟값은 ☐이다.

답 15

3-2

$a > 0$, $b > 0$일 때, $(a+b)\left(\dfrac{4}{a} + \dfrac{9}{b}\right)$의 최솟값을 구하시오.

4주

2일 핵심 개념 | 함수

사다리 타기 게임과 일대일대응

일상생활에서 쉽게 접할 수 있는 사다리 타기 게임 안에 함수의 개념이 숨어 있다.

사다리 타기 게임에서 출발점을 하나 선택하면 반드시 도착점이 하나 나오고, 다른 출발점을 선택하면 다른 도착점이 나온다. 즉, 사다리 타기 게임은 출발점을 정의역, 도착점을 공역으로 하는 일대일대응이다.

그림의 사다리에서 각각 출발점과 도착점을 짝 지으면

$1 \longrightarrow \mathrm{A}$, $2 \longrightarrow \mathrm{B}$, $3 \longrightarrow \mathrm{C}$

개념 ① 함수

01 다음 (   ) 안에 주어진 것 중 옳은 것을 고르시오.

두 집합 X, Y에 대하여 X의 각 원소에 Y의 원소가 오직 하나씩 대응할 때, 이 대응 f를 X에서 Y로의 (함수, 일대일대응)(이)라 하고, 기호로 함수 $f : X \longrightarrow Y$와 같이 나타낸다.

개념 ② 여러 가지 함수

[02~03] 다음 ☐ 안에 알맞은 것을 아래 보기에서 찾아 써넣으시오.

보기
항등함수, 상수함수, 합성함수, 일대일대응, 일대일함수

02 함수 $f : X \longrightarrow Y$에서 정의역 X의 임의의 두 원소 x_1, x_2에 대하여 $x_1 \neq x_2$이면 $f(x_1) \neq f(x_2)$인 함수를 ☐(이)라 하고, 일대일함수에서 공역과 치역이 같은 함수를 ☐(이)라 한다.

03 함수 $f : X \longrightarrow X$에서 정의역 X의 각 원소 x에 자기 자신인 x가 대응하는 함수를 ☐(이)라 하고, 함수 $f : X \longrightarrow Y$에서 정의역 X의 모든 원소에 공역 Y의 단 하나의 원소가 대응하는 함수를 ☐(이)라 한다.

답 **01** 함수 **02** 일대일함수, 일대일대응 **03** 항등함수, 상수함수

개념 확인 | 함수

정답 및 해설 42쪽

정의역과 공역, 치역

집합 X에서 집합 Y로의 함수 f, 즉 $f: X \longrightarrow Y$에서 집합 X를 함수 f의 정의역, 집합 Y를 함수 f의 공역이라 한다. 이때 함수 f의 함숫값 전체의 집합 $\{f(x) \mid x \in X\}$를 함수 f의 치역이라 한다.

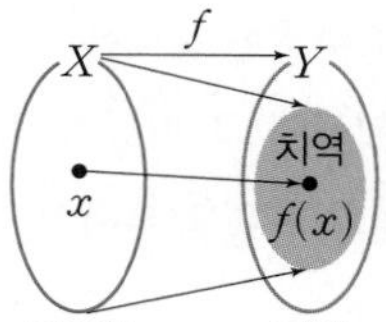

여러 가지 함수

일대일함수

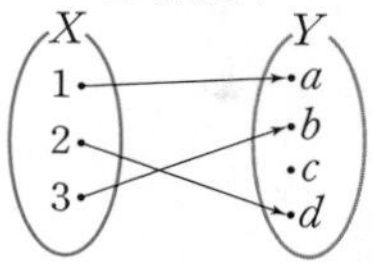

일대일대응

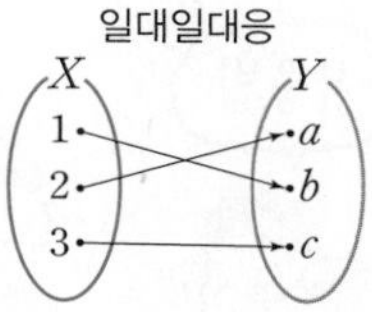

항등함수

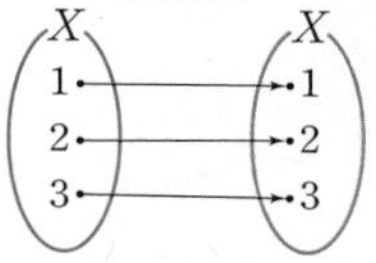

상수함수

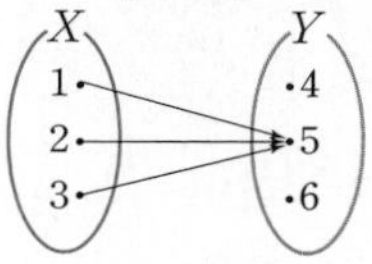

1-1 다음 대응 중에서 집합 X에서 집합 Y로의 함수인 것을 찾고, 함수이면 정의역, 공역, 치역을 구하시오.

(1)

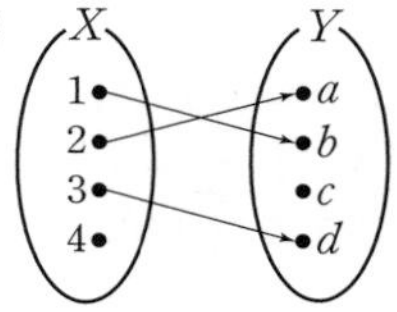

(2)

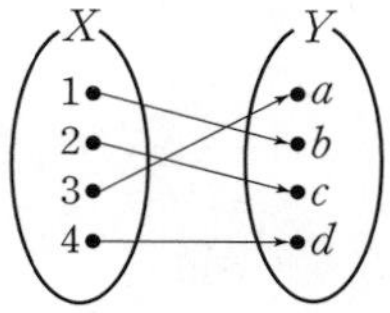

1-2 다음 대응 중에서 집합 X에서 집합 Y로의 함수인 것을 찾고, 함수이면 정의역, 공역, 치역을 구하시오.

(1)

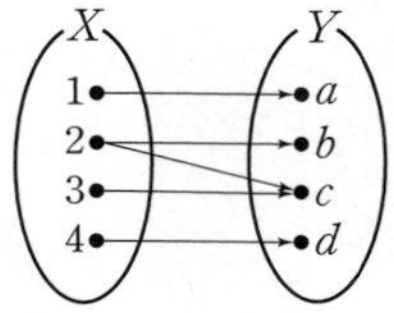

(2)

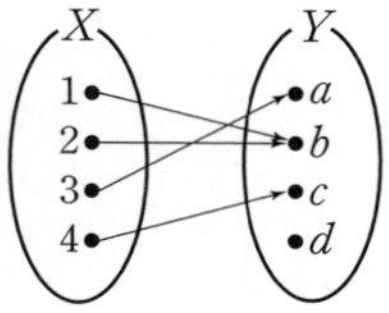

2-1 보기의 그래프 중에서 다음을 고르시오.

보기

ㄱ.

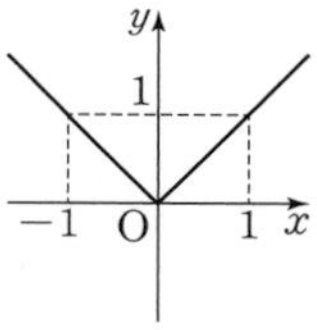

ㄴ.

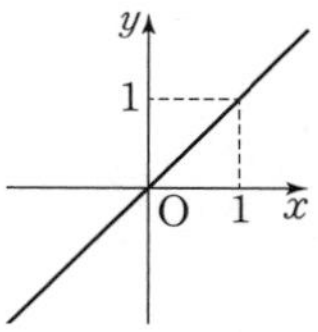

ㄷ.

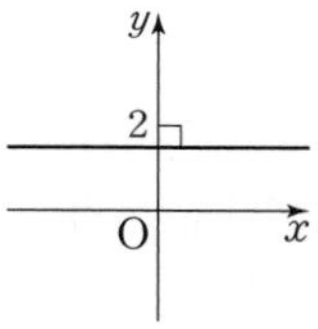

ㄹ.

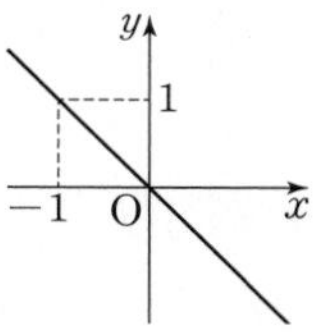

(1) 일대일함수　　(2) 일대일대응

(3) 항등함수　　(4) 상수함수

2-2 보기의 그래프 중에서 다음을 고르시오.

보기

ㄱ.

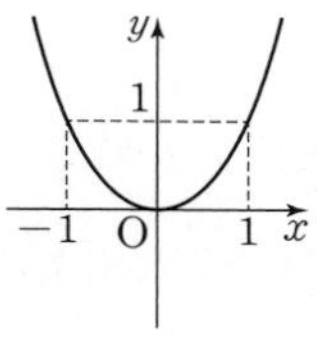

ㄴ.

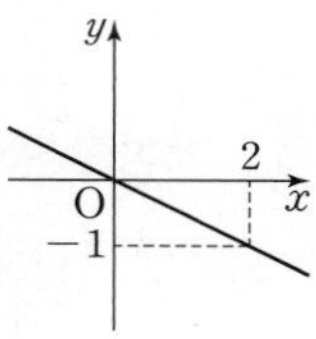

ㄷ.

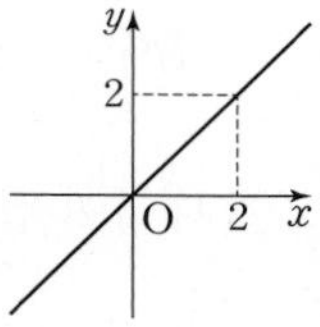

ㄹ.

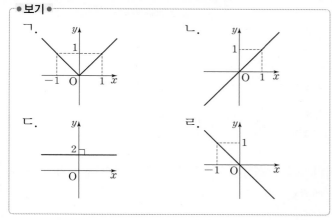

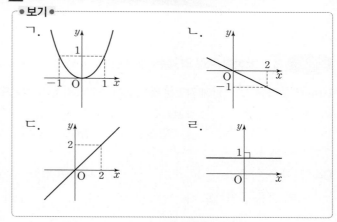

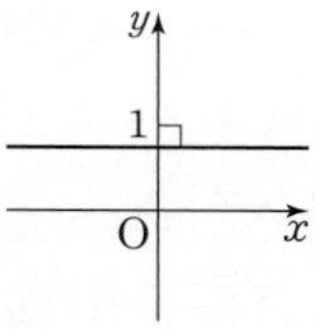

(1) 일대일함수　　(2) 일대일대응

(3) 항등함수　　(4) 상수함수

4 주

내가 주문한 음식은 얼마일까?

각 학생에 그 학생이 주문한 음식을 대응시킨 함수 f, 각 음식에 그 음식의 가격을 대응시킨 함수 g를 나타내 보면

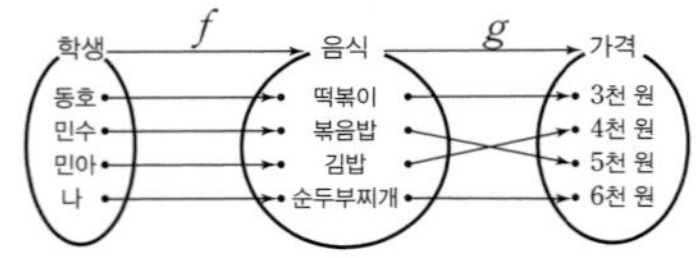

두 함수 f, g를 이용하여 각 학생에 그 학생이 주문한 음식의 가격을 대응시킨 새로운 함수를 얻을 수 있다.

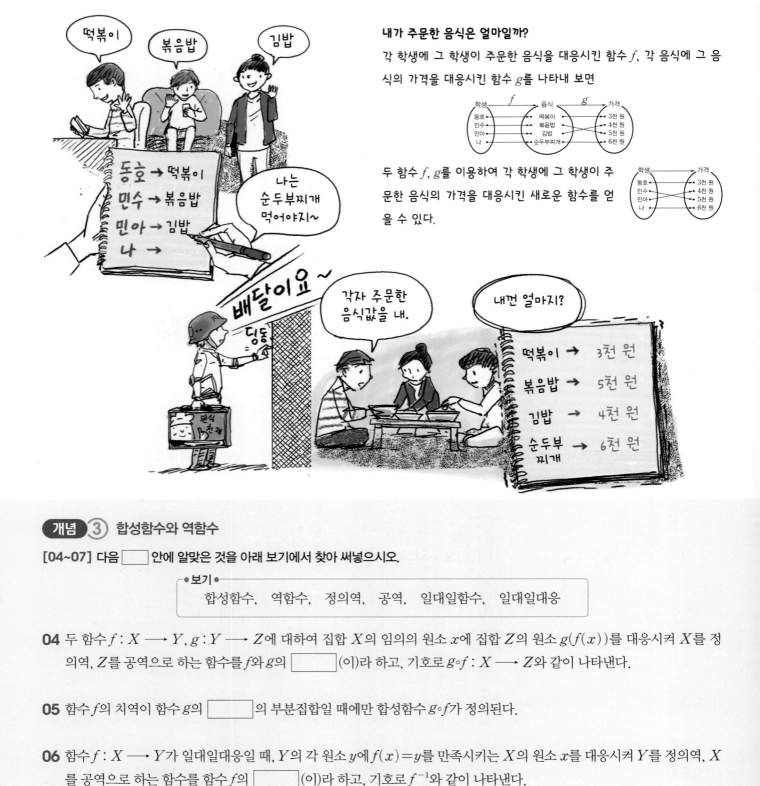

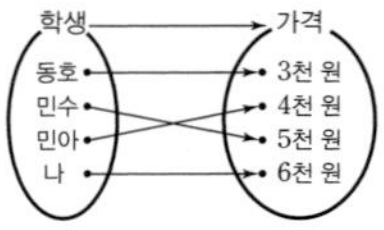

개념 3 합성함수와 역함수

[04~07] 다음 ☐ 안에 알맞은 것을 아래 보기에서 찾아 써넣으시오.

보기
합성함수, 역함수, 정의역, 공역, 일대일함수, 일대일대응

04 두 함수 $f: X \longrightarrow Y, g: Y \longrightarrow Z$에 대하여 집합 X의 임의의 원소 x에 집합 Z의 원소 $g(f(x))$를 대응시켜 X를 정의역, Z를 공역으로 하는 함수를 f와 g의 ☐(이)라 하고, 기호로 $g \circ f: X \longrightarrow Z$와 같이 나타낸다.

05 함수 f의 치역이 함수 g의 ☐의 부분집합일 때에만 합성함수 $g \circ f$가 정의된다.

06 함수 $f: X \longrightarrow Y$가 일대일대응일 때, Y의 각 원소 y에 $f(x)=y$를 만족시키는 X의 원소 x를 대응시켜 Y를 정의역, X를 공역으로 하는 함수를 함수 f의 ☐(이)라 하고, 기호로 f^{-1}와 같이 나타낸다.

07 어떤 함수의 역함수가 존재하기 위한 필요충분조건은 그 함수가 ☐인 것이다.

답 **04** 합성함수 **05** 정의역 **06** 역함수 **07** 일대일대응

개념 확인 | 함수

정답 및 해설 43쪽

합성함수의 성질

세 함수 f, g, h에 대하여

❶ $g \circ f \neq f \circ g$

❷ $h \circ (g \circ f) = (h \circ g) \circ f$

❸ $f \circ I = I \circ f$ (단, I는 항등함수)

역함수의 성질

함수 $f : X \longrightarrow Y$, $g : Y \longrightarrow Z$가 일대일대응이고 그 역함수가 각각 f^{-1}, g^{-1}일 때,

❶ $(f^{-1})^{-1} = f$

❷ $(f^{-1} \circ f)(x) = x \ (x \in X)$, $(f \circ f^{-1})(y) = y \ (y \in Y)$

❸ $(g \circ f)^{-1} = f^{-1} \circ g^{-1}$

3-1 두 함수 $f(x)=2x-3$, $g(x)=x^2+1$에 대하여 다음을 구하시오.

(1) $(g \circ f)(1)$　　(2) $(g \circ g)(-1)$

(3) $(f \circ g)(x)$　　(4) $(f \circ f)(x)$

3-2 두 함수 $f(x)=-x+3$, $g(x)=2x-1$에 대하여 다음을 구하시오.

(1) $(g \circ f)(2)$　　(2) $(f \circ f)(-1)$

(3) $(f \circ g)(x)$　　(4) $(g \circ g)(x)$

4-1 함수 $f(x)=-2x+1$에 대하여 다음 등식을 만족시키는 상수 a, b의 값을 구하시오.

(1) $f^{-1}(3)=a$　　(2) $f^{-1}(b)=7$

4-2 함수 $f(x)=x+3$에 대하여 다음 등식을 만족시키는 상수 a, b의 값을 구하시오.

(1) $f^{-1}(2)=a$　　(2) $f^{-1}(b)=1$

5-1 두 함수 f, g에 대하여 두 함수 $f(1)=2$, $g(2)=4$일 때, 다음을 구하시오.

(1) $f^{-1}(2)$　　(2) $(f^{-1})^{-1}(1)$

(3) $(f^{-1} \circ f)(1)$　　(4) $(g \circ f)^{-1}(4)$

5-2 두 함수 f, g에 대하여 두 함수 $f(3)=5$, $g(1)=3$일 때, 다음을 구하시오.

(1) $g^{-1}(3)$　　(2) $(g^{-1})^{-1}(1)$

(3) $(g \circ g^{-1})(2)$　　(4) $(f \circ g)^{-1}(5)$

2일 기초 유형 | 함수

2019 11월 실시
고1 교육청 11번

1-1

집합 $X=\{-3, 1\}$에 대하여 X에서 X로의 함수

$$f(x)=\begin{cases} 2x+a & (x<0) \\ x^2-2x+b & (x\geq 0) \end{cases}$$

이 항등함수일 때, $a\times b$의 값을 구하시오.

(단, a, b는 상수이다.) [3점]

Tip 항등함수는 정의역과 공역이 같고, 정의역의 각 원소에 그 자신이 대응하는 함수이다.

풀이

함수 f가 항등함수이므로

$f(-3)=-3$, $f(1)=$ ☐

$f(-3)=-3$에서

$-6+a=-3$ $\quad\therefore a=3$

$f(1)=$ ☐에서

$1-2+b=$ ☐ $\quad\therefore b=$ ☐

$\therefore a\times b=$ ☐

답 6

쌍둥이 교과서 문제

1-2

정의역이 $X=\{x\,|\,1\leq x\leq 4\}$, 공역이 $Y=\{y\,|\,4\leq y\leq 13\}$인 함수 $f(x)=ax+b$가 일대일대응일 때, 두 양의 실수 a, b의 값을 구하시오.

2019 3월 실시
고2 교육청 나형 8번

2-1

함수 $f(x)=2x-1$에 대하여 $(f\circ f)(5)$의 값을 구하시오. [3점]

Tip $(f\circ f)(a)$의 값은 $f(x)$에 $x=a$를 대입하여 $f(a)$를 구하고 그 값을 다시 $f(x)$에 대입하여 구한다.

풀이

$(f\circ f)(5)=f(f(5))=f($☐$)=$ ☐

답 17

2-2

두 함수 $f(x)=x-3$, $g(x)=x^2+x$에 대하여 $(f\circ g)(3)+(g\circ f)(-2)$의 값을 구하시오.

2-3

함수 $f(x)=3x-2$에 대하여 $(f\circ f)(k)=1$일 때, 실수 k의 값을 구하시오.

2020 6월 평가원 나형 4번

쌍둥이 교과서 문제

3-1

그림은 함수 $f: X \longrightarrow X$를 나타낸 것이다.

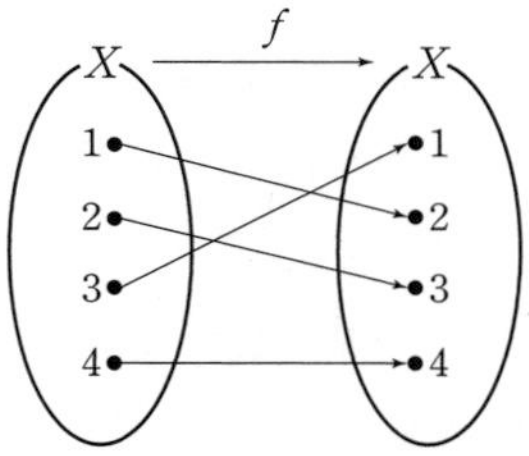

$f(1)+f^{-1}(3)$의 값을 구하시오. [3점]

Tip 함수 f의 역함수 f^{-1}에 대하여 $f(a)=b \Longleftrightarrow f^{-1}(b)=a$임을 이용한다.

풀이

$f(2)=3$이므로 $f^{-1}(3)=\square$

$\therefore f(1)+f^{-1}(3)=2+\square=\square$ 답 4

3-2

함수 $f: X \longrightarrow Y$가 오른쪽 그림과 같을 때, $f^{-1}(4)+f^{-1}(8)$의 값을 구하시오.

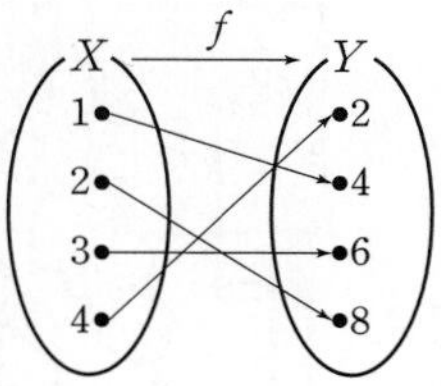

2018 3월 실시 고2 교육청 가형 24번

4-1

두 함수 $f(x)=\frac{1}{2}x$, $g(x)=2x+5$에 대하여 $(g \circ f^{-1})(2)$의 값을 구하시오. [3점]

Tip 두 함수 f, g의 역함수가 각각 f^{-1}, g^{-1}일 때

(1) $(f^{-1} \circ g)(a)$의 값

⇨ $f^{-1}(g(a))=k$로 놓고 $f(k)=g(a)$임을 이용한다.

(2) $(f \circ g^{-1})(a)$의 값

⇨ $g^{-1}(a)=k$로 놓고 $g(k)=a$임을 이용한다.

풀이

$(g \circ f^{-1})(2)=g(f^{-1}(2))$

이때 $f^{-1}(2)=k$로 놓으면 $f(k)=\square$

$\frac{1}{2}k=2 \qquad \therefore k=4$

$\therefore (g \circ f^{-1})(2)=g(f^{-1}(2))=g(\square)=\square$ 답 13

4-2

실수 전체의 집합에서 정의된 두 함수

$$f(x)=5x+20, \quad g(x)=\begin{cases} x+25 & (x \geq 25) \\ 2x & (x<25) \end{cases}$$

에 대하여 $(f \circ g^{-1})(30)+(f^{-1} \circ g)(30)$의 값을 구하시오.

4-3

두 함수 $f(x)=4x$, $g(x)=x-2$에 대하여 $(g \circ (f \circ g)^{-1} \circ g)(3)$의 값을 구하시오.

4 주

3일 핵심 개념 | 유리함수

유리식이란 무엇일까?

일정한 양을 먹는 데 필요한 한 입의 수와 양 사이에는 반비례 관계가 성립하는데, 이 관계는 $y=$(다항식) 꼴의 함수로 나타낼 수 없다.

또 일정한 거리를 가는 데 필요한 걸음의 수와 보폭 사이에도 반비례 관계가 성립하는 데 이 관계도 $y=$(다항식) 꼴의 함수로 나타낼 수 없다.

$\frac{1}{2x}$, $\frac{x^2+2}{x+1}$ 등과 같이 $\frac{(\text{다항식})}{(\text{다항식})}$ 꼴의 식을 유리식이라 한다.

개념 ① 유리식

[01~03] 세 다항식 A, B, C $(B\neq0, C\neq0)$에 대하여 다음 ☐ 안에 알맞은 것을 아래 보기에서 찾아 써넣으시오.

보기

$C,\ AB,\ \frac{A}{B},\ A-B,\ B-A$

01 ☐ 꼴로 나타낼 수 있는 식을 유리식이라 한다.

02 유리식에 대하여 다음과 같은 성질이 성립한다.

$$\frac{A}{B}=\frac{A\times\square}{B\times C},\ \frac{A}{B}=\frac{A\div C}{B\div C}$$

03 분모가 두 개 이상의 인수의 곱으로 되어 있으면 한 개의 유리식을 두 개 이상의 유리식으로 나누어 계산한다.

$$\frac{1}{AB}=\frac{1}{\square}\left(\frac{1}{A}-\frac{1}{B}\right)\ (\text{단, } A\neq B)$$

답 **01** $\frac{A}{B}$ **02** C **03** $B-A$

개념 확인 | 유리함수

정답 및 해설 44쪽

유리식의 계산

네 다항식 A, B, C, D $(B\neq0, C\neq0, D\neq0)$에 대하여

❶ 덧셈 : $\dfrac{A}{C}+\dfrac{B}{C}=\dfrac{A+B}{C}$

❷ 뺄셈 : $\dfrac{A}{C}-\dfrac{B}{C}=\dfrac{A-B}{C}$

❸ 곱셈 : $\dfrac{A}{B}\times\dfrac{C}{D}=\dfrac{A\times C}{B\times D}$

❹ 나눗셈 : $\dfrac{A}{B}\div\dfrac{C}{D}=\dfrac{A}{B}\times\dfrac{D}{C}=\dfrac{A\times D}{B\times C}$

1-1 다음을 계산하시오.

(1) $\dfrac{1}{x-1}+\dfrac{3}{x^2-1}$

(2) $\dfrac{x+1}{x-2}-\dfrac{x-2}{x+1}$

(3) $\dfrac{x}{x^2-2x-3}-\dfrac{x-1}{x^2+3x+2}$

1-2 다음을 계산하시오.

(1) $\dfrac{3}{x+2}+\dfrac{2}{x+3}$

(2) $\dfrac{x-2}{x^2+x-2}+\dfrac{3}{x+2}$

(3) $\dfrac{x-2}{x^2-x+1}-\dfrac{1}{x+1}+\dfrac{2x+5}{x^3+1}$

2-1 다음을 계산하시오.

(1) $\dfrac{x+2}{x}\times\dfrac{2x}{x^2-4}$

(2) $\dfrac{x^2-3x+2}{x-5}\div\dfrac{x-1}{x-5}$

(3) $\dfrac{x^2-5x+6}{x^2-x-12}\div\dfrac{x-3}{x-4}\times\dfrac{x^2-9}{x^2+2x-8}$

2-2 다음을 계산하시오.

(1) $\dfrac{x^2+x-2}{x^2-3x-4}\times\dfrac{x-4}{x^2-1}$

(2) $\dfrac{x^2-5x-6}{x^2+x-6}\div\dfrac{x^2-36}{x^2+4x+3}$

(3) $\dfrac{x^2-x}{4x^2-1}\times\dfrac{2x^2+5x+2}{x^2+3x-4}\div\dfrac{x+2}{x+4}$

3일 핵심 개념 | 유리함수

유리함수란 무엇일까?

물 $200\,\mathrm{g}$에 간장 $x\,\mathrm{g}$을 섞은 국물의 농도를 $y\,\%$라 하면 x와 y 사이에는 $y=\dfrac{100x}{x+200}$인 관계가 성립한다. 이 대응은 $x\ (x>0)$의 값에 따라 y의 값이 하나씩 대응하므로 함수이다.

$y=\dfrac{100x}{x+200}$와 같은 $y=$(x에 대한 유리식) 꼴의 함수를 유리함수라 한다.

개념 ② 유리함수

[04~06] 다음 (　　) 안에 주어진 것 중 옳은 것을 고르시오.

04 함수 $y=f(x)$에서 $f(x)$가 x에 대한 유리식일 때, 이 함수를 (유리함수, 다항함수)라 한다. 특히 $f(x)$가 x에 대한 다항식일 때, 이 함수를 (유리함수, 다항함수)라 한다.

05 유리함수 $y=\dfrac{k}{x}\,(k\neq0)$의 그래프는 (원점, x축)에 대하여 대칭인 한 쌍의 곡선이다.
또 이 그래프 위의 점은 x좌표의 절댓값이 커질수록 x축에 가까워지고, x좌표의 절댓값이 작아질수록 y축에 (가까워, 멀어)진다.

06 유리함수 $y=\dfrac{k}{x-p}+q\ (k\neq0)$의 그래프는 $y=\dfrac{k}{x}$의 그래프를 x축의 방향으로 (p, $-p$)만큼, y축의 방향으로 (q, $-q$)만큼 평행이동한 것이다.

답 **04** 유리함수, 다항함수　**05** 원점, 가까워　**06** p, q

개념 확인 | 유리함수

정답 및 해설 45쪽

함수 $y=\frac{k}{x}$ $(k\neq0)$의 그래프

❶ 정의역과 치역은 모두 0이 아닌 실수 전체의 집합이다.
❷ $k>0$이면 그래프는 제1사분면과 제3사분면에 있고, $k<0$이면 그래프는 제2사분면과 제4사분면에 있다.
❸ 원점에 대하여 대칭이다.
❹ 점근선은 x축과 y축이다.

함수 $y=\frac{k}{x-p}+q$ $(k\neq0)$의 그래프

❶ 정의역은 $\{x|x\neq p$인 실수$\}$이고, 치역은 $\{y|y\neq q$인 실수$\}$이다.
❷ 점 (p, q)에 대하여 대칭이다.
❸ 점근선은 두 직선 $x=p$, $y=q$이다.

3-1 함수 $y=-\frac{1}{x}$의 그래프를 x축의 방향으로 -3만큼, y축의 방향으로 1만큼 평행이동한 그래프의 방정식을 구하시오.

4-1 다음 함수의 정의역, 치역, 점근선의 방정식을 구하시오.

(1) $y=\frac{1}{x-1}$

(2) $y=-\frac{1}{x-3}-2$

5-1 다음 유리함수의 그래프가 점 (a, b)에 대하여 대칭일 때, a, b의 값을 구하시오.

(1) $y=\frac{2-x}{x+5}$

(2) $y=\frac{6x-5}{2x-1}$

3-2 함수 $y=\frac{2}{x}$의 그래프를 x축의 방향으로 1만큼, y축의 방향으로 -2만큼 평행이동한 그래프의 방정식을 구하시오.

4-2 다음 함수의 정의역, 치역, 점근선의 방정식을 구하시오.

(1) $y=-\frac{2}{x}+1$

(2) $y=\frac{1}{x+1}+4$

5-2 다음 유리함수의 그래프가 점 (a, b)에 대하여 대칭일 때, a, b의 값을 구하시오.

(1) $y=\frac{3x-4}{x+2}$

(2) $y=\frac{-6x+1}{3x-2}$

3일 기초 유형 | 유리함수

2013 6월 실시
고1 교육청 23번

쌍둥이 교과서 문제

1-1

서로 다른 두 실수 a, b에 대하여

$$\frac{(a-5)^2}{a-b}+\frac{(b-5)^2}{b-a}=0$$

일 때, $a+b$의 값을 구하시오. [3점]

Tip 주어진 유리식을 간단히 정리한다.

풀이

$\frac{(a-5)^2}{a-b}+\frac{(b-5)^2}{b-a}$

$=\frac{a^2-10a+25-(b^2-10b+25)}{a-b}=\frac{a^2-b^2-10a+10b}{a-b}$

$=\frac{(a+b)(a-b)-10(a-b)}{a-b}=a+b-10$

따라서 $a+b-10=$ ☐ 에서 $a+b=$ ☐

답 10

1-2

$x\neq-1$, $x\neq3$인 모든 실수 x에 대하여 등식

$$\frac{a}{x-3}+\frac{b}{x+1}=\frac{2x+6}{x^2-2x-3}$$

이 항상 성립할 때, 상수 a, b의 값을 구하시오.

2015 6월 실시
고2 교육청 나형 8번

2-1

유리함수 $y=\frac{3}{x}$의 그래프를 x축의 방향으로 4만큼, y축의 방향으로 5만큼 평행이동한 그래프가 점 $(5, a)$를 지날 때, 상수 a의 값을 구하시오. [3점]

Tip 함수 $y=\frac{k}{x}$ $(k\neq0)$의 그래프를 x축의 방향으로 p만큼, y축의 방향으로 q만큼 평행이동한 그래프의 식은
$y=\frac{k}{x-p}+q$이다.

풀이

함수 $y=\frac{3}{x}$의 그래프를 x축의 방향으로 4만큼, y축의 방향으로 5만큼 평행이동하면

$y-$ ☐ $=\frac{3}{x-4}$ $\quad\therefore y=\frac{3}{x-4}+$ ☐

이 함수의 그래프가 점 $(5, a)$를 지나므로

$a=\frac{3}{5-4}+$ ☐ $=3+$ ☐ $=$ ☐

답 8

2-2

함수 $y=\frac{1}{x}$의 그래프를 x축의 방향으로 m만큼, y축의 방향으로 n만큼 평행이동하면 함수 $y=\frac{2x+3}{x+1}$의 그래프와 일치한다. 상수 m, n의 값을 구하시오.

정답 및 해설 45쪽

2019 6월
평가원 나형 9번

쌍둥이 교과서 문제

3-1

함수 $y=\frac{3x+1}{x-1}$의 그래프의 점근선은 두 직선 $x=a$, $y=b$이다. $a+b$의 값을 구하시오.

(단, a, b는 상수이다.) [3점]

Tip $y=\frac{k}{x-p}+q\,(k\neq0)$ 꼴로 변형하여 점근선의 방정식을 구한다.

풀이

$y=\frac{3x+1}{x-1}=\frac{3(x-1)+4}{x-1}=\frac{4}{x-1}+3$

점근선의 방정식은 $x=$☐, $y=$☐이므로

$a=$☐, $b=$☐

$\therefore a+b=$☐

답 4

3-2

$y=\frac{ax+3}{x-b}$의 그래프의 점근선이 두 직선 $x=2$, $y=3$일 때, 상수 a, b의 값을 구하시오.

2017 3월 실시
고2 교육청 가형 8번

4-1

유리함수 $y=\frac{3x+b}{x+a}$의 그래프가 점 $(2, 1)$을 지나고, 점 $(-2, c)$에 대하여 대칭일 때, $a+b+c$의 값을 구하시오. (단, a, b는 상수이다.) [3점]

Tip 유리함수 $y=\frac{k}{x-p}+q\ (k\neq0)$의 그래프는 점근선의 교점 (p, q)에 대하여 대칭임을 이용한다.

풀이

함수 $y=\frac{3x+b}{x+a}$의 그래프가 점 $(2, 1)$을 지나므로

$1=\frac{6+b}{2+a}$, $2+a=6+b$ $\quad\therefore b=a-4$ ……㉠

$y=\frac{3x+b}{x+a}=\frac{3(x+a)-3a+b}{x+a}=\frac{-3a+b}{x+a}+3$

이므로 점근선의 방정식은 $x=-a$, $y=$☐

이 함수의 그래프는 두 점근선의 교점 $(-a, 3)$에 대하여 대칭이므로

$-a=-2$, ☐$=c$ $\quad\therefore a=2$, $c=$☐

$a=2$를 ㉠에 대입하면 $b=-2$

$\therefore a+b+c=$☐

답 3

4-2

함수 $y=\frac{ax+b}{x+c}$의 그래프가 점 $(0, 2)$를 지나고, 점 $(2, 1)$에 대하여 대칭일 때, $a-b-c$의 값을 구하시오. (단, a, b, c는 상수이다.)

4주

4일 핵심 개념 | 무리함수

무리식이란 무엇일까?

어느 케첩통은 통 끝에서의 압력이 $x\,\mathrm{g/cm^2}$일 때, 뿜어져 나오는 케첩의 양 y는 1분에 $120\sqrt{x}\,\mathrm{mL}$이다. 케첩의 압력이 $3\,\mathrm{g/cm^2}$일 때, 1분 동안 이 케첩통에서 뿜어져 나오는 케첩의 양은 $120\sqrt{3}\,\mathrm{mL}$이다.

$120\sqrt{x}$와 같이 근호 안에 문자가 포함된 식 중에서 유리식으로 나타낼 수 없는 식을 무리식이라 한다.

개념 ① 제곱근의 성질

[01~02] $a>0$, $b>0$일 때, 다음 ☐ 안에 알맞은 것을 아래 보기에서 찾아 써넣으시오.

• 보기 •
a, b, ab

01 $\sqrt{a}\sqrt{b}=\sqrt{\square}$, $\dfrac{\sqrt{a}}{\sqrt{b}}=\sqrt{\dfrac{a}{b}}$

02 $\sqrt{a^2b}=a\sqrt{b}$, $\dfrac{\sqrt{a}}{\sqrt{b^2}}=\dfrac{\sqrt{a}}{\square}$

개념 ② 무리식의 계산

[03~04] $a>0$, $b>0$일 때, 다음 ( ) 안에 주어진 것 중 옳은 것을 고르시오. (단, $a\neq b$)

03 분모가 $\sqrt{a}$이면 분모, 분자에 ($\sqrt{a}$, $-\sqrt{a}$)를 곱한다.

04 분모가 $\sqrt{a}+\sqrt{b}$이면 분모와 분자에 ($\sqrt{a}+\sqrt{b}$, $\sqrt{a}-\sqrt{b}$)를 곱하고, 분모가 $\sqrt{a}-\sqrt{b}$이면 분모와 분자에 $\sqrt{a}+\sqrt{b}$를 곱한다.

답 **01** ab **02** b **03** $\sqrt{a}$ **04** $\sqrt{a}-\sqrt{b}$

개념 확인 | 무리함수

정답 및 해설 46쪽

무리식

❶ 근호 안에 문자가 포함된 식 중에서 유리식으로 나타낼 수 없는 식을 무리식이라 한다.
$10\sqrt{x}$, $\sqrt{x+1}$, $-\sqrt{x}+1$ 등은 모두 무리식이다.

❷ 무리식의 값이 실수가 되기 위한 조건은 다음과 같다.

(근호 안의 식의 값)≥ 0, (분모)$\neq 0$

무리식의 계산

$a>0$, $b>0$일 때

❶ $\dfrac{a}{\sqrt{b}}=\dfrac{a\sqrt{b}}{\sqrt{b}\sqrt{b}}=\dfrac{a\sqrt{b}}{b}$

❷ $\dfrac{c}{\sqrt{a}+\sqrt{b}}=\dfrac{c(\sqrt{a}-\sqrt{b})}{(\sqrt{a}+\sqrt{b})(\sqrt{a}-\sqrt{b})}=\dfrac{c(\sqrt{a}-\sqrt{b})}{a-b}$ (단, $a\neq b$)

❸ $\dfrac{c}{\sqrt{a}-\sqrt{b}}=\dfrac{c(\sqrt{a}+\sqrt{b})}{(\sqrt{a}-\sqrt{b})(\sqrt{a}+\sqrt{b})}=\dfrac{c(\sqrt{a}+\sqrt{b})}{a-b}$ (단, $a\neq b$)

1-1 다음 식을 간단히 하시오.

(1) $\sqrt{(a-1)^2}$ (단, $a\geq 1$)

(2) $\sqrt{(1-x)^2}-\sqrt{(x+3)^2}$ (단, $-3\leq x\leq 1$)

1-2 다음 식을 간단히 하시오.

(1) $\sqrt{(a^2-2a+3)^2}$ (단, a는 실수)

(2) $\sqrt{x^2-4x+4}-\sqrt{x^2+2x+1}$ (단, $-1\leq x<2$)

2-1 다음 무리식의 분모를 유리화하시오.

(1) $\dfrac{1}{\sqrt{x}+\sqrt{x-1}}$

(2) $\dfrac{x}{1+\sqrt{x+1}}$

2-2 다음 무리식의 분모를 유리화하시오.

(1) $\dfrac{4}{\sqrt{x+2}-\sqrt{x-2}}$

(2) $\dfrac{x}{\sqrt{x^2+x}+x}$

3-1 $x=\sqrt{2}+1$일 때, $\dfrac{1}{1-\sqrt{x}}+\dfrac{1}{1+\sqrt{x}}$의 값을 구하시오.

3-2 $x=\sqrt{3}+1$일 때, $\dfrac{1}{1+\sqrt{x+1}}+\dfrac{1}{1-\sqrt{x+1}}$의 값을 구하시오.

핵심 개념 | 무리함수

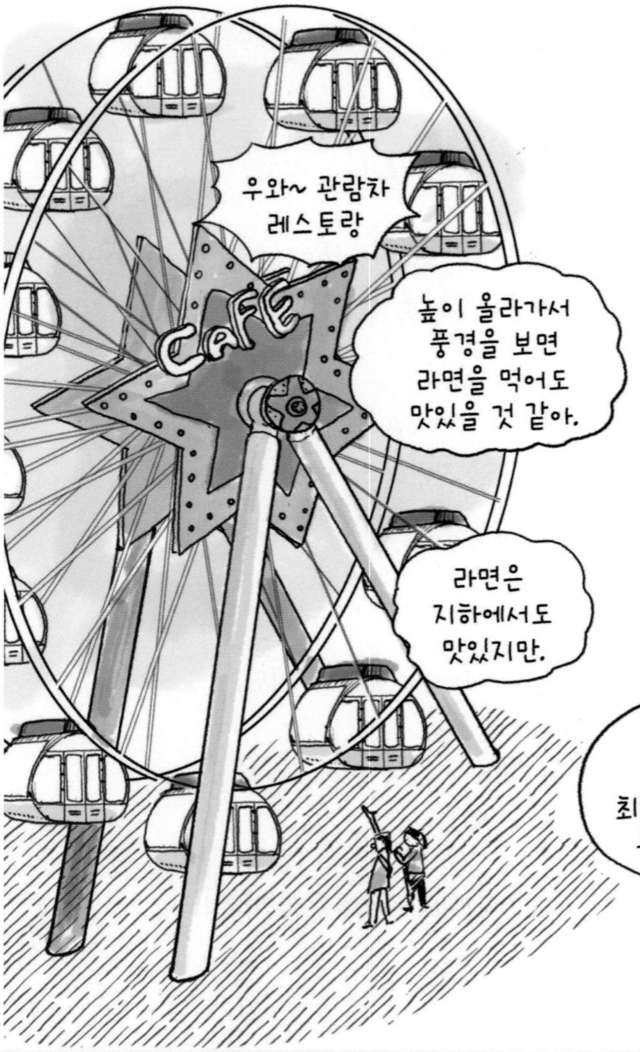

무리함수란 무엇일까?

관람차를 탄 손님은 관람차가 높이 올라갈수록 더 멀리 볼 수 있다. 이때 손님이 관람차에서 볼 수 있는 최대 거리는 관람차의 높이에 따라 결정되는 함수인데, $y=$(x에 대한 무리식) 꼴로 나타나고 이러한 함수를 무리함수라 한다.

개념 3 무리함수

[05~08] 다음 (　　) 안에 주어진 것 중 옳은 것을 고르시오.

05 함수 $y=f(x)$에서 $f(x)$가 x에 대한 무리식일 때, 이 함수를 (유리함수, 무리함수)라 한다.

06 무리함수에서 정의역이 특별히 주어져 있지 않은 경우에는 근호 안의 식의 값이 (0, 1) 이상이 되도록 하는 실수 전체의 집합을 정의역으로 한다.

07 함수 $y=\sqrt{ax}$의 그래프는 a의 절댓값이 커질수록 x축에서 (가까워, 멀어)진다.

08 무리함수 $y=\sqrt{a(x-p)}+q\ (a\neq0)$의 그래프는 $y=\sqrt{ax}$의 그래프를 x축의 방향으로 (p, $-p$)만큼, y축의 방향으로 (q, $-q$)만큼 평행이동한 것이다.

답 **05** 무리함수　**06** 0　**07** 멀어　**08** p, q

개념 확인 | 무리함수

정답 및 해설 47쪽

함수 $y=\sqrt{ax}\ (a\neq0)$의 그래프

❶ $a>0$일 때
정의역은 $\{x|x\geq0\}$, 치역은 $\{y|y\geq0\}$

❷ $a<0$일 때
정의역은 $\{x|x\leq0\}$, 치역은 $\{y|y\geq0\}$

함수 $y=\sqrt{a(x-p)}+q\ (a\neq0)$의 그래프

❶ $a>0$일 때
정의역은 $\{x|x\geq p\}$, 치역은 $\{y|y\geq q\}$

❷ $a<0$일 때
정의역은 $\{x|x\leq p\}$, 치역은 $\{y|y\geq q\}$

4-1 다음 함수의 그래프를 x축의 방향으로 p만큼, y축의 방향으로 q만큼 평행이동한 그래프의 방정식을 구하시오.

(1) $y=\sqrt{2x}$ $[p=3,\ q=2]$

(2) $y=-\sqrt{x}$ $[p=-1,\ q=4]$

5-1 다음 함수의 정의역과 치역을 구하시오.

(1) $y=\sqrt{x-2}$

(2) $y=\sqrt{6-3x}+1$

6-1 주어진 정의역에서 다음 함수의 최댓값과 최솟값을 구하시오.

(1) $y=\sqrt{4-x}+3$ $\{x|0\leq x\leq3\}$

(2) $y=\sqrt{2x-1}+1$ $\{x|1\leq x\leq5\}$

4-2 다음 함수의 그래프를 x축의 방향으로 p만큼, y축의 방향으로 q만큼 평행이동한 그래프의 방정식을 구하시오.

(1) $y=\sqrt{-x}$ $[p=2,\ q=-1]$

(2) $y=-\sqrt{-3x}$ $[p=1,\ q=2]$

5-2 다음 함수의 정의역과 치역을 구하시오.

(1) $y=\sqrt{-x}+3$

(2) $y=-\sqrt{2x-6}$

6-2 주어진 정의역에서 다음 함수의 최댓값과 최솟값을 구하시오.

(1) $y=\sqrt{-3x+3}$ $\{x|-2\leq x\leq1\}$

(2) $y=\sqrt{4x+8}-1$ $\{x|-1\leq x\leq2\}$

4일 기초 유형 | 무리함수

2018 9월
평가원 나형 24번

쌍둥이 교과서 문제

1-1

함수 $y=2\sqrt{x}$의 그래프를 y축의 방향으로 k만큼 평행이동한 그래프가 점 $(1, 5)$를 지난다. 상수 k의 값을 구하시오. [3점]

Tip $y=\sqrt{ax}\ (a\neq0)$의 그래프를 x축의 방향으로 p만큼, y축의 방향으로 q만큼 평행이동한 그래프의 방정식은 $y=\sqrt{a(x-p)}+q$임을 이용한다.

풀이

함수 $y=2\sqrt{x}$의 그래프를 y축의 방향으로 k만큼 평행이동하면

$y-k=2\sqrt{x}$ $\therefore y=2\sqrt{x}+k$

이 함수의 그래프가 점 $(1, 5)$를 지나므로

$5=\square+k$ $\therefore k=\square$

답 3

1-2

무리함수 $y=\sqrt{ax}$의 그래프를 x축의 방향으로 -2만큼, y축의 방향으로 -3만큼 평행이동하면 점 $(1, 0)$을 지난다. 이때 상수 a의 값을 구하시오.

2017 6월 실시
고2 교육청 나형 11번

2-1

함수 $f(x)=\sqrt{-x+a}+b$의 그래프가 그림과 같을 때, 두 상수 a, b에 대하여 $a+b$의 값을 구하시오. [3점]

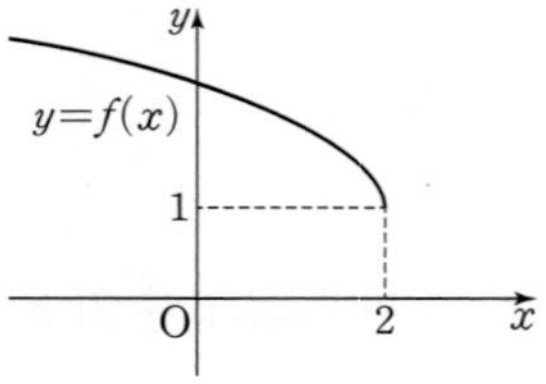

Tip 그래프가 점 (p, q)에서 시작하는 무리함수의 식은 $y=\sqrt{a(x-p)}+q\ (a\neq0)$임을 이용한다.

풀이

주어진 함수의 그래프는 $y=\sqrt{-x}$의 그래프를 x축의 방향으로 2만큼, y축의 방향으로 $\square$만큼 평행이동한 것이므로

$y-\square=\sqrt{-(x-2)}$ $\therefore y=\sqrt{-x+2}+\square$

따라서 $a=2$, $b=1$이므로 $a+b=\square$

답 3

2-2

함수 $y=\sqrt{ax+b}+c$의 그래프가 그림과 같을 때, 상수 a, b, c의 값을 구하시오.

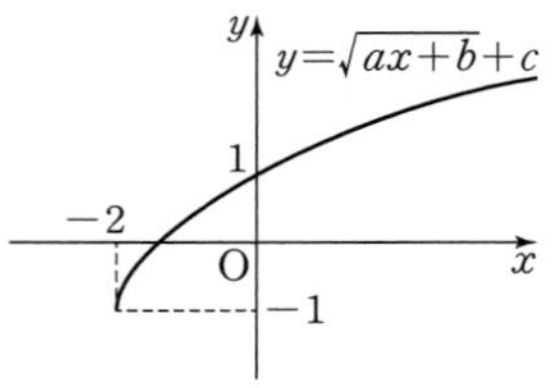

정답 및 해설 48쪽

2019 3월 실시
고2 교육청 나형 24번

쌍둥이 교과서 문제

3-1

함수 $f(x)=\sqrt{2x+a}+7$은 $x=-2$일 때 최솟값 m을 갖는다. $a+m$의 값을 구하시오. (단, a는 상수이다.) [3점]

Tip 무리함수 $f(x)=\sqrt{ax+b}+c$ $(p\le x\le q)$에서 $f(p)$, $f(q)$ 중 큰 값이 최댓값, 작은 값이 최솟값이다.

풀이

$f(x)=\sqrt{2x+a}+7=\sqrt{2\left(x+\frac{a}{2}\right)}+7$

이므로 $x=-\frac{a}{2}$에서 최솟값 $\square$을 갖는다.

즉, $-\frac{a}{2}=-2$, $m=\square$이므로

$a=\square$, $m=7$

$\therefore a+m=\square$ 답 11

3-2

$-3\le x\le 2$에서 함수 $y=\sqrt{a-x}+3$의 최댓값이 6일 때, 최솟값을 구하시오. (단, a는 상수이다.)

2016 3월 실시
고2 교육청 가형 23번

4-1

무리함수 $y=\sqrt{ax+b}$의 역함수의 그래프가 두 점 $(2, 0)$, $(5, 7)$을 지날 때, $a+b$의 값을 구하시오.
(단, a, b는 상수이다.) [3점]

Tip 함수 $f(x)$에 대하여 $f(a)=b$이면 $f^{-1}(b)=a$임을 이용한다.

풀이

함수 $y=\sqrt{ax+b}$의 역함수의 그래프가 두 점 $(2, 0)$, $(5, 7)$을 지나므로 함수 $y=\sqrt{ax+b}$의 그래프는 두 점 $(0, 2)$, $(7, 5)$를 지난다.

$x=0$, $y=2$를 대입하면 $2=\sqrt{b}$에서 $b=\square$

$x=7$, $y=5$를 대입하면 $5=\sqrt{7a+b}$에서 $7a+b=25$

이때 $b=4$이므로 $a=\square$

$\therefore a+b=\square$ 답 7

4-2

무리함수 $f(x)=\sqrt{ax+b}$의 역함수를 g라 하자. $f(2)=1$, $g(3)=0$일 때, 상수 a, b의 값을 구하시오.

4주

5일 핵심 개념 | 경우의 수

합의 법칙과 곱의 법칙

3종류의 조각 케이크와 4종류의 아이스크림 중에서 하나를 선택하는 경우의 수는 $3+4=7$

3종류의 조각 케이크와 4종류의 아이스크림 중에서 각각 하나를 선택하는 경우의 수는 $3\times4=12$

개념 ① 순열

[01~02] 다음 ( ) 안에 주어진 것 중 옳은 것을 고르시오.

01 서로 다른 n개에서 $r(r\le n)$개를 택하여 일렬로 나열하는 것을 n개에서 r개를 택하는 (순열, 조합)이라 하고, 기호로 ${}_{n}\mathrm{P}_{r}$와 같이 나타낸다.

02 1부터 n까지의 자연수를 차례로 곱한 것을 n의 (열, 계승)이라 하고, 기호로 $n!$와 같이 나타낸다.

개념 ② 순열의 수

[03~04] 다음 ☐ 안에 알맞은 것을 아래 보기에서 찾아 써넣으시오.

보기

$0,\ 1,\ n-1,\ n,\ n-r$

03 ${}_{n}\mathrm{P}_{r}=\dfrac{n!}{(\square)!}$ (단, $0\le r\le n$)

04 ${}_{n}\mathrm{P}_{n}=n!,\ {}_{n}\mathrm{P}_{0}=1,\ 0!=\square$

답 **01** 순열 **02** 계승 **03** $n-r$ **04** 1

개념 확인 | 경우의 수

■ 정답 및 해설 48쪽

순열의 수

서로 다른 n개에서 r개를 택하는 순열의 수는

$${}_{n}\mathrm{P}_{r}=\underbrace{n(n-1)(n-2)\cdots(n-r+1)}_{r\text{개}}$$

(단, $0<r\le n$)

$n!$을 이용한 순열의 수

❶ ${}_{n}\mathrm{P}_{n}=n(n-1)(n-2)\cdots3\times2\times1=n!$

❷ ${}_{n}\mathrm{P}_{r}=\dfrac{n!}{(n-r)!}$ (단, $0\le r\le n$)

❸ ${}_{n}\mathrm{P}_{0}=1$, $0!=1$

1-1 다음 값을 구하시오.

(1) ${}_{3}\mathrm{P}_{2}$ (2) ${}_{6}\mathrm{P}_{0}$

(3) ${}_{4}\mathrm{P}_{4}$ (4) ${}_{7}\mathrm{P}_{1}$

1-2 다음 값을 구하시오.

(1) ${}_{6}\mathrm{P}_{3}$ (2) ${}_{5}\mathrm{P}_{5}$

(3) ${}_{10}\mathrm{P}_{0}$ (4) ${}_{4}\mathrm{P}_{3}$

2-1 다음 등식을 만족시키는 자연수 n 또는 r의 값을 구하시오.

(1) ${}_{n}\mathrm{P}_{2}=20$ (2) ${}_{9}\mathrm{P}_{r}=72$

2-2 다음 등식을 만족시키는 자연수 n 또는 r의 값을 구하시오.

(1) ${}_{n}\mathrm{P}_{3}=210$ (2) ${}_{12}\mathrm{P}_{r}=1320$

3-1 1, 2, 3, 4, 5의 숫자가 하나씩 적혀 있는 5장의 카드 중에서 4장을 뽑아 네 자리 자연수를 만들 때, 다음을 구하시오.

(1) 네 자리 자연수의 개수

(2) 짝수의 개수

3-2 0, 1, 2, 3, 4, 5의 숫자가 하나씩 적혀 있는 6장의 카드 중에서 4장을 뽑아 네 자리 자연수를 만들 때, 다음을 구하시오.

(1) 네 자리 자연수의 개수

(2) 5의 배수의 개수

4주

5일 핵심 개념 | 경우의 수

음식을 선택할 수 있는 경우의 수는?

어느 쇼핑몰에서는 주말 행사로 10만 원 이상 구매하는 고객에게 사은품으로 3장의 식당 시식권을 주기로 하였다.

이 쇼핑몰에서 10만 원 이상 구매한 한 고객이 서로 다른 식당 5곳 중에서 3곳을 택하는 경우의 수는

${}_5C_3={}_5C_2=\dfrac{5\times4}{2\times1}=10$

개념 ③ 조합

05 다음 ( ) 안에 주어진 것 중 옳은 것을 고르시오.

서로 다른 n개에서 순서를 생각하지 않고 $r(r\le n)$개를 택하는 것을 n개에서 r개를 택하는 (순열, 조합)이라 하고, 기호로 ${}_nC_r$와 같이 나타낸다.

개념 ④ 조합의 수

[06~08] 다음 ☐ 안에 알맞은 것을 아래 보기에서 찾아 써넣으시오.

> 보기
>
> $0,\ 1,\ n-1,\ n,\ n-r$

06 ${}_nC_r=\dfrac{n!}{r!(\boxed{})!}$ (단, $0\le r\le n$)

07 ${}_nC_n=1,\ {}_nC_0=\boxed{}$

08 ${}_nC_r={}_nC_{\boxed{}}$ (단, $0\le r\le n$)

답 05 조합 06 $n-r$ 07 1 08 $n-r$

개념 확인 | 경우의 수

정답 및 해설 49쪽

조합의 수

서로 다른 n개에서 r개를 택하는 조합의 수는

$${}_n\mathrm{C}_r=\frac{{}_n\mathrm{P}_r}{r!}=\frac{n(n-1)(n-2)\cdots(n-r+1)}{r!}$$

$$=\frac{n!}{r!(n-r)!}\text{ (단, }0\le r\le n)$$

조합의 수의 성질

❶ ${}_n\mathrm{C}_n=1$, ${}_n\mathrm{C}_0=1$

❷ ${}_n\mathrm{C}_r={}_n\mathrm{C}_{n-r}$ (단, $0\le r\le n$)

❸ ${}_n\mathrm{C}_r={}_{n-1}\mathrm{C}_{r-1}+{}_{n-1}\mathrm{C}_r$ (단, $1\le r\le n-1$)

4-1 다음 값을 구하시오.

(1) ${}_4\mathrm{C}_2$　(2) ${}_5\mathrm{C}_5$

(3) ${}_{11}\mathrm{C}_0$　(4) ${}_{10}\mathrm{C}_8$

4-2 다음 값을 구하시오.

(1) ${}_6\mathrm{C}_3$　(2) ${}_{11}\mathrm{C}_8$

(3) ${}_9\mathrm{C}_9$　(4) ${}_5\mathrm{C}_0$

5-1 다음 등식을 만족시키는 자연수 n 또는 r의 값을 구하시오.

(1) ${}_n\mathrm{C}_3=20$　(2) ${}_8\mathrm{C}_r={}_8\mathrm{C}_{r-2}$

5-2 다음 등식을 만족시키는 자연수 n 또는 r의 값을 구하시오.

(1) ${}_n\mathrm{C}_2=21$　(2) ${}_{12}\mathrm{C}_1+{}_{12}\mathrm{C}_2={}_{13}\mathrm{C}_r$

6-1 남학생 4명, 여학생 5명 중에서 3명의 대표를 뽑을 때, 다음을 구하시오.

(1) 3명의 대표를 뽑는 경우의 수

(2) 적어도 한 명은 여학생을 뽑는 경우의 수

6-2 서로 다른 검은 공 6개와 흰 공 3개가 들어 있는 주머니에서 5개의 공을 꺼낼 때, 다음을 구하시오.

(1) 5개의 공을 꺼내는 경우의 수

(2) 검은 공 4개, 흰 공 1개를 꺼내는 경우의 수

4 주

5일 기초 유형 | 경우의 수

2017 10월 실시
고3 교육청 나형 22번

쌍둥이 교과서 문제

1-1

$_{n}\mathrm{P}_{2}=110$을 만족시키는 자연수 n의 값을 구하시오. [3점]

Tip $_{n}\mathrm{P}_{r}=n(n-1)(n-2)\cdots(n-r+1)$ (단, $0<r\le n$)

풀이

$_{n}\mathrm{P}_{2}=110$에서 $\square(n-1)=110$

$n^2-n=110$, $n^2-n-110=0$

$(n+10)(n-11)=0$

$\therefore n=\square(\because n\ge 2)$

답 11

1-2

$4\times{}_{n}\mathrm{P}_{4}=5\times{}_{n-1}\mathrm{P}_{4}$를 만족시키는 자연수 n의 값을 구하시오.

2016 4월 실시
고3 교육청 나형 10번

2-1

할머니, 아버지, 어머니, 아들, 딸로 구성된 5명의 가족이 있다. 이 가족이 그림과 같이 번호가 적힌 5개의 의자에 모두 앉을 때, 아버지, 어머니가 모두 홀수 번호가 적힌 의자에 앉는 경우의 수를 구하시오. [3점]

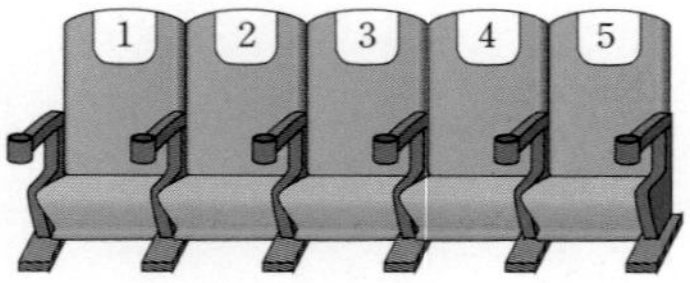

Tip 특정한 조건이 주어진 것을 먼저 배열하고 나머지를 배열한다.

풀이

홀수 번호가 적힌 3개의 의자 중에서 2개의 의자를 택하여 아버지, 어머니가 앉는 경우의 수는

$_{3}\mathrm{P}_{2}=3\times\square=\square$

나머지 3개의 의자에 할머니, 아들, 딸이 앉는 경우의 수는

$3!=3\times2\times1=6$

따라서 구하는 경우의 수는

$\square\times6=\square$

답 36

2-2

남학생 3명, 여학생 2명이 일렬로 서서 사진을 찍으려고 할 때, 여학생 2명이 서로 이웃하지 않게 서는 경우의 수를 구하시오.

정답 및 해설 50쪽

6

| 2016 3월 실시 고2 교육청 가형 8번 |

유리함수 $f(x)=\dfrac{ax+1}{x+b}$의 그래프의 점근선의 방정식이 $x=2$, $y=3$일 때, $f(4)$의 값은? (단, a, b는 상수이다.)

① 6 ② $\dfrac{13}{2}$ ③ 7

④ $\dfrac{15}{2}$ ⑤ 8

7

| 2018 3월 실시 고2 교육청 나형 8번 |

함수 $y=\sqrt{2x}$의 그래프를 x축의 방향으로 1만큼, y축의 방향으로 3만큼 평행이동한 그래프가 점 $(9,\ a)$를 지날 때, a의 값은?

① 5 ② 6 ③ 7

④ 8 ⑤ 9

8

| 2019 3월 실시 고2 교육청 가형 9번 |

함수 $f(x)=\sqrt{2x-4}+3$에 대하여 $f^{-1}(5)$의 값은?

① $\dfrac{5}{2}$ ② 3 ③ $\dfrac{7}{2}$

④ 4 ⑤ $\dfrac{9}{2}$

9

| 2019 3월 실시 고2 교육청 나형 6번 |

서로 다른 6개의 과목 중에서 서로 다른 3개를 선택하는 경우의 수는?

① 12 ② 14 ③ 16

④ 18 ⑤ 20

10

| 2018 6월 평가원 가형 13번 |

이틀 동안 진행하는 어느 축제에 모두 다섯 개의 팀이 참가하여 공연한다. 매일 두 팀 이상이 공연하도록 다섯 팀의 공연 날짜와 공연 순서를 정하는 경우의 수는? (단, 공연은 한 팀씩 하고, 축제 기간 중 각 팀은 1회만 공연한다.)

① 180 ② 210 ③ 240

④ 270 ⑤ 300

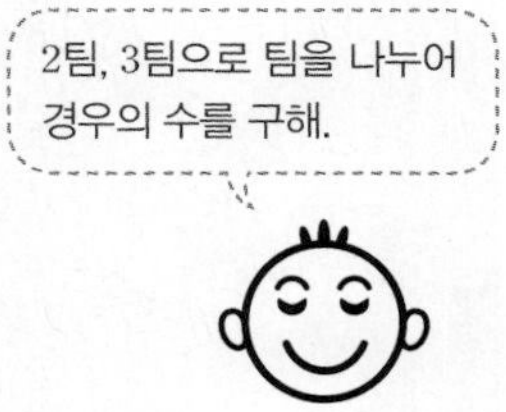

정답 및 해설 51쪽

그림과 같이 한 줄에 3개씩 모두 6개의 좌석이 있는 케이블카가 있다. 두 학생 A, B를 포함한 5명의 학생이 이 케이블카에 탑승하여 A, B는 같은 줄의 좌석에 앉고 나머지 세 명은 맞은편 줄의 좌석에 앉는 경우의 수를 구하시오.

[2019 3월 실시 고2 교육청 가형 10번]

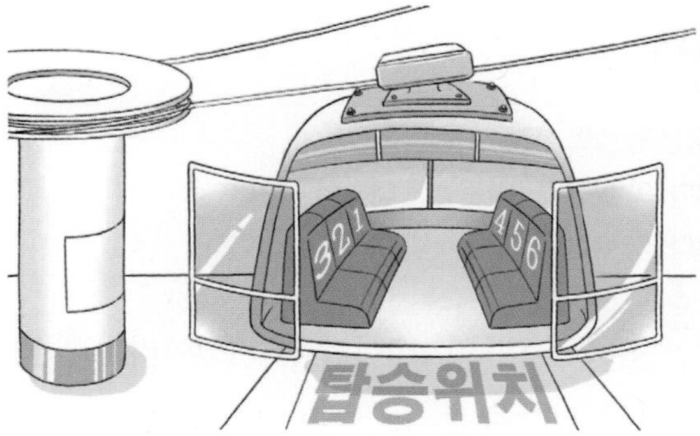

1 2020 3월 실시 고2 교육청 27번

명제의 참, 거짓 ⊕ 이차부등식이 항상 성립할 조건

명제 ❶ '어떤 실수 x에 대하여 $x^2+8x+2k-1\leq 0$이다.'가 거짓이 되도록 하는 ❷ 정수 k의 ❸ 최솟값을 구하시오.

❶ 주어진 명제의 부정을 구한다.

> **'모든' 또는 '어떤'을 포함한 명제의 부정**
> ❶ '모든 x에 대하여 p이다.'의 부정 ⇨ '어떤 x에 대하여 $\sim p$이다.'
> ❷ '어떤 x에 대하여 p이다.'의 부정 ⇨ '모든 x에 대하여 $\sim p$이다.'

'어떤 실수 x에 대하여 $x^2+8x+2k-1\leq 0$이다.'가 거짓이려면 이 명제의 부정
'□ 실수 x에 대하여 $x^2+8x+2k-1$□0이다.'가 참이어야 한다.

❷ 이차부등식이 항상 성립할 조건을 이용하여 k의 값의 범위를 구한다.

> **해가 모든 실수인 이차부등식**
> 이차방정식 $ax^2+bx+c=0$의 판별식을 D라 할 때, 모든 실수 x에 대하여 이차부등식이 항상 성립할 조건은 다음과 같다.

$ax^2+bx+c\geq 0$	$ax^2+bx+c>0$
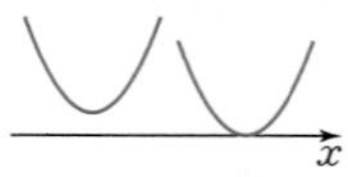 ➡ $a>0$, $D\leq 0$	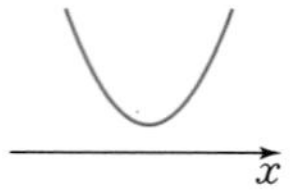 ➡ $a>0$, $D<0$
$ax^2+bx+c\leq 0$	$ax^2+bx+c<0$
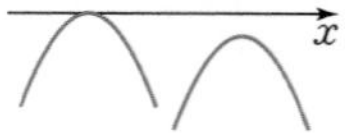 ➡ $a<0$, $D\leq 0$	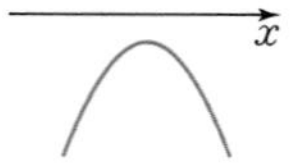 ➡ $a<0$, $D<0$

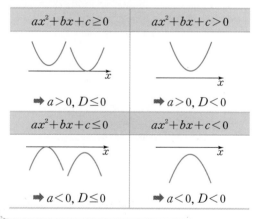

모든 실수 x에 대하여 $x^2+8x+2k-1>0$이 성립해야 하므로 이차방정식 $x^2+8x+2k-1=0$의 판별식을 D라 하면

$$\frac{D}{4}=4^2-(2k-1)<0,\ 17-2k<0 \qquad \therefore k>\frac{17}{2}$$

❸ 정수 k의 최솟값을 구한다.

따라서 구하는 정수 k의 최솟값은 □이다.

답 9

정답 및 해설 51쪽

2 2015 6월 실시 고2 교육청 가형 11번

명제의 참, 거짓과 진리집합 + 이차부등식의 해

전체집합 U가 실수 전체의 집합일 때, 실수 x에 대한 두 조건 p, q가

$p : a(x-1)(x-2)<0,\ q : x>b$

이다. 두 조건 p, q의 진리집합을 각각 P, Q라 할 때, ❹ 옳은 것만을 보기에서 있는 대로 고르시오.

(단, a, b는 실수이다.)

보기

ㄱ. ❶ $a=0$일 때, $P=\varnothing$이다.

ㄴ. ❷ $a>0$, $b=0$일 때, $P\subset Q$이다.

ㄷ. ❸ $a<0$, $b=3$일 때, 명제 '$\sim p$이면 q이다.'는 참이다.

길잡이

❶ $a=0$일 때의 P를 구한다.

❷ $a>0$, $b=0$일 때의 P, Q를 구하여 포함 관계를 확인한다.

❸ $a<0$, $b=3$일 때의 P^C, Q를 구하여 포함 관계를 확인한다.

❹ 옳은 것을 모두 고른다.

3 2017 수능 나형 7번

충분조건 + 절댓값을 포함한 일차부등식의 해

실수 x에 대한 두 조건 ❶ $p : |x-1|\le 3$, $q : |x|\le a$에 대하여 ❷ p가 q이기 위한 충분조건이 되도록 하는 ❸ 자연수 a의 최솟값을 구하시오.

길잡이

❶ 두 조건 p, q의 진리집합을 각각 구한다.

❷ p가 q이기 위한 충분조건이 되도록 하는 a의 값의 범위를 구한다.

❸ 자연수 a의 최솟값을 구한다.

4 2016 6월 실시 고2 교육청 나형 11번

절대부등식 ⊕ 유리함수

그림과 같이 함수 $y=\frac{4}{x}$의 그래프 위의 점 중 제1사분면에 있는 한 점을 $\mathrm{A}\left(a, \frac{4}{a}\right)$라 하고, ❶ 점 A를 x축, y축, 원점에 대하여 대칭이동한 점을 각각 B, C, D라 하자. ❷ 직사각형 ACDB의 둘레의 길이의 ❸ 최솟값을 구하시오.

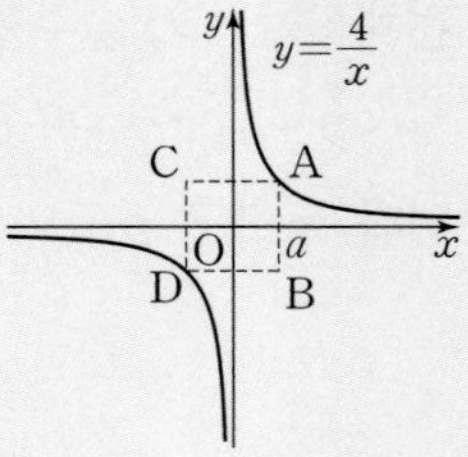

❶ **세 점 B, C, D의 좌표를 구한다.**

점의 대칭이동

점 (x, y)를 x축, y축, 원점, 직선 $y=x$에 대하여 대칭이동한 점의 좌표는 다음과 같다.

x축	y축	원점	직선 $y=x$
$(x, -y)$	$(-x, y)$	$(-x, -y)$	(y, x)

점 A를 x축, y축, 원점에 대하여 대칭이동한 점이 각각 B, C, D이므로

$\mathrm{B}\left(a, -\frac{4}{a}\right)$, $\mathrm{C}\left(\square, \frac{4}{a}\right)$, $\mathrm{D}\left(-a, -\frac{4}{a}\right)$

❷ **직사각형 ACDB의 둘레의 길이를 a에 대한 식으로 나타낸다.**

직사각형 ACDB의 가로의 길이는 $2a$, 세로의 길이는 $\frac{8}{a}$이므로 직사각형 ACDB의 둘레의 길이는

$2\left(2a+\frac{8}{a}\right)$

❸ **절대부등식을 이용하여 직사각형 ACDB의 둘레의 길이의 최솟값을 구한다.**

절대부등식 – 산술평균과 기하평균의 관계

$a>0, b>0$일 때

$\frac{a+b}{2} \geq \sqrt{ab}$ (단, 등호는 $a=b$일 때 성립)

$2a+\frac{8}{a} \geq 2\sqrt{2a \times \frac{8}{a}} = \square$에서

$2\left(2a+\frac{8}{a}\right) \geq 16$ $\left(\text{단, 등호는 } 2a=\frac{8}{a}, \text{ 즉 } a=2\text{일 때 성립}\right)$

따라서 직사각형 ACDB의 둘레의 길이의 최솟값은 $\square$이다.

답 16

정답 및 해설 51쪽

5 2020 수능 나형 10번

역함수 ⊕ 무리함수

함수 ❶ $y=\sqrt{4-2x}+3$의 역함수의 그래프와 직선 $y=-x+k$가 서로 다른 두 점에서 만나도록 하는 ❷ 실수 k의 최솟값을 구하시오.

길잡이

❶ 함수 $y=\sqrt{4-2x}+3$의 그래프와 함수 $y=-x+k$의 역함수의 그래프의 위치 관계를 생각해 본다.

❷ 그래프를 그려 k의 최솟값을 구한다.

6 2020 3월 실시 고2 교육청 29번

순열의 수 ⊕ 조합의 수

❶ 서로 다른 종류의 꽃 4송이와 같은 종류의 초콜릿 2개를 5명의 학생에게 남김없이 나누어 주려고 한다. ❷ 아무것도 받지 못하는 학생이 없도록 ❸ 꽃과 초콜릿을 나누어 주는 경우의 수를 구하시오.

길잡이

❶ 꽃과 초콜릿을 5명의 학생에게 남김없이 나누어 주는 경우를 생각해 본다.

❷ 1명의 학생이 초콜릿 2개를 받는 경우, 꽃 2송이를 받는 경우, 꽃 1송이와 초콜릿 1개를 받는 경우로 나누어 경우의 수를 각각 구한다.

❸ 경우의 수를 모두 더하여 아무것도 받지 못하는 학생이 없도록 꽃과 초콜릿을 나누어 주는 경우의 수를 구한다.

memo

memo

memo

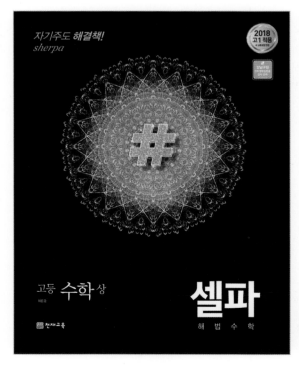

시작은

하루 수능

정답과 해설

수학영역

수학 기초

천재교육

정답과 해설 포인트 3가지

- 혼자서도 이해할 수 있는 친절한 문제 풀이
- 다양한 풀이 방법을 제시한 다른 풀이
- 깊이 있는 설명이 필요한 부분에는 참고로!

정답과 해설

1주 1일 다항식의 연산

개념 확인

| 본문 11, 13쪽 |

1-1

(1) $(x-1)(x+2)-(x+1)^2$

$=x^2+x-2-(x^2+2x+1)$

$=\boldsymbol{-x-3}$

(2) $(x+2y)^2-(x+y)(x-y)$

$=x^2+4xy+4y^2-(x^2-y^2)$

$=\boldsymbol{4xy+5y^2}$

1-2

(1) $(1-a)(1+a)+2a^2$

$=1-a^2+2a^2=\boldsymbol{a^2+1}$

(2) $(x+3)(x-2)-x(x-4)$

$=x^2+x-6-(x^2-4x)$

$=\boldsymbol{5x-6}$

2-1

(1) $(3x+2)^3$

$=(3x)^3+3\times(3x)^2\times2+3\times3x\times2^2+2^3$

$=\boldsymbol{27x^3+54x^2+36x+8}$

(2) $(x-2y+3z)^2$

$=x^2+(-2y)^2+(3z)^2+2\times x\times(-2y)$

$+2\times(-2y)\times3z+2\times3z\times x$

$=\boldsymbol{x^2+4y^2+9z^2-4xy-12yz+6zx}$

(3) $(a-b)(a+b)(a^2+b^2)$

$=(a^2-b^2)(a^2+b^2)=\boldsymbol{a^4-b^4}$

(4) $(x-2y)^3(x+2y)^3$

$=(x^2-4y^2)^3$

$=\boldsymbol{x^6-12x^4y^2+48x^2y^4-64y^6}$

(5) $(x+3)(x^2-3x+9)$

$=x^3+3^3=\boldsymbol{x^3+27}$

(6) $x+y=t$로 놓으면

$(x+y+2)(x+y-5)$

$=(t+2)(t-5)=t^2-3t-10$

$=(x+y)^2-3(x+y)-10$

$=\boldsymbol{x^2+2xy+y^2-3x-3y-10}$

2-2

(1) $(2x-3)^3$

$=(2x)^3-3\times(2x)^2\times3+3\times2x\times3^2-3^3$

$=\boldsymbol{8x^3-36x^2+54x-27}$

(2) $(2a-b+1)^2$

$=(2a)^2+(-b)^2+1^2+2\times2a\times(-b)$

$+2\times(-b)\times1+2\times1\times2a$

$=\boldsymbol{4a^2+b^2+1-4ab-2b+4a}$

(3) $(x-1)(x+1)(x^2+1)(x^4+1)$

$=(x^2-1)(x^2+1)(x^4+1)$

$=(x^4-1)(x^4+1)$

$=\boldsymbol{x^8-1}$

(4) $(x+y)^3(x-y)^3$

$=(x^2-y^2)^3$

$=\boldsymbol{x^6-3x^4y^2+3x^2y^4-y^6}$

(5) $(x-2)(x^2+2x+4)$

$=x^3-2^3=\boldsymbol{x^3-8}$

(6) $(a+b-2)(a-b+2)=\{a+(b-2)\}\{a-(b-2)\}$

$b-2=t$로 놓으면

(주어진 식)$=(a+t)(a-t)=a^2-t^2$

$=a^2-(b-2)^2=a^2-(b^2-4b+4)$

$=\boldsymbol{a^2-b^2+4b-4}$

3-1

(1) $x^2+y^2=(x+y)^2-2xy$

$=2^2-2\times(-1)=\mathbf{6}$

(2) $x^3+y^3=(x+y)^3-3xy(x+y)$

$=2^3-3\times(-1)\times2=\mathbf{14}$

(3) $x^2+y^2=(x-y)^2+2xy$에서

$6=(x-y)^2+2\times(-1)$, $(x-y)^2=8$

$\therefore x-y=\boldsymbol{\pm2\sqrt{2}}$

다른 풀이

$(x-y)^2=(x+y)^2-4xy$

$=2^2-4\times(-1)=8$

$\therefore x-y=\pm2\sqrt{2}$

(4) $x^2-y^2=(x+y)(x-y)=\boldsymbol{\pm4\sqrt{2}}$

3-2

(1) $x^2+y^2=(x-y)^2+2xy$

$=2^2+2\times(-1)=\mathbf{2}$

(2) $x^3-y^3=(x-y)^3+3xy(x-y)$

$=2^3+3\times(-1)\times2=\mathbf{2}$

(3) $x^2+y^2=(x+y)^2-2xy$에서

$2=(x+y)^2-2\times(-1)$, $(x+y)^2=0$

$\therefore x+y=\mathbf{0}$

다른 풀이

$(x+y)^2=(x-y)^2+4xy$

$=2^2+4\times(-1)=0$

$\therefore x+y=0$

(4) $x^2-y^2=(x+y)(x-y)=\mathbf{0}$

4-1

(1) $x^2+\frac{1}{x^2}=\left(x+\frac{1}{x}\right)^2-2$

$=4^2-2=\mathbf{14}$

(2) $x^3+\frac{1}{x^3}=\left(x+\frac{1}{x}\right)^3-3\left(x+\frac{1}{x}\right)$

$=4^3-3\times4=\mathbf{52}$

4-2

(1) $a^2+\frac{1}{a^2}=\left(a-\frac{1}{a}\right)^2+2$

$=1^2+2=\mathbf{3}$

(2) $a^2+\frac{1}{a^2}=\left(a+\frac{1}{a}\right)^2-2$에서

$3=\left(a+\frac{1}{a}\right)^2-2$, $\left(a+\frac{1}{a}\right)^2=5$

$\therefore a+\frac{1}{a}=\pm\sqrt{5}$

다른 풀이

$\left(a+\frac{1}{a}\right)^2=\left(a-\frac{1}{a}\right)^2+4$

$=1^2+4=5$

$\therefore a+\frac{1}{a}=\pm\sqrt{5}$

5-1

(1)
$$\begin{array}{r|rrrr} 3 & 1 & -4 & 0 & 8 \\ & & 3 & -3 & -9 \\ \hline & 1 & -1 & -3 & -1 \end{array}$$

∴ 몫 : x^2-x-3, 나머지 : -1

(2)
$$\begin{array}{r|rrrr} -\frac{1}{2} & 2 & 3 & -3 & 1 \\ & & -1 & -1 & 2 \\ \hline & 2 & 2 & -4 & 3 \end{array}$$

이를 식으로 나타내면

$2x^2+3x-3x+1=\left(x+\frac{1}{2}\right)(2x^2+2x-4)+3$

$=2\left(x+\frac{1}{2}\right)(x^2+x-2)+3$

$=(2x+1)(x^2+x-2)+3$

∴ 몫 : x^2+x-2, 나머지 : 3

5-2

(1)
$$\begin{array}{r|rrrr} -2 & 1 & -3 & 0 & 1 \\ & & -2 & 10 & -20 \\ \hline & 1 & -5 & 10 & -19 \end{array}$$

∴ 몫 : $x^2-5x+10$, 나머지 : -19

(2)
$$\begin{array}{r|rrrr} -\frac{2}{3} & 3 & -7 & -3 & 0 \\ & & -2 & 6 & -2 \\ \hline & 3 & -9 & 3 & -2 \end{array}$$

이를 식으로 나타내면

$3x^3-7x^2-3x=\left(x+\frac{2}{3}\right)(3x^2-9x+3)-2$

$=3\left(x+\frac{2}{3}\right)(x^2-3x+1)-2$

$=(3x+2)(x^2-3x+1)-2$

∴ 몫 : x^2-3x+1, 나머지 : -2

기초 유형

| 본문 14, 15쪽 |

1-1 **1, 3, 5**

1-2

$X=A+B$

$=(2x^2-4x-2)+(3x+3)$

$=\mathbf{2x^2-x+1}$

2-1 **12, 10, 10**

2-2

$(x+2y)(3x+y)-(3x^2-xy+2y^2)$

$=3x^2+xy+6xy+2y^2-3x^2+xy-2y^2$

$=\mathbf{8xy}$

3-1 **4, 2, 13, 36**

3-2

$(x-1)(x+1)(x^4+x^2+1)$

$=(x^2-1)(x^4+x^2+1)=(x^2)^3-1^3$

$=x^6-1=10-1=\mathbf{9}$

4-1 **4, 4, 17**

4-2

$a^3+b^3=(a+b)^3-3ab(a+b)$에서

$40=4^3-3ab\times4$, $12ab=24$ $\quad\therefore ab=\mathbf{2}$

4-3

$a^2+b^2+c^2=(a+b+c)^2-2(ab+bc+ca)$

$=1^2-2\times(-2)=\mathbf{5}$

1주 2일 항등식과 나머지정리

개념 확인

| 본문 17, 19쪽 |

1-1

(1) $x^2+ax+4=bx^2+3x-c$에서

$1=b$, $a=3$, $4=-c$

$\therefore$ $\boldsymbol{a=3}$, $\boldsymbol{b=1}$, $\boldsymbol{c=-4}$

(2) $(a+2)x^2+(4-b)x-c+2=0$에서

$a+2=0$, $4-b=0$, $-c+2=0$

$\therefore$ $\boldsymbol{a=-2}$, $\boldsymbol{b=4}$, $\boldsymbol{c=2}$

(3) 주어진 등식의 우변을 전개하여 정리하면

$(x-1)^2(x+c)=(x^2-2x+1)(x+c)$

$=x^3+(c-2)x^2+(-2c+1)x+c$

즉, $x^3+ax+b=x^3+(c-2)x^2+(-2c+1)x+c$에서

$0=c-2$, $a=-2c+1$, $b=c$

$\therefore$ $\boldsymbol{a=-3}$, $\boldsymbol{b=2}$, $\boldsymbol{c=2}$

(4) 주어진 등식의 좌변을 전개하여 정리하면

$a(x-1)^2+b(x-1)+c=ax^2-2ax+a+bx-b+c$

$=ax^2+(-2a+b)x+(a-b+c)$

즉, $ax^2+(-2a+b)x+a-b+c=2x^2-3x+4$에서

$a=2$, $-2a+b=-3$, $a-b+c=4$

$\therefore$ $\boldsymbol{a=2}$, $\boldsymbol{b=1}$, $\boldsymbol{c=3}$

다른 풀이

양변에 $x=1$을 대입하면 $c=3$

양변에 $x=0$을 대입하면 $a-b+c=4$

$\therefore a-b=1$ ······㉠

양변에 $x=2$를 대입하면 $a+b+c=6$

$\therefore a+b=3$ ······㉡

㉠, ㉡을 연립하여 풀면 $a=2$, $b=1$

$\therefore a=2$, $b=1$, $c=3$

1-2

(1) 주어진 등식의 우변을 전개하여 정리하면

$x^2+ax-3=x^2+(b+3)x+3b$에서

$a=b+3$, $-3=3b$

$\therefore$ $\boldsymbol{a=2}$, $\boldsymbol{b=-1}$

(2) 주어진 등식의 우변을 전개하여 정리하면

$ax^3+bx^2+cx+d=x^3-3x^2+2x$

$\therefore$ $\boldsymbol{a=1}$, $\boldsymbol{b=-3}$, $\boldsymbol{c=2}$, $\boldsymbol{d=0}$

(3) 주어진 등식의 우변을 전개하여 정리하면

$x^3+ax^2+bx+2=x^3+x+c$

$\therefore$ $\boldsymbol{a=0}$, $\boldsymbol{b=1}$, $\boldsymbol{c=2}$

(4) 주어진 등식의 좌변을 전개하여 정리하면

$ax(x+1)(x-1)+b(x+1)(x-1)+x+1+c$

$=ax^3-ax+bx^2-b+x+1+c$

즉, $ax^3+bx^2+(-a+1)x-b+1+c=x^3-2x^2$에서

$a=1$, $b=-2$, $-a+1=0$, $-b+1+c=0$

$\therefore$ $\boldsymbol{a=1}$, $\boldsymbol{b=-2}$, $\boldsymbol{c=-3}$

다른 풀이

양변에 $x=-1$을 대입하면 $c=-3$

양변에 $x=0$을 대입하면 $-b+1+c=0$ $\therefore b=-2$

양변에 $x=2$를 대입하면 $6a+3b+3+c=0$

$6a-6=0$ $\therefore a=1$

$\therefore a=1$, $b=-2$, $c=-3$

2-1

(1) $(a+2b)x+(2a+b)y=2x+y$에서

$a+2b=2$, $2a+b=1$

$\therefore$ $\boldsymbol{a=0}$, $\boldsymbol{b=1}$

(2) 주어진 등식의 좌변을 전개하여 정리하면

$(a+b)x+(2a+3b)y=3x+4y$에서

$a+b=3$, $2a+3b=4$

$\therefore$ $\boldsymbol{a=5}$, $\boldsymbol{b=-2}$

2-2

(1) 주어진 등식의 우변을 전개하여 정리하면

$ax^2+10xy-3y^2=4cx^2+(12+bc)xy+3by^2$에서

$a=4c$, $10=12+bc$, $-3=3b$

$\therefore$ $\boldsymbol{a=8}$, $\boldsymbol{b=-1}$, $\boldsymbol{c=2}$

(2) 주어진 등식의 좌변을 전개하여 정리하면

$(a+b)x+(a-b)y+2=3x-5y+c$에서

$a+b=3$, $a-b=-5$, $2=c$

$\therefore$ $\boldsymbol{a=-1}$, $\boldsymbol{b=4}$, $\boldsymbol{c=2}$

3-1

(1) $P(x)=2x^2+4x-3$으로 놓으면

$P(1)=2+4-3=\boldsymbol{3}$

(2) $P(x)=x^3-2x^2-6x+1$로 놓으면

$P(-2)=-8-8+12+1=\boldsymbol{-3}$

(3) $P(x)=2x^3+x^2-5x-3$으로 놓으면

$P\left(\frac{1}{2}\right)=\frac{1}{4}+\frac{1}{4}-\frac{5}{2}-3=\boldsymbol{-5}$

3-2

(1) $P(-3)=-27-27+4=\boldsymbol{-50}$

(2) $P(2)=8-12+4=\boldsymbol{0}$

(3) $P\left(-\frac{1}{2}\right)=-\frac{1}{8}-\frac{3}{4}+4=\boldsymbol{\frac{25}{8}}$

4-1

$f(x)$가 $g(x)$로 나누어떨어지려면

(1) $f(1)=1-2+a=0$ $\quad\therefore \boldsymbol{a=1}$

(2) $f(-2)=-8+2a+2=0,\ 2a=6$ $\quad\therefore \boldsymbol{a=3}$

(3) $f\left(-\frac{1}{3}\right)=\frac{1}{3}+\frac{1}{3}(a+1)-a=0$

$-\frac{2}{3}a=-\frac{2}{3}$ $\quad\therefore \boldsymbol{a=1}$

4-2

$f(x)$가 $g(x)$로 나누어떨어지려면

(1) $f(2)=8-2a+2=0,\ 2a=10$ $\quad\therefore \boldsymbol{a=5}$

(2) $f(-1)=-1-a+5-6=0$ $\quad\therefore \boldsymbol{a=-2}$

(3) $f\left(\frac{2}{3}\right)=\frac{8}{27}a-\frac{8}{9}-8+8=0$

$\frac{8}{27}a=\frac{8}{9}$ $\quad\therefore \boldsymbol{a=3}$

기초 유형

| 본문 20, 21쪽 |

1-1 **5, 1, 5**

1-2

주어진 등식의 우변을 전개하여 정리하면

$x^2+ax+b=x^2+3x-10$에서

$\boldsymbol{a=3,\ b=-10}$

2-1 **1, 12, 3, 6**

2-2

양변에 $x=1$을 대입하면 $c=2$

양변에 $x=0$을 대입하면 $a-b+c=-3$

$\therefore a-b=-5$ ……㉠

양변에 $x=2$를 대입하면 $a+b+c=9$

$\therefore a+b=7$ ……㉡

㉠, ㉡을 연립하여 풀면 $a=1,\ b=6$

$\therefore \boldsymbol{a=1,\ b=6,\ c=2}$

3-1 **7, 7, 3**

3-2

$P(x)$를 $2x+1$로 나누었을 때의 나머지가 1이므로

$P\left(-\frac{1}{2}\right)=1$

$-\frac{1}{8}+\frac{1}{2}+a=1$ $\quad\therefore \boldsymbol{a=\frac{5}{8}}$

4-1 **0, 0, 4**

4-2

$P(x)=x^3-3x^2-x+3$으로 놓으면

$P(1)=1-3-1+3=0$

$P(-1)=-1-3+1+3=0$

$P(2)=8-12-2+3=-3$

$P(-2)=-8-12+2+3=-15$

$P(3)=27-27-3+3=0$

$P(-3)=-27-27+3+3=-48$

이므로 다항식 x^3-3x^2-x+3의 인수는 $\boldsymbol{x-1,\ x+1,\ x-3}$이다.

4-3

$P(x)$가 $x-3$으로 나누어떨어지므로

$P(3)=0$

$27-18-15+a=0$ $\quad\therefore \boldsymbol{a=6}$

1주 3일 인수분해

개념 확인

| 본문 23, 25쪽 |

1-1

(1) $a^3+8b^3=\boldsymbol{(a+2b)(a^2-2ab+4b^2)}$

(2) $2x^3-128y^3=2(x^3-64y^3)$

$=\boldsymbol{2(x-4y)(x^2+4xy+16y^2)}$

(3) $2x^4y-54xy^4=2xy(x^3-27y^3)$

$=\boldsymbol{2xy(x-3y)(x^2+3xy+9y^2)}$

1-2

(1) $27a^3+125b^3=\boldsymbol{(3a+5b)(9a^2-15ab+25b^2)}$

(2) $a^6-b^6=(a^3)^2-(b^3)^2$

$=(a^3+b^3)(a^3-b^3)$

$=\boldsymbol{(a+b)(a^2-ab+b^2)(a-b)(a^2+ab+b^2)}$

(3) $abx^3-a^4b=ab(x^3-a^3)$

$=\boldsymbol{ab(x-a)(x^2+ax+a^2)}$

2-1

(1) a^2-ac-b^2+bc

$=(a^2-b^2)-c(a-b)$

$=(a+b)(a-b)-c(a-b)$

$=\boldsymbol{(a-b)(a+b-c)}$

(2) $a^2-4b^2+a^2c-4b^2c$

$=a^2-4b^2+c(a^2-4b^2)$

$=(a^2-4b^2)(1+c)$

$=\mathbf{(a+2b)(a-2b)(c+1)}$

(3) $x^2-y^2-z^2+2yz$

$=x^2-(y^2-2yz+z^2)$

$=x^2-(y-z)^2$

$=\mathbf{(x+y-z)(x-y+z)}$

(4) $x^2+3xy+2y^2+3x+5y+2$

$=x^2+3(y+1)x+(2y^2+5y+2)$

$=x^2+3(y+1)x+(y+2)(2y+1)$

$=\mathbf{(x+y+2)(x+2y+1)}$

2-2

(1) $ab^3-b^2-ab+1=ab(b^2-1)-(b^2-1)$

$=(b^2-1)(ab-1)$

$=\mathbf{(b+1)(b-1)(ab-1)}$

(2) $a^3+ac-c-1=a^3-1+c(a-1)$

$=(a-1)(a^2+a+1)+c(a-1)$

$=\mathbf{(a-1)(a^2+a+1+c)}$

(3) $bc(b-c)+ca(c-a)+ab(a-b)$

$=b^2c-bc^2+c^2a-ca^2+a^2b-ab^2$

$=(b-c)a^2-(b^2-c^2)a+bc(b-c)$

$=(b-c)\{a^2-(b+c)a+bc\}$

$=\mathbf{(b-c)(a-b)(a-c)}$

(4) $6x^2+xy-y^2+x+3y-2$

$=6x^2+(y+1)x-(y^2-3y+2)$

$=6x^2+(y+1)x-(y-1)(y-2)$

$=\mathbf{(2x+y-1)(3x-y+2)}$

3-1

(1) $x^2-3x=X$로 놓으면

$(x^2-3x)^2-2(x^2-3x)-8$

$=X^2-2X-8=(X+2)(X-4)$

$=(x^2-3x+2)(x^2-3x-4)$

$=\mathbf{(x-1)(x-2)(x+1)(x-4)}$

(2) $x^2-x=X$로 놓으면

$(x^2-x)(x^2-x-8)+12$

$=X(X-8)+12$

$=X^2-8X+12=(X-2)(X-6)$

$=(x^2-x-2)(x^2-x-6)$

$=\mathbf{(x+1)(x-2)(x+2)(x-3)}$

(3) $a+1=X$로 놓으면

$(a+1)^2-2b(a+1)+b^2$

$=X^2-2bX+b^2=(X-b)^2$

$=\mathbf{(a+1-b)^2}$

(4) $(x-4)(x-2)(x+1)(x+3)+24$

$=\{(x-4)(x+3)\}\{(x-2)(x+1)\}+24$

$=(x^2-x-12)(x^2-x-2)+24$

$x^2-x=X$로 놓으면

(주어진 식)$=(X-12)(X-2)+24$

$=X^2-14X+48$

$=(X-6)(X-8)$

$=(x^2-x-6)(x^2-x-8)$

$=\mathbf{(x+2)(x-3)(x^2-x-8)}$

3-2

(1) $x-y=X$로 놓으면

$(x-y)^2-5(x-y)+6$

$=X^2-5X+6$

$=(X-2)(X-3)$

$=\mathbf{(x-y-2)(x-y-3)}$

(2) $(x^2+3x)^2-3x^2-9x-10$

$=(x^2+3x)^2-3(x^2+3x)-10$

$x^2+3x=X$로 놓으면

(주어진 식)$=X^2-3X-10$

$=(X+2)(X-5)$

$=(x^2+3x+2)(x^2+3x-5)$

$=\mathbf{(x+1)(x+2)(x^2+3x-5)}$

(3) $x+1=X$로 놓으면

$(x+1)^2-(x+1)y-6y^2$

$=X^2-yX-6y^2$

$=(X+2y)(X-3y)$

$=\mathbf{(x+1+2y)(x+1-3y)}$

(4) $(x+1)(x+2)(x+3)(x+4)-8$

$=\{(x+1)(x+4)\}\{(x+2)(x+3)\}-8$

$=(x^2+5x+4)(x^2+5x+6)-8$

$x^2+5x=X$로 놓으면

(주어진 식)$=(X+4)(X+6)-8$

$=X^2+10X+16$

$=(X+2)(X+8)$

$=\mathbf{(x^2+5x+2)(x^2+5x+8)}$

4-1

(1) $P(x)=x^3-4x^2+5x-2$로 놓으면 $P(1)=0$이므로 $P(x)$는 $x-1$을 인수로 갖는다.

조립제법을 이용하여 $P(x)$를 인수분해하면

x^3-4x^2+5x-2

$=(x-1)(x^2-3x+2)$

$=(x-1)(x-1)(x-2)$

$=\mathbf{(x-1)^2(x-2)}$

1	1	−4	5	−2
		1	−3	2
	1	−3	2	0

(2) $P(x)=x^4+x^3-7x^2-x+6$으로 놓으면 $P(-1)=0$, $P(2)=0$이므로 $P(x)$는 $x+1$, $x-2$를 인수로 갖는다.
조립제법을 이용하여 $P(x)$를 인수분해하면

-1	1	1	-7	-1	6
		-1	0	7	-6
2	1	0	-7	6	0
		2	4	-6	
	1	2	-3	0	

$x^4+x^3-7x^2-x+6$
$=(x+1)(x-2)(x^2+2x-3)$
$=\boldsymbol{(x+1)(x-2)(x-1)(x+3)}$

4-2

(1) $P(x)=x^3-3x-2$로 놓으면 $P(-1)=0$이므로 $P(x)$는 $x+1$을 인수로 갖는다.
조립제법을 이용하여 $P(x)$를 인수분해하면

x^3-3x-2
$=(x+1)(x^2-x-2)$
$=(x+1)(x+1)(x-2)$
$=\boldsymbol{(x+1)^2(x-2)}$

-1	1	0	-3	-2
		-1	1	2
	1	-1	-2	0

(2) $P(x)=x^4+2x^3-2x^2-2x+1$로 놓으면 $P(-1)=0$, $P(1)=0$이므로 $P(x)$는 $x+1$, $x-1$을 인수로 갖는다.
조립제법을 이용하여 $P(x)$를 인수분해하면

-1	1	2	-2	-2	1
		-1	-1	3	-1
1	1	1	-3	1	0
		1	2	-1	
	1	2	-1	0	

$x^4+2x^3-2x^2-2x+1$
$=\boldsymbol{(x+1)(x-1)(x^2+2x-1)}$

기초 유형

| 본문 26, 27쪽 |

1-1 **3, 3, 12**

1-2

$x^3-9x^2+27x-27$
$=x^3-3\times x^2\times 3+3\times x\times 3^2-3^3$
$=\boldsymbol{(x-3)^3}$

2-1 **1, 2, 2, 2, 2**

2-2

47을 a라 하면

$\dfrac{47^3-8}{47\times 49+4}=\dfrac{a^3-8}{a(a+2)+4}=\dfrac{(a-2)(a^2+2a+4)}{a^2+2a+4}$
$=a-2=47-2$
$=\mathbf{45}$

3-1 **3, 4**

3-2

$x^2=X$로 놓으면
$x^4+2x^2-24=X^2+2X-24$
$=(X+6)(X-4)$
$=(x^2+6)(x^2-4)$
$=\boldsymbol{(x^2+6)(x+2)(x-2)}$

3-3

$x^2+2x=X$로 놓으면
$(x^2+2x)(x^2+2x+4)+4=X(X+4)+4$
$=X^2+4X+4=(X+2)^2$
$=\boldsymbol{(x^2+2x+2)^2}$

4-1 **2, 2, 4**

4-2

$P(x)=x^3-7x-6$으로 놓으면 $P(-1)=0$이므로 $P(x)$는 $x+1$을 인수로 갖는다.
조립제법을 이용하여 $P(x)$를 인수분해하면

x^3-7x-6
$=(x+1)(x^2-x-6)$
$=\boldsymbol{(x+1)(x+2)(x-3)}$

-1	1	0	-7	-6
		-1	1	6
	1	-1	-6	0

4-3

$P(x)=x^4-2x^3+2x-1$로 놓으면 $P(-1)=0$, $P(1)=0$이므로 $P(x)$는 $x+1$, $x-1$을 인수로 갖는다.
조립제법을 이용하여 $P(x)$를 인수분해하면

-1	1	-2	0	2	-1
		-1	3	-3	1
1	1	-3	3	-1	0
		1	-2	1	
	1	-2	1	0	

$x^4-2x^3+2x-1=(x+1)(x-1)(x^2-2x+1)$
$=(x+1)(x-1)(x-1)^2$
$=(x-1)^3(x+1)$

$\therefore\ \boldsymbol{a=-1,\ b=1}$

1주 4일 복소수

개념 확인

| 본문 29, 31쪽 |

1-1

(1) $x+2y$, $2x-y$는 실수이므로 복소수가 서로 같을 조건에 의하여

$x+2y=3$, $2x-y=-4$

두 식을 연립하여 풀면 $\boldsymbol{x=-1,\ y=2}$

(2) $x-2$, $y+1$은 실수이므로 복소수가 서로 같을 조건에 의하여

$x-2=0$, $y+1=0$ $\therefore \boldsymbol{x=2,\ y=-1}$

1-2

(1) $2x+y$, $-x+2y$는 실수이므로 복소수가 서로 같을 조건에 의하여

$2x+y=1$, $-x+2y=2$

두 식을 연립하여 풀면 $\boldsymbol{x=0,\ y=1}$

(2) $x-y-2$, $x-2y$는 실수이므로 복소수가 서로 같을 조건에 의하여

$x-y-2=0$, $x-2y=0$

두 식을 연립하여 풀면 $\boldsymbol{x=4,\ y=2}$

2-1

(1) $(1+i)+4i=1+(1+4)i=\boldsymbol{1+5i}$

(2) $(-2+i)-(-1+4i)=\{-2-(-1)\}+(1-4)i$
$=\boldsymbol{-1-3i}$

(3) $(1-2i)(2-i)=2-i-4i+2i^2$
$=2-5i-2=\boldsymbol{-5i}$

(4) $\dfrac{-3+2i}{2+i}=\dfrac{(-3+2i)(2-i)}{(2+i)(2-i)}$
$=\dfrac{-6+3i+4i-2i^2}{4-i^2}$
$=\dfrac{-4+7i}{5}=\boldsymbol{-\dfrac{4}{5}+\dfrac{7}{5}i}$

2-2

(1) $(2-3i)+(1+i)=(2+1)+(-3+1)i=\boldsymbol{3-2i}$

(2) $(1-3i)-(2+3i)=(1-2)+(-3-3)i$
$=\boldsymbol{-1-6i}$

(3) $(2-3i)(1+2i)=2+4i-3i-6i^2$
$=2+i+6=\boldsymbol{8+i}$

(4) $\dfrac{1+i}{1-i}=\dfrac{(1+i)^2}{(1-i)(1+i)}=\dfrac{1+2i+i^2}{1-i^2}$
$=\dfrac{2i}{2}=\boldsymbol{i}$

3-1

(1) $(1-i)^3=1-3i+3i^2-i^3$
$=1-3i-3+i$
$=\boldsymbol{-2-2i}$

(2) $i+i^2+i^3+\dfrac{1}{i}=i-1-i+\dfrac{i}{i^2}=\boldsymbol{-1-i}$

(3) $i^4+i^5+i^6+i^7=1+i-1-i=\boldsymbol{0}$

3-2

(1) $(2+i)^3=8+12i+6i^2+i^3$
$=8+12i-6-i$
$=\boldsymbol{2+11i}$

(2) $1+2i+3i^2+4i^3=1+2i-3-4i=\boldsymbol{-2-2i}$

(3) $\dfrac{1}{i}=\dfrac{i}{i^2}=-i$, $\dfrac{1}{i^2}=-1$, $\dfrac{1}{i^3}=-\dfrac{1}{i}=i$,

$\dfrac{1}{i^4}=1$, $\dfrac{1}{i^5}=\dfrac{1}{i}=-i$

$\therefore \dfrac{1}{i}+\dfrac{1}{i^2}+\dfrac{1}{i^3}+\dfrac{1}{i^4}+\dfrac{1}{i^5}=-i-1+i+1-i=\boldsymbol{-i}$

4-1

(1) $\sqrt{-8}+\sqrt{-18}=2\sqrt{2}i+3\sqrt{2}i=\boldsymbol{5\sqrt{2}i}$

(2) $\sqrt{-16}\sqrt{-25}=4i\times5i=20i^2=\boldsymbol{-20}$

(3) $\dfrac{\sqrt{48}}{\sqrt{-3}}=\dfrac{4\sqrt{3}}{\sqrt{3}i}=\dfrac{4\sqrt{3}i}{\sqrt{3}i^2}=\boldsymbol{-4i}$

(4) $(1+\sqrt{-2})^2=(1+\sqrt{2}i)^2=1+2\sqrt{2}i+2i^2$
$=\boldsymbol{-1+2\sqrt{2}i}$

4-2

(1) $\sqrt{-75}-\sqrt{-27}=5\sqrt{3}i-3\sqrt{3}i=\boldsymbol{2\sqrt{3}i}$

(2) $\sqrt{-6}\sqrt{-24}=\sqrt{6}i\times2\sqrt{6}i=12i^2=\boldsymbol{-12}$

(3) $\dfrac{\sqrt{-72}}{\sqrt{32}}=\dfrac{6\sqrt{2}i}{4\sqrt{2}}=\boldsymbol{\dfrac{3}{2}i}$

(4) $(\sqrt{-3}-\sqrt{-2})^2=(\sqrt{3}i-\sqrt{2}i)^2$
$=3i^2-2\sqrt{6}i^2+2i^2$
$=\boldsymbol{-5+2\sqrt{6}}$

기초 유형

| 본문 32, 33쪽 |

1-1 3, 4

1-2

$(2+3i)-(-4+i)=\{2-(-4)\}+(3-1)i$
$=\boldsymbol{6+2i}$

2-1 $\boldsymbol{i}$, 2, 2, 7

2-2

주어진 등식의 좌변을 정리하면

$x-yi+xi-yi^2=x+y+(x-y)i$

즉, $x+y+(x-y)i=3+i$이므로 복소수가 서로 같을 조건에 의하여

$x+y=3,\ x-y=1$

두 식을 연립하여 풀면 $x=2,\ y=1$

$\therefore\ x^2+y^2=\mathbf{5}$

3-1 $\boldsymbol{i},\ \boldsymbol{i},\ \mathbf{4}$

3-2

$\bar{z}=1+2i$이므로

$$\frac{z-\bar{z}}{z+\bar{z}}=\frac{(1-2i)-(1+2i)}{(1-2i)+(1+2i)}=\frac{-4i}{2}=\mathbf{-2}\boldsymbol{i}$$

3-3

$$\begin{aligned}\alpha\bar{\alpha}+\alpha\bar{\beta}+\bar{\alpha}\beta+\beta\bar{\beta}&=\bar{\alpha}(\alpha+\beta)+\bar{\beta}(\alpha+\beta)\\&=(\alpha+\beta)(\bar{\alpha}+\bar{\beta})\\&=(\alpha+\beta)(\overline{\alpha+\beta})\end{aligned}$$

이때 $\alpha=-2+i,\ \beta=1-2i$이므로

$\alpha+\beta=-1-i,\ \overline{\alpha+\beta}=-1+i$

$\therefore$ (주어진 식)$=(-1-i)(-1+i)=1-i^2=\mathbf{2}$

4-1 **2, 2, 16, 16**

4-2

$i+i^2+i^3+i^4=0$이므로

$i+i^2+i^3+i^4+\cdots+i^{100}$

$=(i+i^2+i^3+i^4)+\cdots+i^{96}(i+i^2+i^3+i^4)$

$=\mathbf{0}$

1주 5일 이차방정식

개념 확인

| 본문 35, 37쪽 |

1-1

(1) $\boldsymbol{x}=\dfrac{-(-1)\pm\sqrt{(-1)^2-4\times1\times(-1)}}{2\times1}=\dfrac{\mathbf{1\pm\sqrt{5}}}{\mathbf{2}}$

따라서 주어진 이차방정식의 근은 **실근**이다.

(2) $\boldsymbol{x}=\dfrac{-1\pm\sqrt{1^2-4\times2\times1}}{2\times2}=\dfrac{\mathbf{-1\pm\sqrt{7}}\boldsymbol{i}}{\mathbf{4}}$

따라서 주어진 이차방정식의 근은 **허근**이다.

(3) $\boldsymbol{x}=-(-1)\pm\sqrt{(-1)^2-1\times3}=\mathbf{1\pm\sqrt{2}}\boldsymbol{i}$

따라서 주어진 이차방정식의 근은 **허근**이다.

1-2

(1) $\boldsymbol{x}=\dfrac{-(-1)\pm\sqrt{(-1)^2-4\times2\times3}}{2\times2}=\dfrac{\mathbf{1\pm\sqrt{23}}\boldsymbol{i}}{\mathbf{4}}$

따라서 주어진 이차방정식의 근은 **허근**이다.

(2) $\boldsymbol{x}=-1\pm\sqrt{1^2-1\times(-5)}=\mathbf{-1\pm\sqrt{6}}$

따라서 주어진 이차방정식의 근은 **실근**이다.

(3) $\boldsymbol{x}=\dfrac{-(-1)\pm\sqrt{(-1)^2-3\times1}}{3}=\dfrac{\mathbf{1\pm\sqrt{2}}\boldsymbol{i}}{\mathbf{3}}$

따라서 주어진 이차방정식의 근은 **허근**이다.

2-1

주어진 이차방정식의 판별식을 D라 하면

(1) $D=(-5)^2-4\times2\times1=17>0$

이므로 **서로 다른 두 실근**을 갖는다.

(2) $\dfrac{D}{4}=(-2)^2-1\times8=-4<0$

이므로 **서로 다른 두 허근**을 갖는다.

(3) 주어진 이차방정식의 양변에 10을 곱하면

$3x^2-6x+3=0$에서 $x^2-2x+1=0$

$\dfrac{D}{4}=(-1)^2-1\times1=0$

이므로 **중근**을 갖는다.

(4) $2(x+1)^2+5=0$에서 $2(x^2+2x+1)+5=0$

$\therefore\ 2x^2+4x+7=0$

$\dfrac{D}{4}=2^2-2\times7=-10<0$

이므로 **서로 다른 두 허근**을 갖는다.

2-2

주어진 이차방정식의 판별식을 D라 하면

(1) $D=(-3)^2-4\times2\times4=-23<0$

이므로 **서로 다른 두 허근**을 갖는다.

(2) $\dfrac{D}{4}=(-2)^2-1\times4=0$

이므로 **중근**을 갖는다.

(3) $\dfrac{D}{4}=1^2-\sqrt{3}\times(-\sqrt{3})=4>0$

이므로 **서로 다른 두 실근**을 갖는다.

(4) $(x+1)(x-4)=x$에서 $x^2-3x-4=x$

$\therefore\ x^2-4x-4=0$

$\dfrac{D}{4}=(-2)^2-1\times(-4)=8>0$

이므로 **서로 다른 두 실근**을 갖는다.

3-1

근과 계수의 관계에 의하여

$\alpha+\beta=2,\ \alpha\beta=-1$

(1) $\alpha\beta(\alpha+\beta)=2\times(-1)=\mathbf{-2}$

(2) $\alpha^2+\alpha\beta+\beta^2=(\alpha+\beta)^2-\alpha\beta=2^2-(-1)=\mathbf{5}$

(3) $(\alpha+1)(\beta+1)=\alpha\beta+(\alpha+\beta)+1$

$=-1+2+1=\mathbf{2}$

(4) $\frac{1}{\alpha}+\frac{1}{\beta}=\frac{\alpha+\beta}{\alpha\beta}=\frac{2}{-1}=\mathbf{-2}$

3-2

근과 계수의 관계에 의하여

$\alpha+\beta=2,\ \alpha\beta=-\frac{3}{2}$

(1) $\alpha^2\beta+\alpha\beta^2=\alpha\beta(\alpha+\beta)=2\times\left(-\frac{3}{2}\right)=\mathbf{-3}$

(2) $(\alpha-\beta)^2=(\alpha+\beta)^2-4\alpha\beta=2^2-4\times\left(-\frac{3}{2}\right)=\mathbf{10}$

(3) $(\alpha-1)(\beta-1)=\alpha\beta-(\alpha+\beta)+1$

$=-\frac{3}{2}-2+1=\mathbf{-\frac{5}{2}}$

(4) $\frac{\beta}{\alpha}+\frac{\alpha}{\beta}=\frac{\alpha^2+\beta^2}{\alpha\beta}=\frac{(\alpha+\beta)^2-2\alpha\beta}{\alpha\beta}$

$=\frac{2^2-2\times\left(-\frac{3}{2}\right)}{-\frac{3}{2}}=\mathbf{-\frac{14}{3}}$

4-1

(1) (두 근의 합)$=1+(-1)=0$

(두 근의 곱)$=1\times(-1)=-1$

따라서 구하는 이차방정식은 $\mathbf{x^2-1=0}$

(2) (두 근의 합)$=(1+\sqrt{2})+(1-\sqrt{2})=2$

(두 근의 곱)$=(1+\sqrt{2})(1-\sqrt{2})=-1$

따라서 구하는 이차방정식은 $\mathbf{x^2-2x-1=0}$

4-2

(1) (두 근의 합)$=3+4=7$

(두 근의 곱)$=3\times4=12$

따라서 구하는 이차방정식은 $\mathbf{x^2-7x+12=0}$

(2) (두 근의 합)$=(2+i)+(2-i)=4$

(두 근의 곱)$=(2+i)(2-i)=5$

따라서 구하는 이차방정식은 $\mathbf{x^2-4x+5=0}$

기초 유형

| 본문 38, 39쪽 |

1-1 **0, 4, 4**

1-2

$x^2-4x+a-5=0$의 판별식을 D라 하면

$\frac{D}{4}=(-2)^2-1\times(a-5)<0$

$9-a<0 \qquad \therefore \mathbf{a>9}$

2-1 **−3, −3, 4**

2-2

근과 계수의 관계에 의하여

$\alpha+\beta=3,\ \alpha\beta=5$

$\therefore \frac{\beta^2}{\alpha}+\frac{\alpha^2}{\beta}=\frac{\alpha^3+\beta^3}{\alpha\beta}=\frac{(\alpha+\beta)^3-3\alpha\beta(\alpha+\beta)}{\alpha\beta}$

$=\frac{3^3-3\times5\times3}{5}=\mathbf{-\frac{18}{5}}$

3-1 **10, 10**

3-2

근과 계수의 관계에 의하여

$\alpha+\beta=-a,\ \alpha\beta=-3$

$\alpha^2+\beta^2=12$에서 $(\alpha+\beta)^2-2\alpha\beta=12$

$(-a)^2-2\times(-3)=12,\ a^2=6$

$\therefore \mathbf{a=\sqrt{6}}\ (\because a>0)$

4-1 **10, 16, −10, 16**

4-2

근과 계수의 관계에 의하여

$\alpha+\beta=-3,\ \alpha\beta=\frac{1}{2}$

두 근 $\alpha+\beta$, $\alpha\beta$의 합과 곱을 구하면

$(\alpha+\beta)+\alpha\beta=-3+\frac{1}{2}=-\frac{5}{2}$

$(\alpha+\beta)\alpha\beta=-3\times\frac{1}{2}=-\frac{3}{2}$

따라서 구하는 이차방정식은

$\mathbf{x^2+\frac{5}{2}x-\frac{3}{2}=0}$

누구나 100점 테스트

본문 40, 41쪽

1 답 ③

$A+B=(xy+x-1)+(xy-x+2)$

$=2xy+1$

2 답 ②

$(a+b-c)^2=a^2+b^2+c^2+2ab-2bc-2ca$에서

$a^2+b^2+c^2=(a+b-c)^2-2(ab-bc-ca)$

$=25-2\times(-2)$

$=29$

3 답 ④

주어진 등식의 우변을 전개하여 정리하면

$2x^2+3x+4=2x^2+(4+a)x+2+a+b$에서

$3=4+a,\ 4=2+a+b$

따라서 $a=-1,\ b=3$이므로

$a-b=-4$

다른 풀이

양변에 $x=-1$을 대입하면 $3=b$

양변에 $x=0$을 대입하면 $4=2+a+b$ $\quad\therefore a=-1$

$\therefore a-b=-4$

4 답 28

$2020=a$로 놓으면

$(2020+1)(2020^2-2020+1)=(a+1)(a^2-a+1)=a^3+1$

이때 $2017=a-3$이므로 a^3+1을 $a-3$으로 나누었을 때의 몫을 $Q(a)$, 나머지를 R라 하면

$a^3+1=(a-3)Q(a)+R$

양변에 $a=3$을 대입하면

$3^3+1=R$ $\quad\therefore R=28$

5 답 ③

$P(x)=2x^3-3x^2-12x-7$로 놓으면 $P(-1)=0$이므로 $P(x)$는 $x+1$을 인수로 갖는다.

조립제법을 이용하여 $P(x)$를 인수분해하면

-1	2	-3	-12	-7
		-2	5	7
	2	-5	-7	0

$2x^3-3x^2-12x-7$

$=(x+1)(2x^2-5x-7)$

$=(x+1)^2(2x-7)$

따라서 $a=1,\ b=2,\ c=-7$이므로

$a+b+c=-4$

6 답 ②

$(2-3i)+i(-1+4i)=2-3i-i-4=-2-4i$

7 답 12

$i+2i^2+3i^3+4i^4+5i^5=i-2-3i+4+5i=2+3i$

따라서 $a=2,\ b=3$이므로

$3a+2b=6+6=12$

8 답 ④

이차방정식 $x^2+4x+k-3=0$의 판별식을 D라 하면

$\frac{D}{4}=2^2-1\times(k-3)\geq 0$

$7-k\geq 0$ $\quad\therefore k\leq 7$

따라서 구하는 자연수 k의 개수는 1, 2, 3, $\cdots$, 7의 7이다.

9 답 4

근과 계수의 관계에 의하여

$\alpha+\beta=-8,\ \alpha\beta=-2$

$\therefore \frac{\alpha+\beta}{\alpha\beta}=\frac{-8}{-2}=4$

10 답 20

근과 계수의 관계에 의하여

$\alpha+\beta=k,\ \alpha\beta=4$

$\frac{1}{\alpha}+\frac{1}{\beta}=5$에서 $\frac{\alpha+\beta}{\alpha\beta}=5$

$\frac{k}{4}=5$ $\quad\therefore k=20$

창의 · 융합 · 코딩

본문 42~47쪽

정답 39

버튼을 한 번 누르면 복소수가 하나씩 적힌 세 개의 공이 굴러 나오는 기계가 있다.

어느 상점에서 이 기계를 이용한 사람에게 굴러 나온 세 개의 공 중 두 개를 선택하게 하여 적힌 수의 곱이 자연수가 될 때, 그 자연수만큼 사탕으로 교환해 준다고 한다.

한 학생이 버튼을 한 번 눌렀더니 세 복소수 $2-3i,\ 1+2i,\ 6+9i$가 각각 적힌 세 개의 공이 굴러 나왔다. ❶

이 학생이 a개의 사탕으로 교환해 갔을 때, 자연수 a의 값을 구하시오. (단, $i=\sqrt{-1}$) [2018 9월 실시 고1 교육청 11번] ❷

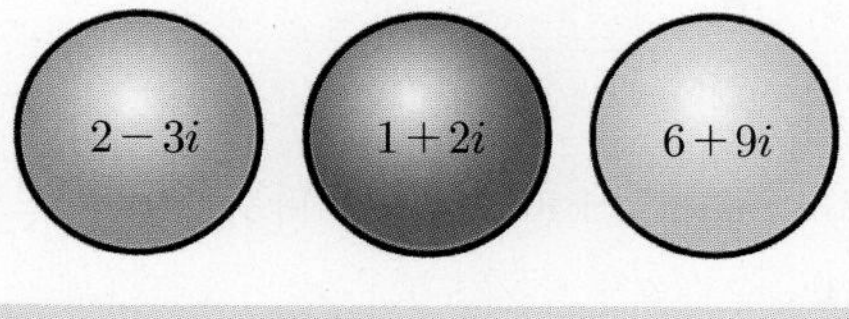

❶ 두 개의 복소수의 곱을 각각 구한다.

❷ 복소수의 곱셈이 자연수가 되는 경우의 그 값을 구한다.

❶ $(2-3i)(1+2i)=2+4i-3i+6=8+i$

$(2-3i)(6+9i)=12+18i-18i+27=39$

$(1+2i)(6+9i)=6+9i+12i-18=-12+21i$

❷ 적힌 수의 곱이 자연수가 되는 경우는 $2-3i,\ 6+9i$일 때이고, 이때의 곱은 39이므로 사탕으로 교환해 간 개수는 39이다.

따라서 구하는 자연수 a의 값은 39

1 답 6, 6, 9

2 답 $-2x^2+4x$

❶ $A=-2x^2+(x^3+1)+Q(x)$
$=x^3-2x^2+1+Q(x)$
$B=Q(x)+(x^3-3x^2)+(x^2+1)$
$=x^3-2x^2+1+Q(x)$
$C=(x^2+1)+P(x)+(x^3+x^2)$
$=x^3+2x^2+1+P(x)$
$D=-2x^2+(2x+1)+(x^3+x^2)$
$=x^3-x^2+2x+1$

❷ 다항식 A, B, C, D가 x의 값에 관계없이 모두 같으므로
$x^3+2x^2+1+P(x)=x^3-x^2+2x+1$에서
$P(x)=-3x^2+2x$
$x^3-2x^2+1+Q(x)=x^3-x^2+2x+1$에서
$Q(x)=x^2+2x$

❸ $\therefore P(x)+Q(x)=(-3x^2+2x)+(x^2+2x)$
$=-2x^2+4x$

3 답 40

❶ $x^4+ax+b=(x-2)^2Q(x)$
조립제법을 이용하면

2	1	0	0	a	b
		2	4	8	$2a+16$
	1	2	4	$a+8$	$b+2a+16$

이때 x^4+ax+b는 $x-2$로 나누어떨어지므로
$b+2a+16=0$ ……㉠
x^4+ax+b를 $x-2$로 나누었을 때의 몫은 $(x-2)Q(x)$이므로
$(x-2)Q(x)=x^3+2x^2+4x+a+8$
다시 조립제법을 이용하면

2	1	2	4	$a+8$
		2	8	24
	1	4	12	$a+32$

또 $x^3+2x^2+4x+a+8$도 $x-2$로 나누어떨어지므로
$a+32=0$　　$\therefore a=-32$
$a=-32$를 ㉠에 대입하면
$b-64+16=0$　　$\therefore b=48$

❷ $x^4+ax+b=(x-2)^2(x^2+4x+12)$이므로
$Q(x)=x^2+4x+12$

❸ 따라서 $a=-32$, $b=48$, $Q(2)=4+8+12=24$이므로
$a+b+Q(2)=-32+48+24=40$

4 답 $-i$, -1, 0

5 답 18

❶ $(x-a)(x-b)+(x-b)(x-c)+(x-c)(x-a)$
$=x^2-(a+b)x+ab+x^2-(b+c)x+bc+x^2-(c+a)x+ca$
$=3x^2-2(a+b+c)x+ab+bc+ca=0$

❷ 근과 계수의 관계에 의하여
$\frac{2(a+b+c)}{3}=4$, $\frac{ab+bc+ca}{3}=-3$
$\therefore a+b+c=6$, $ab+bc+ca=-9$

❸ $(x-a)^2+(x-b)^2+(x-c)^2$
$=(x^2-2ax+a^2)+(x^2-2bx+b^2)+(x^2-2cx+c^2)$
$=3x^2-2(a+b+c)x+a^2+b^2+c^2=0$

❹ 근과 계수의 관계에 의하여 두 근의 곱은
$$\frac{a^2+b^2+c^2}{3}=\frac{1}{3}\{(a+b+c)^2-2(ab+bc+ca)\}$$
$$=\frac{1}{3}\{6^2-2\times(-9)\}$$
$$=\frac{1}{3}\times54=18$$

6 답 2

❶ ㈎에서 $f(x)=x^2+px+q$를 $x-1$로 나누었을 때의 나머지가 1이므로 나머지정리에 의하여
$f(1)=1+p+q=1$
$\therefore p+q=0$ ……㉠

❷ ㈏에서 이차방정식 $f(x)=x^2+px+q=0$의 한 근이 $a+i$이므로 다른 한 근은 $a-i$이다.
근과 계수의 관계에 의하여
(두 근의 합)$=(a+i)+(a-i)=-p$
$2a=-p$　　$\therefore p=-2a$
(두 근의 곱)$=(a+i)(a-i)=q$
$a^2-i^2=q$　　$\therefore q=a^2+1$

❸ $p=-2a$, $q=a^2+1$을 ㉠에 대입하면
$-2a+(a^2+1)=0$, $a^2-2a+1=0$
$(a-1)^2=0$　　$\therefore a=1$
따라서 $p=-2$, $q=2$이므로
$p+2q=-2+4=2$

2주 1일 이차방정식과 이차함수

개념 확인

| 본문 53, 55쪽 |

1-1

(1) 이차방정식 $-x^2-3x+4=0$, 즉 $x^2+3x-4=0$의 판별식을 D라 하면 $D=3^2+16=25>0$

따라서 **서로 다른 두 점에서 만난다.**

(2) 이차방정식 $9x^2-6x+1=0$의 판별식을 D라 하면

$\frac{D}{4}=(-3)^2-9=0$

따라서 **한 점에서 만난다. (접한다.)**

(3) 이차방정식 $x^2-2x+5=0$의 판별식을 D라 하면

$\frac{D}{4}=(-1)^2-5=-4<0$

따라서 **만나지 않는다.**

1-2

(1) 이차방정식 $4x^2-12x+9=0$의 판별식을 D라 하면

$\frac{D}{4}=(-6)^2-36=0$

따라서 **한 점에서 만난다. (접한다.)**

(2) 이차방정식 $3x^2-2x+6=0$의 판별식을 D라 하면

$\frac{D}{4}=(-1)^2-18=-17<0$

따라서 **만나지 않는다.**

(3) 이차방정식 $3x^2-x-6=0$의 판별식을 D라 하면

$D=(-1)^2+72=73>0$

따라서 **서로 다른 두 점에서 만난다.**

2-1

$y=2x+k$를 $y=x^2-2x-1$에 대입하면

$2x+k=x^2-2x-1$, $x^2-4x-k-1=0$

이 이차방정식의 판별식을 D라 하면

$\frac{D}{4}=(-2)^2-(-k-1)=k+5$

(1) 서로 다른 두 점에서 만나려면 $D>0$이어야 하므로

$k+5>0 \quad \therefore \boldsymbol{k>-5}$

(2) 한 점에서 만나려면 $D=0$이어야 하므로

$k+5=0 \quad \therefore \boldsymbol{k=-5}$

(3) 만나지 않으려면 $D<0$이어야 하므로

$k+5<0 \quad \therefore \boldsymbol{k<-5}$

2-2

$y=4x-2$를 $y=x^2-x+k$에 대입하면

$4x-2=x^2-x+k$, $x^2-5x+k+2=0$

이 이차방정식의 판별식을 D라 하면

$D=(-5)^2-4(k+2)=-4k+17$

(1) 서로 다른 두 점에서 만나려면 $D>0$이어야 하므로

$-4k+17>0 \quad \therefore \boldsymbol{k<\frac{17}{4}}$

(2) 한 점에서 만나려면 $D=0$이어야 하므로

$-4k+17=0 \quad \therefore \boldsymbol{k=\frac{17}{4}}$

(3) 만나지 않으려면 $D<0$이어야 하므로

$-4k+17<0 \quad \therefore \boldsymbol{k>\frac{17}{4}}$

3-1

(1) $y=x^2-4x+5$

$=(x-2)^2+1$

따라서 **최솟값은** $x=2$일 때 **1**이고, **최댓값은 없다.**

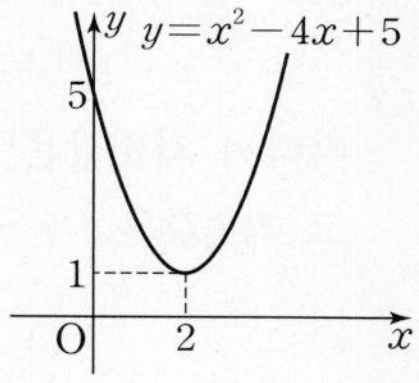

(2) $y=-2x^2-4x+1$

$=-2(x+1)^2+3$

따라서 **최댓값은** $x=-1$일 때 **3**이고, **최솟값은 없다.**

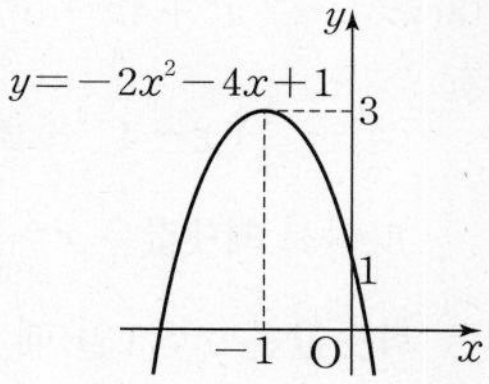

(3) $y=3x^2+6x+2$

$=3(x+1)^2-1$

따라서 **최솟값은** $x=-1$일 때 **−1**이고, **최댓값은 없다.**

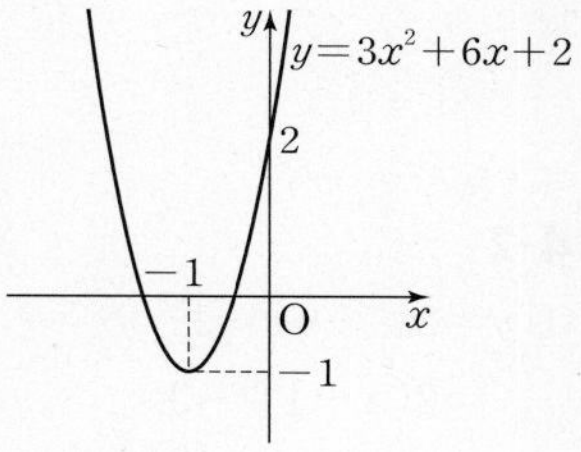

3-2

(1) $y=2x^2-4x-1$

$=2(x-1)^2-3$

따라서 **최솟값은** $x=1$일 때 **−3**이고, **최댓값은 없다.**

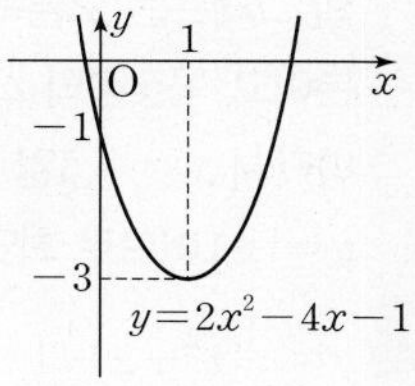

(2) $y=-3x^2+6x-5$

$=-3(x-1)^2-2$

따라서 **최댓값은** $x=1$일 때 **−2**이고, **최솟값은 없다.**

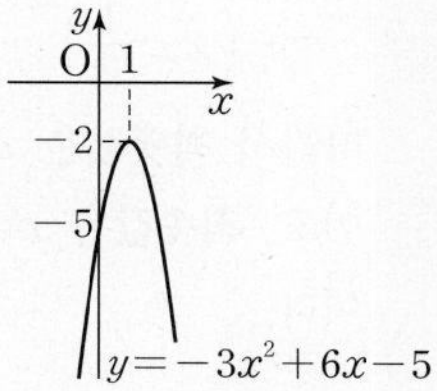

(3) $y=-\frac{1}{4}x^2+5x$

$=-\frac{1}{4}(x-10)^2+25$

따라서 **최댓값은** $x=10$일 때 **25**이고, **최솟값은 없다.**

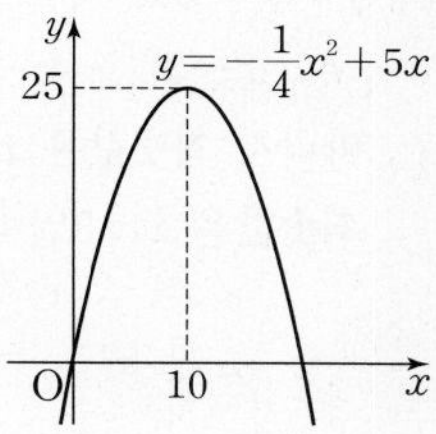

4-1

(1) $y=x^2-2x+2$

$=(x-1)^2+1$

따라서 **최댓값은** $x=-1$일 때 **5**이고, **최솟값은** $x=1$일 때 **1**이다.

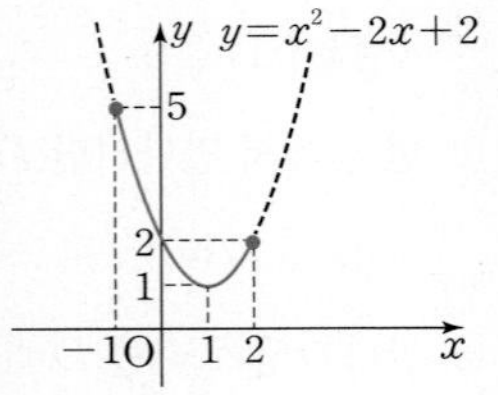

참고 $-1\le x\le 2$일 때, 이차함수의 그래프는 오른쪽 그림의 실선 부분이고, 꼭짓점의 x좌표는 주어진 범위에 포함된다.
따라서 $x=-1$일 때 $y=5$, $x=1$일 때 $y=1$, $x=2$일 때 $y=2$이므로 최댓값은 5, 최솟값은 1이다.

(2) $y=-x^2+2x+3$

$=-(x-1)^2+4$

따라서 **최댓값은** $x=0$일 때 **3**이고, **최솟값은** $x=-2$일 때 **−5**이다.

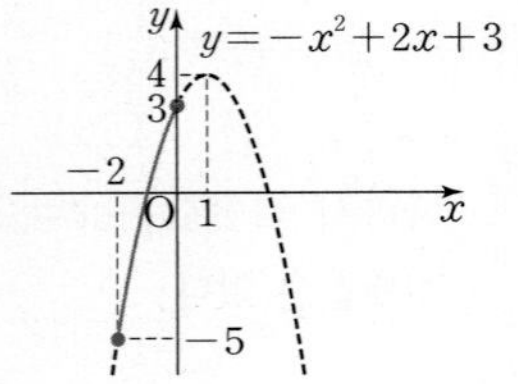

(3) $y=-\frac{1}{2}x^2+4x-5$

$=-\frac{1}{2}(x-4)^2+3$

따라서 **최댓값은** $x=4$일 때 **3**이고, **최솟값은** $x=1$일 때 $\mathbf{-\frac{3}{2}}$이다.

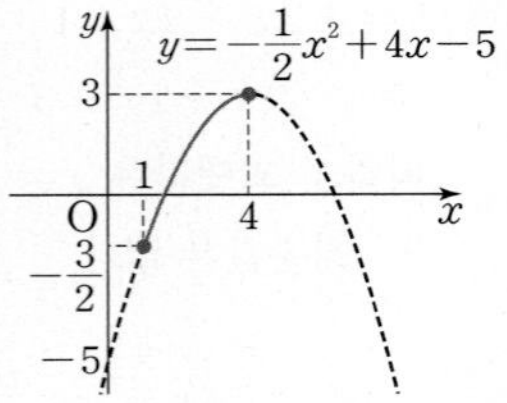

4-2

(1) $y=2x^2+4x-1$

$=2(x+1)^2-3$

따라서 **최댓값은** $x=-3$일 때 **5**이고, **최솟값은** $x=-1$일 때 **−3**이다.

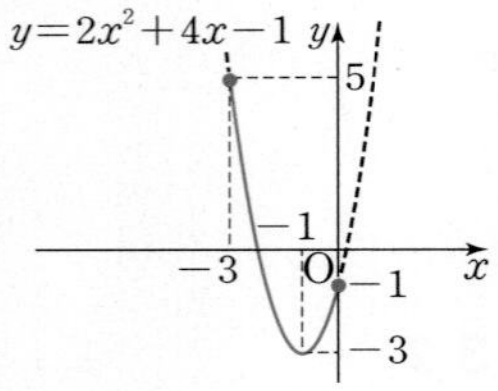

참고 $-3\le x\le 0$일 때, 이차함수의 그래프는 오른쪽 그림의 실선 부분이고, 꼭짓점의 x좌표는 주어진 범위에 포함된다.
따라서 $x=-3$일 때 $y=5$, $x=-1$일 때 $y=-3$, $x=0$일 때 $y=-1$이므로 최댓값은 5, 최솟값은 −3이다.

(2) $y=-x^2+x-1$

$=-\left(x-\frac{1}{2}\right)^2-\frac{3}{4}$

따라서 **최댓값은** $x=-1$일 때 **−3**이고, **최솟값은** $x=-3$일 때 **−13**이다.

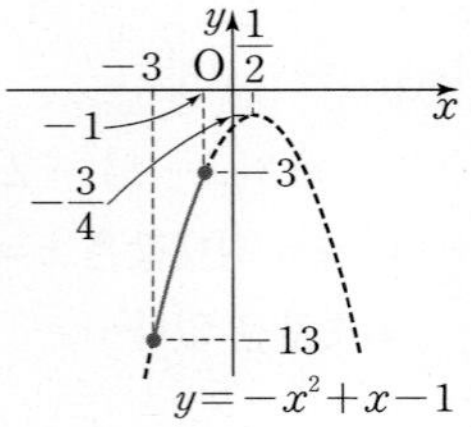

(3) $y=x^2-6x+5$

$=(x-3)^2-4$

따라서 **최댓값은** $x=5$일 때 **0**이고, **최솟값은** $x=3$일 때 **−4**이다.

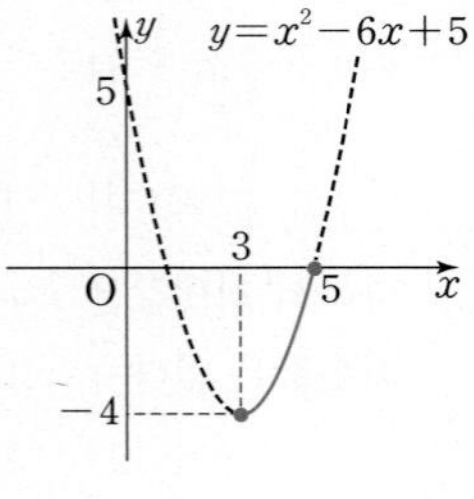

기초 유형

| 본문 56, 57쪽 |

1-1 **2, 2, 2**

1-2

이차함수 $y=x^2+ax+b$의 그래프가 x축과 만나는 두 점의 x좌표는 이차방정식 $x^2+ax+b=0$의 두 실근과 같다.
이때 이차방정식 $x^2+ax+b=0$의 두 근이 −3, 2이므로 근과 계수의 관계에 의하여

$-3+2=-a$, $-3\times 2=b$

$\therefore \mathbf{a=1, b=-6}$

2-1 **>, −7, −6**

2-2

이차함수 $y=x^2+ax+6$의 그래프와 직선 $y=x-3$이 접하려면 이차방정식 $x^2+ax+6=x-3$, 즉 $x^2+(a-1)x+9=0$이 중근을 가져야 하므로 이 이차방정식의 판별식을 D라 하면

$D=(a-1)^2-36=0$

$a^2-2a-35=0$, $(a+5)(a-7)=0$

$\therefore$ **$a=-5$ 또는 $a=7$**

3-1 **2, −8, 4**

3-2

이차함수 $y=x^2+ax+b$의 그래프와 직선 $y=-x+3$의 교점의 x좌표는 이차방정식 $x^2+ax+b=-x+3$, 즉 $x^2+(a+1)x+b-3=0$의 실근과 같다.
이때 이차방정식 $x^2+(a+1)x+b-3=0$의 두 근이 −1, 2이므로 근과 계수의 관계에 의하여

$-1+2=-(a+1)$, $-1\times 2=b-3$

$\therefore \mathbf{a=-2, b=1}$

4-1 **0, 17, 8**

4-2

$y=x^2-4x+k-3$

$=(x-2)^2+k-7$

이므로 $1\le x\le 4$에서 주어진 이차함수의 그래프는 오른쪽 그림과 같다.
즉, $x=4$일 때 최댓값 $k-3$,
$x=2$일 때 최솟값 $k-7$을 갖는다.

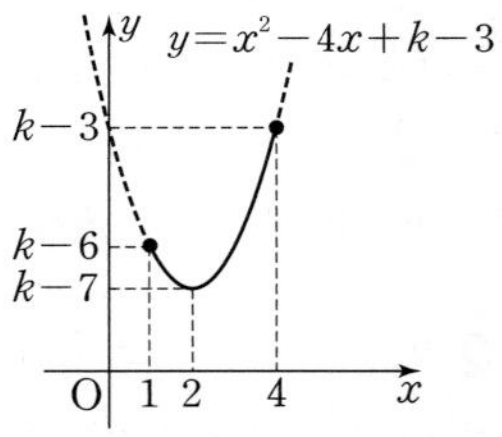

이때 최댓값이 6이므로 $k-3=6$ $\therefore k=9$
따라서 최솟값은
$k-7=9-7=$**2**

2주 2일 고차방정식

개념 확인

| 본문 59, 61쪽 |

1-1

(1) 좌변을 인수분해하면

$(x+3)(x^2-3x+9)=0$

따라서 주어진 방정식의 근은 $\boldsymbol{x=-3}$ **또는** $\boldsymbol{x=\frac{3\pm3\sqrt{3}i}{2}}$

(2) 좌변을 인수분해하면

$(x^2-1)(x^2+1)=0,\ (x+1)(x-1)(x^2+1)=0$

따라서 주어진 방정식의 근은 $\boldsymbol{x=\pm1}$ **또는** $\boldsymbol{x=\pm i}$

1-2

(1) 좌변을 인수분해하면

$(x-2)(x^2+2x+4)=0$

따라서 주어진 방정식의 근은 $\boldsymbol{x=2}$ **또는** $\boldsymbol{x=-1\pm\sqrt{3}i}$

(2) 좌변을 인수분해하면

$(x^2-6)(x^2+6)=0,\ (x+\sqrt{6})(x-\sqrt{6})(x^2+6)=0$

따라서 주어진 방정식의 근은 $\boldsymbol{x=\pm\sqrt{6}}$ **또는** $\boldsymbol{x=\pm\sqrt{6}i}$

2-1

(1) $x^2=X$로 놓으면 주어진 방정식은

$X^2+X-2=0,\ (X-1)(X+2)=0$

$\therefore X=1$ 또는 $X=-2$

따라서 $x^2=1$ 또는 $x^2=-2$이므로

$\boldsymbol{x=\pm1}$ **또는** $\boldsymbol{x=\pm\sqrt{2}i}$

(2) $x^2+x=X$로 놓으면 주어진 방정식은

$X^2-5X-6=0,\ (X-6)(X+1)=0$

$\therefore X=6$ 또는 $X=-1$

(i) $X=6$, 즉 $x^2+x=6$일 때

$x^2+x-6=0,\ (x+3)(x-2)=0$

$\therefore x=-3$ 또는 $x=2$

(ii) $X=-1$, 즉 $x^2+x=-1$일 때

$x^2+x+1=0 \qquad \therefore x=\frac{-1\pm\sqrt{3}i}{2}$

(i), (ii)에서 $\boldsymbol{x=-3}$ **또는** $\boldsymbol{x=2}$ **또는** $\boldsymbol{x=\frac{-1\pm\sqrt{3}i}{2}}$

2-2

(1) $x^2=X$로 놓으면 주어진 방정식은

$X^2+10X+9=0,\ (X+1)(X+9)=0$

$\therefore X=-1$ 또는 $X=-9$

따라서 $x^2=-1$ 또는 $x^2=-9$이므로

$\boldsymbol{x=\pm i}$ **또는** $\boldsymbol{x=\pm3i}$

(2) $x^2-6x=X$로 놓으면 주어진 방정식은

$(X+7)(X+6)=2,\ X^2+13X+40=0$

$(X+5)(X+8)=0 \qquad \therefore X=-5$ 또는 $X=-8$

(i) $X=-5$, 즉 $x^2-6x=-5$일 때

$x^2-6x+5=0,\ (x-1)(x-5)=0$

$\therefore x=1$ 또는 $x=5$

(ii) $X=-8$, 즉 $x^2-6x=-8$일 때

$x^2-6x+8=0,\ (x-2)(x-4)=0$

$\therefore x=2$ 또는 $x=4$

(i), (ii)에서 $\boldsymbol{x=1}$ **또는** $\boldsymbol{x=2}$ **또는** $\boldsymbol{x=4}$ **또는** $\boldsymbol{x=5}$

3-1

(1) $P(x)=x^3-4x+3$으로 놓으면 $P(1)=0$

$P(x)$는 $x-1$을 인수로 가지므로 조립제법을 이용하여 인수분해하면

1	1	0	−4	3
		1	1	−3
	1	1	−3	0

$P(x)=(x-1)(x^2+x-3)$

따라서 방정식

$(x-1)(x^2+x-3)=0$의 근은

$\boldsymbol{x=1}$ **또는** $\boldsymbol{x=\frac{-1\pm\sqrt{13}}{2}}$

(2) $P(x)=x^4+x^3-x^2+x-2$로 놓으면

$P(1)=0,\ P(-2)=0$

$P(x)$는 $x-1,\ x+2$를 인수로 가지므로 조립제법을 이용하여 인수분해하면

1	1	1	−1	1	−2
		1	2	1	2
−2	1	2	1	2	0
		−2	0	−2	
	1	0	1	0	

$P(x)=(x-1)(x+2)(x^2+1)$

따라서 방정식 $(x-1)(x+2)(x^2+1)=0$의 근은

$\boldsymbol{x=-2}$ **또는** $\boldsymbol{x=1}$ **또는** $\boldsymbol{x=\pm i}$

3-2

(1) $P(x)=2x^3-x^2-3x-6$으로 놓으면 $P(2)=0$

$P(x)$는 $x-2$를 인수로 가지므로 조립제법을 이용하여 인수분해하면

2	2	−1	−3	−6
		4	6	6
	2	3	3	0

$P(x)=(x-2)(2x^2+3x+3)$

따라서 방정식

$(x-2)(2x^2+3x+3)=0$의 근은

$\boldsymbol{x=2}$ **또는** $\boldsymbol{x=\frac{-3\pm\sqrt{15}i}{4}}$

(2) $P(x)=x^4+5x^3-20x-16$으로 놓으면

$P(2)=0$, $P(-2)=0$

$P(x)$는 $x-2$, $x+2$를 인수로 가지므로 조립제법을 이용하여 인수분해하면

2	1	5	0	−20	−16
		2	14	28	16
−2	1	7	14	8	0
		−2	−10	−8	
	1	5	4	0	

$P(x)=(x-2)(x+2)(x^2+5x+4)$

$\quad\;\;=(x-2)(x+2)(x+1)(x+4)$

따라서 방정식 $(x-2)(x+2)(x+1)(x+4)=0$의 근은

$\boldsymbol{x=-4}$ **또는** $\boldsymbol{x=-2}$ **또는** $\boldsymbol{x=-1}$ **또는** $\boldsymbol{x=2}$

4-1

삼차방정식의 근과 계수의 관계에서

$\alpha+\beta+\gamma=3$, $\alpha\beta+\beta\gamma+\gamma\alpha=-2$, $\alpha\beta\gamma=4$

(1) $\frac{1}{\alpha}+\frac{1}{\beta}+\frac{1}{\gamma}=\frac{\beta\gamma+\gamma\alpha+\alpha\beta}{\alpha\beta\gamma}=\frac{-2}{4}=\boldsymbol{-\frac{1}{2}}$

(2) $\alpha^2+\beta^2+\gamma^2=(\alpha+\beta+\gamma)^2-2(\alpha\beta+\beta\gamma+\gamma\alpha)$

$\quad=3^2-2\times(-2)=\mathbf{13}$

4-2

삼차방정식의 근과 계수의 관계에서

$\alpha+\beta+\gamma=5$, $\alpha\beta+\beta\gamma+\gamma\alpha=4$, $\alpha\beta\gamma=-2$

(1) $\frac{1}{\alpha\beta}+\frac{1}{\beta\gamma}+\frac{1}{\gamma\alpha}=\frac{\gamma+\alpha+\beta}{\alpha\beta\gamma}=\frac{5}{-2}=\boldsymbol{-\frac{5}{2}}$

(2) $(1+\alpha)(1+\beta)(1+\gamma)$

$=1+(\alpha+\beta+\gamma)+(\alpha\beta+\beta\gamma+\gamma\alpha)+\alpha\beta\gamma$

$=1+5+4-2=\mathbf{8}$

5-1

(1) (세 근의 합)$=-2+1+4=3$

(두 근끼리의 곱의 합)$=-2\times1+1\times4+4\times(-2)=-6$

(세 근의 곱)$=-2\times1\times4=-8$

x^3의 계수가 1이므로 구하는 방정식은

$\boldsymbol{x^3-3x^2-6x+8=0}$

(2) (세 근의 합)$=3+(-1+\sqrt{2})+(-1-\sqrt{2})=1$

(두 근끼리의 곱의 합)

$=3\times(-1+\sqrt{2})+(-1+\sqrt{2})(-1-\sqrt{2})+(-1-\sqrt{2})\times3$

$=-7$

(세 근의 곱)$=3\times(-1+\sqrt{2})\times(-1-\sqrt{2})=-3$

x^3의 계수가 1이므로 구하는 방정식은

$\boldsymbol{x^3-x^2-7x+3=0}$

5-2

(1) (세 근의 합)$=-5+(-1)+3=-3$

(두 근끼리의 곱의 합)

$=-5\times(-1)+(-1)\times3+3\times(-5)=-13$

(세 근의 곱)$=-5\times(-1)\times3=15$

x^3의 계수가 1이므로 구하는 방정식은

$\boldsymbol{x^3+3x^2-13x-15=0}$

(2) (세 근의 합)$=2+(1+i)+(1-i)=4$

(두 근끼리의 곱의 합)

$=2\times(1+i)+(1+i)(1-i)+(1-i)\times2=6$

(세 근의 곱)$=2\times(1+i)\times(1-i)=4$

x^3의 계수가 1이므로 구하는 방정식은

$\boldsymbol{x^3-4x^2+6x-4=0}$

6-1

주어진 삼차방정식의 계수가 유리수이고 한 근이 $1-\sqrt{3}$이므로 $1+\sqrt{3}$도 근이다.

삼차방정식의 근과 계수의 관계에 의하여

$1+(1+\sqrt{3})+(1-\sqrt{3})=-a \quad \therefore \boldsymbol{a=-3}$

$(1+\sqrt{3})+(1+\sqrt{3})(1-\sqrt{3})+(1-\sqrt{3})=b \quad \therefore \boldsymbol{b=0}$

$(1+\sqrt{3})(1-\sqrt{3})=-c \quad \therefore \boldsymbol{c=2}$

6-2

주어진 삼차방정식의 계수가 실수이고 한 근이 $-1+\sqrt{2}i$이므로 $-1-\sqrt{2}i$도 근이다.

삼차방정식의 근과 계수의 관계에 의하여

$4+(-1+\sqrt{2}i)+(-1-\sqrt{2}i)=-a \quad \therefore \boldsymbol{a=-2}$

$4(-1+\sqrt{2}i)+(-1+\sqrt{2}i)(-1-\sqrt{2}i)+4(-1-\sqrt{2}i)=b$

$\therefore \boldsymbol{b=-5}$

$4(-1+\sqrt{2}i)(-1-\sqrt{2}i)=-c \quad \therefore \boldsymbol{c=-12}$

기초 유형

| 본문 **62, 63**쪽 |

1-1 $\mathbf{2, 2, \sqrt{3}i, \sqrt{3}i, 2, 2}$

1-2

$x^2-4x=X$로 놓으면 주어진 방정식은

$(X+4)(X-2)=-5$, $X^2+2X-3=0$

$(X-1)(X+3)=0 \quad \therefore X=1$ 또는 $X=-3$

(i) $X=1$, 즉 $x^2-4x=1$일 때

$x^2-4x-1=0 \quad \therefore x=2\pm\sqrt{5}$

(ii) $X=-3$, 즉 $x^2-4x=-3$일 때

$x^2-4x+3=0$, $(x-3)(x-1)=0$

$\therefore x=3$ 또는 $x=1$

(i), (ii)에서 무리수인 두 근의 곱은

$(2+\sqrt{5})(2-\sqrt{5})=\mathbf{-1}$

1-3

$x(x+1)(x+2)(x+3)=24$에서

$\{x(x+3)\}\{(x+1)(x+2)\}=24$

$(x^2+3x)(x^2+3x+2)=24$

이때 $x^2+3x=X$로 놓으면

$X(X+2)=24$, $X^2+2X-24=0$

$(X-4)(X+6)=0$ $\quad\therefore X=4$ 또는 $X=-6$

(i) $X=4$, 즉 $x^2+3x=4$일 때

$x^2+3x-4=0$, $(x-1)(x+4)=0$

$\therefore x=1$ 또는 $x=-4$

(ii) $X=-6$, 즉 $x^2+3x=-6$일 때

$x^2+3x+6=0$ $\quad\therefore x=\dfrac{-3\pm\sqrt{15}i}{2}$

(i), (ii)에서 $\boldsymbol{x=-4}$ **또는** $\boldsymbol{x=1}$ **또는** $\boldsymbol{x=\dfrac{-3\pm\sqrt{15}i}{2}}$

2-1 **1, 3, 5**

2-2

공통인수 x로 묶으면 $x(2x^3-3x^2-3x+2)=0$

$P(x)=2x^3-3x^2-3x+2$로 놓으면 $P(-1)=0$

$P(x)$는 $x+1$을 인수로 가지므로 조립제법을 이용하여 인수분해하면

-1	2	-3	-3	2
		-2	5	-2
	2	-5	2	0

$P(x)=(x+1)(2x^2-5x+2)$

$=(x+1)(x-2)(2x-1)$

방정식 $x(x+1)(x-2)(2x-1)=0$의 근은

$x=-1$ 또는 $x=0$ 또는 $x=\dfrac{1}{2}$ 또는 $x=2$

따라서 $a=2$, $b=-1$이므로

$a^2+b^2=\mathbf{5}$

3-1 **1, 1, 3**

3-2

주어진 방정식에 $x=1$을 대입하면 $\boldsymbol{a=-1}$

$P(x)=x^3-x^2+x-1$로 놓으면 $P(1)=0$

$P(x)$는 $x-1$을 인수로 가지므로 조립제법을 이용하여 인수분해하면

1	1	-1	1	-1
		1	0	1
	1	0	1	0

$P(x)=(x-1)(x^2+1)$

방정식 $(x-1)(x^2+1)=0$의 근은

$x=1$ 또는 $x=\pm i$

따라서 나머지 두 근은 $\boldsymbol{x=\pm i}$

2주 3일 연립방정식

개념 확인

| 본문 65, 67쪽 |

1-1

(1) $2x-y=1$을 y에 대하여 정리하면

$y=2x-1$ ······㉠

㉠을 $x^2-y^2=-5$에 대입하면

$x^2-(2x-1)^2=-5$, $3x^2-4x-4=0$

$(3x+2)(x-2)=0$ $\quad\therefore x=-\dfrac{2}{3}$ 또는 $x=2$ ······㉡

㉡을 ㉠에 대입하여 해를 구하면

$\begin{cases} \boldsymbol{x=-\dfrac{2}{3}} \\ \boldsymbol{y=-\dfrac{7}{3}} \end{cases}$ **또는** $\begin{cases} \boldsymbol{x=2} \\ \boldsymbol{y=3} \end{cases}$

(2) $x-y=2$를 y에 대하여 정리하면

$y=x-2$ ······㉠

㉠을 $x^2-xy+2y^2=4$에 대입하면

$x^2-x(x-2)+2(x-2)^2=4$, $x^2-3x+2=0$

$(x-1)(x-2)=0$ $\quad\therefore x=1$ 또는 $x=2$ ······㉡

㉡을 ㉠에 대입하여 해를 구하면

$\begin{cases} \boldsymbol{x=1} \\ \boldsymbol{y=-1} \end{cases}$ **또는** $\begin{cases} \boldsymbol{x=2} \\ \boldsymbol{y=0} \end{cases}$

1-2

(1) $2x+y=7$을 y에 대하여 정리하면

$y=-2x+7$ ······㉠

㉠을 $x^2+y^2=10$에 대입하면

$x^2+(-2x+7)^2=10$, $5x^2-28x+39=0$

$(5x-13)(x-3)=0$ $\quad\therefore x=\dfrac{13}{5}$ 또는 $x=3$ ······㉡

㉡을 ㉠에 대입하여 해를 구하면

$\begin{cases} \boldsymbol{x=\dfrac{13}{5}} \\ \boldsymbol{y=\dfrac{9}{5}} \end{cases}$ **또는** $\begin{cases} \boldsymbol{x=3} \\ \boldsymbol{y=1} \end{cases}$

(2) $x+y=3$을 y에 대하여 정리하면

$y=-x+3$ ······㉠

㉠을 $2x^2+3xy-y^2=4$에 대입하면

$2x^2+3x(-x+3)-(-x+3)^2=4$

$2x^2-15x+13=0$, $(x-1)(2x-13)=0$

$\therefore x=1$ 또는 $x=\dfrac{13}{2}$ ······㉡

㉡을 ㉠에 대입하여 해를 구하면

$\begin{cases} \boldsymbol{x=1} \\ \boldsymbol{y=2} \end{cases}$ **또는** $\begin{cases} \boldsymbol{x=\dfrac{13}{2}} \\ \boldsymbol{y=-\dfrac{7}{2}} \end{cases}$

2-1

(1) $\begin{cases} x^2-y^2=0 & \cdots\cdots ㉠ \\ 3x^2+xy-y^2=9 & \cdots\cdots ㉡ \end{cases}$

㉠의 좌변을 인수분해하면

$(x+y)(x-y)=0$

$\therefore x=-y$ 또는 $x=y$

(i) $x=-y$를 ㉡에 대입하면

$3y^2-y^2-y^2=9,\ y^2=9 \qquad \therefore y=\pm 3$

$y=3$일 때 $x=-3$, $y=-3$일 때 $x=3$

(ii) $x=y$를 ㉡에 대입하면

$3y^2+y^2-y^2=9,\ y^2=3 \qquad \therefore y=\pm\sqrt{3}$

$y=\sqrt{3}$일 때 $x=\sqrt{3}$, $y=-\sqrt{3}$일 때 $x=-\sqrt{3}$

(i), (ii)에서 구하는 해는

$\begin{cases} x=-3 \\ y=3 \end{cases}$ **또는** $\begin{cases} x=3 \\ y=-3 \end{cases}$ **또는** $\begin{cases} x=\sqrt{3} \\ y=\sqrt{3} \end{cases}$ **또는** $\begin{cases} x=-\sqrt{3} \\ y=-\sqrt{3} \end{cases}$

(2) $\begin{cases} x^2-xy-2y^2=0 & \cdots\cdots ㉠ \\ 2x^2-y^2=49 & \cdots\cdots ㉡ \end{cases}$

㉠의 좌변을 인수분해하면

$(x+y)(x-2y)=0$

$\therefore x=-y$ 또는 $x=2y$

(i) $x=-y$를 ㉡에 대입하면

$2y^2-y^2=49,\ y^2=49 \qquad \therefore y=\pm 7$

$y=7$일 때 $x=-7$, $y=-7$일 때 $x=7$

(ii) $x=2y$를 ㉡에 대입하면

$8y^2-y^2=49,\ y^2=7 \qquad \therefore y=\pm\sqrt{7}$

$y=\sqrt{7}$일 때 $x=2\sqrt{7}$, $y=-\sqrt{7}$일 때 $x=-2\sqrt{7}$

(i), (ii)에서 구하는 해는

$\begin{cases} x=-7 \\ y=7 \end{cases}$ **또는** $\begin{cases} x=7 \\ y=-7 \end{cases}$ **또는** $\begin{cases} x=2\sqrt{7} \\ y=\sqrt{7} \end{cases}$ **또는** $\begin{cases} x=-2\sqrt{7} \\ y=-\sqrt{7} \end{cases}$

(3) $\begin{cases} x^2-2xy-3y^2=5 & \cdots\cdots ㉠ \\ 2x^2+3xy+y^2=3 & \cdots\cdots ㉡ \end{cases}$

㉡$\times 5-$㉠$\times 3$을 하면

$x^2+3xy+2y^2=0,\ (x+2y)(x+y)=0$

$\therefore x=-2y$ 또는 $x=-y$

(i) $x=-2y$를 ㉠에 대입하면

$4y^2+4y^2-3y^2=5,\ y^2=1 \qquad \therefore y=\pm 1$

$y=1$일 때 $x=-2$, $y=-1$일 때 $x=2$

(ii) $x=-y$를 ㉠에 대입하면

$y^2+2y^2-3y^2=5,\ 0\cdot y^2=5$

따라서 해는 없다.

(i), (ii)에서 구하는 해는

$\begin{cases} x=-2 \\ y=1 \end{cases}$ **또는** $\begin{cases} x=2 \\ y=-1 \end{cases}$

2-2

(1) $\begin{cases} 3x^2-2xy-y^2=0 & \cdots\cdots ㉠ \\ x^2-xy-2y^2+2=0 & \cdots\cdots ㉡ \end{cases}$

㉠의 좌변을 인수분해하면

$(3x+y)(x-y)=0$

$\therefore y=-3x$ 또는 $y=x$

(i) $y=-3x$를 ㉡에 대입하면

$x^2+3x^2-18x^2+2=0,\ x^2=\frac{1}{7} \qquad \therefore x=\pm\frac{\sqrt{7}}{7}$

$x=\frac{\sqrt{7}}{7}$일 때 $y=-\frac{3\sqrt{7}}{7}$, $x=-\frac{\sqrt{7}}{7}$일 때 $y=\frac{3\sqrt{7}}{7}$

(ii) $y=x$를 ㉡에 대입하면

$x^2-x^2-2x^2+2=0,\ x^2=1 \qquad \therefore x=\pm 1$

$x=1$일 때 $y=1$, $x=-1$일 때 $y=-1$

(i), (ii)에서 구하는 해는

$\begin{cases} x=\frac{\sqrt{7}}{7} \\ y=-\frac{3\sqrt{7}}{7} \end{cases}$ **또는** $\begin{cases} x=-\frac{\sqrt{7}}{7} \\ y=\frac{3\sqrt{7}}{7} \end{cases}$ **또는** $\begin{cases} x=1 \\ y=1 \end{cases}$ **또는** $\begin{cases} x=-1 \\ y=-1 \end{cases}$

(2) $\begin{cases} 2x^2+3xy-2y^2=0 & \cdots\cdots ㉠ \\ x^2+y^2=5 & \cdots\cdots ㉡ \end{cases}$

㉠의 좌변을 인수분해하면

$(x+2y)(2x-y)=0$

$\therefore x=-2y$ 또는 $y=2x$

(i) $x=-2y$를 ㉡에 대입하면

$4y^2+y^2=5,\ y^2=1 \qquad \therefore y=\pm 1$

$y=1$일 때 $x=-2$, $y=-1$일 때 $x=2$

(ii) $y=2x$를 ㉡에 대입하면

$x^2+4x^2=5,\ x^2=1 \qquad \therefore x=\pm 1$

$x=1$일 때 $y=2$, $x=-1$일 때 $y=-2$

(i), (ii)에서 구하는 해는

$\begin{cases} x=-2 \\ y=1 \end{cases}$ **또는** $\begin{cases} x=2 \\ y=-1 \end{cases}$ **또는** $\begin{cases} x=1 \\ y=2 \end{cases}$ **또는** $\begin{cases} x=-1 \\ y=-2 \end{cases}$

(3) $\begin{cases} x^2-2xy+2y^2=5 & \cdots\cdots ㉠ \\ 4x^2-11xy+7y^2=10 & \cdots\cdots ㉡ \end{cases}$

㉡$-$㉠$\times 2$를 하면

$2x^2-7xy+3y^2=0,\ (2x-y)(x-3y)=0$

$\therefore y=2x$ 또는 $x=3y$

(i) $y=2x$를 ㉠에 대입하면

$x^2-4x^2+8x^2=5,\ x^2=1 \qquad \therefore x=\pm 1$

$x=1$일 때 $y=2$, $x=-1$일 때 $y=-2$

(ii) $x=3y$를 ㉠에 대입하면

$9y^2-6y^2+2y^2=5,\ y^2=1 \qquad \therefore y=\pm 1$

$y=1$일 때 $x=3$, $y=-1$일 때 $x=-3$

(i), (ii)에서 구하는 해는

$\begin{cases} x=1 \\ y=2 \end{cases}$ **또는** $\begin{cases} x=-1 \\ y=-2 \end{cases}$ **또는** $\begin{cases} x=3 \\ y=1 \end{cases}$ **또는** $\begin{cases} x=-3 \\ y=-1 \end{cases}$

3-1

(1) $x+y=8$, $xy=15$일 때 x, y는 이차방정식 $t^2-8t+15=0$의 두 근이므로

$(t-3)(t-5)=0$에서 $t=3$ 또는 $t=5$

$\therefore \begin{cases} \boldsymbol{x=3} \\ \boldsymbol{y=5} \end{cases}$ **또는** $\begin{cases} \boldsymbol{x=5} \\ \boldsymbol{y=3} \end{cases}$

(2) $x+y=p$, $xy=q$라 하면 주어진 연립방정식은

$\begin{cases} p=2 & \cdots\cdots ㉠ \\ p^2-2q=20 & \cdots\cdots ㉡ \end{cases}$

㉠을 ㉡에 대입하면

$4-2q=20 \qquad \therefore q=-8$

$p=2$, $q=-8$, 즉 $x+y=2$, $xy=-8$일 때 x, y는 이차방정식 $t^2-2t-8=0$의 두 근이므로

$(t+2)(t-4)=0$에서 $t=-2$ 또는 $t=4$

$\therefore \begin{cases} \boldsymbol{x=-2} \\ \boldsymbol{y=4} \end{cases}$ **또는** $\begin{cases} \boldsymbol{x=4} \\ \boldsymbol{y=-2} \end{cases}$

(3) $x+y=p$, $xy=q$라 하면 주어진 연립방정식은

$\begin{cases} p-q=1 & \cdots\cdots ㉠ \\ p^2-q=31 & \cdots\cdots ㉡ \end{cases}$

㉡$-$㉠을 하면

$p^2-p-30=0$, $(p+5)(p-6)=0$

$\therefore p=-5$ 또는 $p=6$

㉠에서 $p=-5$이면 $q=-6$, $p=6$이면 $q=5$

(i) $p=-5$, $q=-6$, 즉 $x+y=-5$, $xy=-6$일 때

x, y는 이차방정식 $t^2+5t-6=0$의 두 근이므로

$(t-1)(t+6)=0$에서 $t=1$ 또는 $t=-6$

$\therefore \begin{cases} x=1 \\ y=-6 \end{cases}$ 또는 $\begin{cases} x=-6 \\ y=1 \end{cases}$

(ii) $p=6$, $q=5$, 즉 $x+y=6$, $xy=5$일 때

x, y는 이차방정식 $t^2-6t+5=0$의 두 근이므로

$(t-1)(t-5)=0$에서 $t=1$ 또는 $t=5$

$\therefore \begin{cases} x=1 \\ y=5 \end{cases}$ 또는 $\begin{cases} x=5 \\ y=1 \end{cases}$

(i), (ii)에서 구하는 해는

$\begin{cases} \boldsymbol{x=1} \\ \boldsymbol{y=-6} \end{cases}$ **또는** $\begin{cases} \boldsymbol{x=-6} \\ \boldsymbol{y=1} \end{cases}$ **또는** $\begin{cases} \boldsymbol{x=1} \\ \boldsymbol{y=5} \end{cases}$ **또는** $\begin{cases} \boldsymbol{x=5} \\ \boldsymbol{y=1} \end{cases}$

3-2

(1) $x+y=1$, $xy=-6$일 때 x, y는 이차방정식 $t^2-t-6=0$의 두 근이므로

$(t+2)(t-3)=0$에서 $t=-2$ 또는 $t=3$

$\therefore \begin{cases} \boldsymbol{x=-2} \\ \boldsymbol{y=3} \end{cases}$ **또는** $\begin{cases} \boldsymbol{x=3} \\ \boldsymbol{y=-2} \end{cases}$

(2) $x+y=p$, $xy=q$라 하면 주어진 연립방정식은

$\begin{cases} p^2-2q=10 & \cdots\cdots ㉠ \\ q=3 & \cdots\cdots ㉡ \end{cases}$

㉡을 ㉠에 대입하면

$p^2-6=10$, $p^2=16 \qquad \therefore p=\pm 4$

(i) $p=4$, $q=3$, 즉 $x+y=4$, $xy=3$일 때

x, y는 이차방정식 $t^2-4t+3=0$의 두 근이므로

$(t-1)(t-3)=0$에서 $t=1$ 또는 $t=3$

$\therefore \begin{cases} x=1 \\ y=3 \end{cases}$ 또는 $\begin{cases} x=3 \\ y=1 \end{cases}$

(ii) $p=-4$, $q=3$, 즉 $x+y=-4$, $xy=3$일 때

x, y는 이차방정식 $t^2+4t+3=0$의 두 근이므로

$(t+1)(t+3)=0$에서 $t=-1$ 또는 $t=-3$

$\therefore \begin{cases} x=-1 \\ y=-3 \end{cases}$ 또는 $\begin{cases} x=-3 \\ y=-1 \end{cases}$

(i), (ii)에서 구하는 해는

$\begin{cases} \boldsymbol{x=1} \\ \boldsymbol{y=3} \end{cases}$ **또는** $\begin{cases} \boldsymbol{x=3} \\ \boldsymbol{y=1} \end{cases}$ **또는** $\begin{cases} \boldsymbol{x=-1} \\ \boldsymbol{y=-3} \end{cases}$ **또는** $\begin{cases} \boldsymbol{x=-3} \\ \boldsymbol{y=-1} \end{cases}$

(3) $x+y=p$, $xy=q$라 하면 주어진 연립방정식은

$\begin{cases} p^2-2q=5 & \cdots\cdots ㉠ \\ p^2-3q=3 & \cdots\cdots ㉡ \end{cases}$

㉠$-$㉡을 하면 $q=2$

$q=2$를 ㉠에 대입하면 $p^2=9 \qquad \therefore p=\pm 3$

(i) $p=3$, $q=2$, 즉 $x+y=3$, $xy=2$일 때

x, y는 이차방정식 $t^2-3t+2=0$의 두 근이므로

$(t-1)(t-2)=0$에서 $t=1$ 또는 $t=2$

$\therefore \begin{cases} x=1 \\ y=2 \end{cases}$ 또는 $\begin{cases} x=2 \\ y=1 \end{cases}$

(ii) $p=-3$, $q=2$, 즉 $x+y=-3$, $xy=2$일 때

x, y는 이차방정식 $t^2+3t+2=0$의 두 근이므로

$(t+1)(t+2)=0$에서 $t=-1$ 또는 $t=-2$

$\therefore \begin{cases} x=-1 \\ y=-2 \end{cases}$ 또는 $\begin{cases} x=-2 \\ y=-1 \end{cases}$

(i), (ii)에서 구하는 해는

$\begin{cases} \boldsymbol{x=1} \\ \boldsymbol{y=2} \end{cases}$ **또는** $\begin{cases} \boldsymbol{x=2} \\ \boldsymbol{y=1} \end{cases}$ **또는** $\begin{cases} \boldsymbol{x=-1} \\ \boldsymbol{y=-2} \end{cases}$ **또는** $\begin{cases} \boldsymbol{x=-2} \\ \boldsymbol{y=-1} \end{cases}$

4-1

(1) $x^2+xy-2y^2=-29$에서 $(x+2y)(x-y)=-29$

이때 x, y는 자연수이므로

$x+2y=29$, $x-y=-1$ ($\because x+2y\geq 3$)

따라서 $x=9$, $y=10$이므로 구하는 순서쌍은 **(9, 10)**

(2) 주어진 방정식을 x에 대하여 내림차순으로 정리하면

$x^2-4x+y^2-2y+5=0 \qquad \cdots\cdots ㉠$

x가 실수이므로 ㉠의 판별식을 D라 하면

$\dfrac{D}{4}=(-2)^2-(y^2-2y+5)\geq 0$, $(y-1)^2\leq 0$

이때 $(y-1)^2\geq 0$이므로 $y-1=0 \qquad \therefore y=1$

$y=1$을 ㉠에 대입하면

$x^2-4x+4=0$, $(x-2)^2=0$ $\therefore x=2$

따라서 구하는 순서쌍은 **(2, 1)**

다른 풀이

주어진 방정식에서 $(x^2-4x+4)+(y^2-2y+1)=0$

$\therefore (x-2)^2+(y-1)^2=0$

이때 x, y는 실수이므로 $x-2=0$, $y-1=0$

따라서 $x=2$, $y=1$이므로 구하는 순서쌍은 $(2, 1)$

4-2

(1) $xy-2x-3y+1=0$에서 $(x-3)(y-2)=5$

이때 x, y는 자연수이므로

$x-3\ge-2$, $y-2\ge-1$이다.

$x-3$	1	5
$y-2$	5	1

따라서 $x=4$, $y=7$ 또는 $x=8$, $y=3$이므로 구하는 순서쌍은 **(4, 7), (8, 3)**

(2) 주어진 방정식을 x에 대하여 내림차순으로 정리하면

$x^2+2yx+2y^2-2y+1=0$ ……㉠

x가 실수이므로 ㉠의 판별식을 D라 하면

$\frac{D}{4}=y^2-(2y^2-2y+1)\ge0$, $(y-1)^2\le0$

이때 $(y-1)^2\ge0$이므로 $y-1=0$ $\therefore y=1$

$y=1$을 ㉠에 대입하면

$x^2+2x+1=0$, $(x+1)^2=0$ $\therefore x=-1$

따라서 구하는 순서쌍은 **(−1, 1)**

다른 풀이

주어진 방정식에서 $(x^2+2xy+y^2)+(y^2-2y+1)=0$

$\therefore (x+y)^2+(y-1)^2=0$

이때 x, y는 실수이므로 $x+y=0$, $y-1=0$

따라서 $x=-1$, $y=1$이므로 구하는 순서쌍은 $(-1, 1)$

기초 유형

| 본문 68, 69쪽 |

1-1 **x, 5, 5, 7**

1-2

$x-y=3$을 y에 대하여 정리하면 $y=x-3$ ……㉠

㉠을 $x^2-y^2=15$에 대입하면

$x^2-(x-3)^2=15$, $6x=24$ $\therefore x=4$

$x=4$를 ㉠에 대입하면 $y=1$

따라서 $\alpha=4$, $\beta=1$이므로 $\alpha\beta=$**4**

1-3

주어진 연립방정식에 $x=1$, $y=-1$을 대입하면 $\boldsymbol{a=1}$, $\boldsymbol{b=1}$

이것을 주어진 연립방정식에 대입하면

$\begin{cases} 2x+y=1 & \cdots\cdots㉠ \\ x^2-xy-y^2=1 & \cdots\cdots㉡ \end{cases}$

㉠을 y에 대하여 정리하면 $y=1-2x$ ……㉢

㉢을 ㉡에 대입하면

$x^2-x(1-2x)-(1-2x)^2=1$

$x^2-3x+2=0$, $(x-1)(x-2)=0$

$\therefore x=1$ 또는 $x=2$

이것을 ㉢에 대입하여 해를 구하면

$\begin{cases} x=1 \\ y=-1 \end{cases}$ 또는 $\begin{cases} x=2 \\ y=-3 \end{cases}$

따라서 나머지 한 근은 $\boldsymbol{\begin{cases} x=2 \\ y=-3 \end{cases}}$

2-1 **$3y$, $-3\sqrt{2}$, $-3\sqrt{2}$, $4\sqrt{2}$**

2-2

$\begin{cases} 3x^2-7xy+2y^2=0 & \cdots\cdots㉠ \\ x^2+y^2=20 & \cdots\cdots㉡ \end{cases}$

㉠의 좌변을 인수분해하면 $(x-2y)(3x-y)=0$

$\therefore x=2y$ 또는 $y=3x$

(ⅰ) $x=2y$를 ㉡에 대입하면

$4y^2+y^2=20$, $y^2=4$ $\therefore y=\pm2$

$y=2$일 때 $x=4$, $y=-2$일 때 $x=-4$

(ⅱ) $y=3x$를 ㉡에 대입하면

$x^2+9x^2=20$, $x^2=2$ $\therefore x=\pm\sqrt{2}$

$x=\sqrt{2}$일 때 $y=3\sqrt{2}$,

$x=-\sqrt{2}$일 때 $y=-3\sqrt{2}$

(ⅰ), (ⅱ)에서 구하는 해는

$\boldsymbol{\begin{cases} x=4 \\ y=2 \end{cases}}$ **또는** $\boldsymbol{\begin{cases} x=-4 \\ y=-2 \end{cases}}$ **또는** $\boldsymbol{\begin{cases} x=\sqrt{2} \\ y=3\sqrt{2} \end{cases}}$ **또는** $\boldsymbol{\begin{cases} x=-\sqrt{2} \\ y=-3\sqrt{2} \end{cases}}$

2-3

$\begin{cases} x^2+xy-2y^2=0 & \cdots\cdots㉠ \\ x^2+3xy+3y^2=7 & \cdots\cdots㉡ \end{cases}$

㉠의 좌변을 인수분해하면 $(x-y)(x+2y)=0$

$\therefore x=y$ 또는 $x=-2y$

(ⅰ) $x=y$를 ㉡에 대입하면

$y^2+3y^2+3y^2=7$, $y^2=1$ $\therefore y=\pm1$

$y=1$일 때 $x=1$, $y=-1$일 때 $x=-1$

(ⅱ) $x=-2y$를 ㉡에 대입하면

$4y^2-6y^2+3y^2=7$, $y^2=7$ $\therefore y=\pm\sqrt{7}$

$y=\sqrt{7}$일 때 $x=-2\sqrt{7}$,

$y=-\sqrt{7}$일 때 $x=2\sqrt{7}$

(ⅰ), (ⅱ)에서 구하는 해는

$\begin{cases} x=1 \\ y=1 \end{cases}$ 또는 $\begin{cases} x=-1 \\ y=-1 \end{cases}$ 또는 $\begin{cases} x=-2\sqrt{7} \\ y=\sqrt{7} \end{cases}$ 또는 $\begin{cases} x=2\sqrt{7} \\ y=-\sqrt{7} \end{cases}$

따라서 $\alpha+\beta$의 값은 2 또는 -2 또는 $-\sqrt{7}$ 또는 $\sqrt{7}$이므로 최댓값은 $\boldsymbol{\sqrt{7}}$

2주 4일 부등식

개념 확인

| 본문 71, 73쪽 |

1-1

(1) $4x+7>-9$에서 $4x>-16$ $\quad\therefore x>-4$ ……㉠

$16-5x\geq 4+x$에서 $-6x\geq -12$ $\quad\therefore x\leq 2$ ……㉡

㉠, ㉡을 수직선 위에 나타내면 오른쪽 그림과 같다.

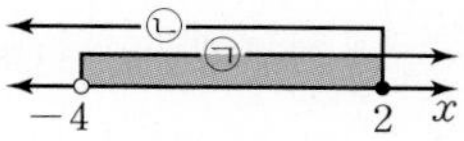

따라서 구하는 해는 $\boldsymbol{-4<x\leq 2}$

(2) $3x+1\leq 4x-2$에서 $x\geq 3$ ……㉠

$2x-9<12-x$에서 $3x<21$ $\quad\therefore x<7$ ……㉡

㉠, ㉡을 수직선 위에 나타내면 오른쪽 그림과 같다.

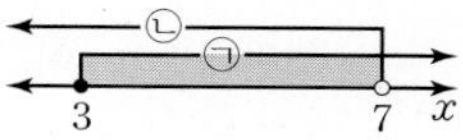

따라서 구하는 해는 $\boldsymbol{3\leq x<7}$

(3) $x-2\leq 1$에서 $x\leq 3$ ……㉠

$5x-2\geq 2x+7$에서 $3x\geq 9$ $\quad\therefore x\geq 3$ ……㉡

㉠, ㉡을 수직선 위에 나타내면 오른쪽 그림과 같다.

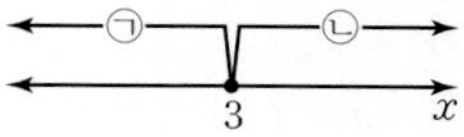

따라서 구하는 해는 $\boldsymbol{x=3}$

1-2

(1) $x+1\geq 3$에서 $x\geq 2$ ……㉠

$2x-1<x+4$에서 $x<5$ ……㉡

㉠, ㉡을 수직선 위에 나타내면 오른쪽 그림과 같다.

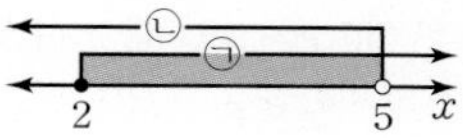

따라서 구하는 해는 $\boldsymbol{2\leq x<5}$

(2) $7x-4<2x-29$에서 $5x<-25$ $\quad\therefore x<-5$ ……㉠

$x-5\geq 4x+1$에서 $3x\leq -6$ $\quad\therefore x\leq -2$ ……㉡

㉠, ㉡을 수직선 위에 나타내면 오른쪽 그림과 같다.

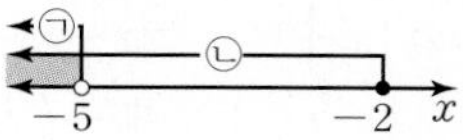

따라서 구하는 해는 $\boldsymbol{x<-5}$

(3) $3x+1\geq -5$에서 $3x\geq -6$ $\quad\therefore x\geq -2$ ……㉠

$x\leq -x-4$에서 $2x\leq -4$ $\quad\therefore x\leq -2$ ……㉡

㉠, ㉡을 수직선 위에 나타내면 오른쪽 그림과 같다.

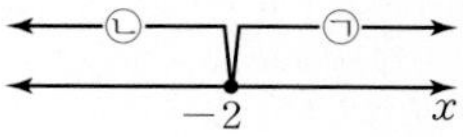

따라서 구하는 해는 $\boldsymbol{x=-2}$

2-1

(1) $2x-5<3x-1$에서 $x>-4$ ……㉠

$3x-1<x+7$에서 $2x<8$ $\quad\therefore x<4$ ……㉡

㉠, ㉡을 수직선 위에 나타내면 오른쪽 그림과 같다.

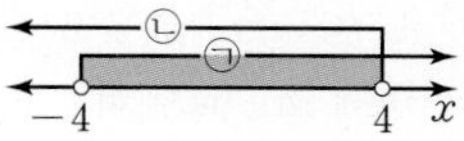

따라서 구하는 해는 $\boldsymbol{-4<x<4}$

(2) $\frac{1}{3}x\leq -\frac{1+x}{2}$에서 $2x\leq -3(1+x)$

$5x\leq -3$ $\quad\therefore x\leq -\frac{3}{5}$ ……㉠

$-\frac{1+x}{2}<\frac{1}{6}x$에서 $-3(1+x)<x$

$-4x<3$ $\quad\therefore x>-\frac{3}{4}$ ……㉡

㉠, ㉡을 수직선 위에 나타내면 오른쪽 그림과 같다.

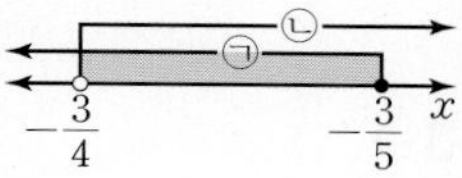

따라서 구하는 해는

$\boldsymbol{-\frac{3}{4}<x\leq -\frac{3}{5}}$

2-2

(1) $13<5x-7$에서 $-5x<-20$ $\quad\therefore x>4$ ……㉠

$5x-7<12x$에서 $-7x<7$ $\quad\therefore x>-1$ ……㉡

㉠, ㉡을 수직선 위에 나타내면 오른쪽 그림과 같다.

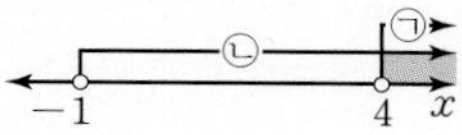

따라서 구하는 해는 $\boldsymbol{x>4}$

(2) $-4\leq x-5$에서 $x\geq 1$ ……㉠

$x-5\leq -x+1$에서 $2x\leq 6$ $\quad\therefore x\leq 3$ ……㉡

㉠, ㉡을 수직선 위에 나타내면 오른쪽 그림과 같다.

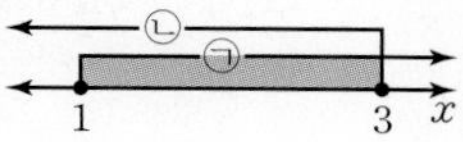

따라서 구하는 해는 $\boldsymbol{1\leq x\leq 3}$

3-1

(1) $|2x+1|>3$에서 $2x+1<-3$ 또는 $2x+1>3$

$2x<-4$ 또는 $2x>2$ $\quad\therefore$ $\boldsymbol{x<-2}$ **또는** $\boldsymbol{x>1}$

다른 풀이

(i) $x\geq -\frac{1}{2}$일 때 $2x+1>3$에서 $x>1$

그런데 $x\geq -\frac{1}{2}$이므로 $x>1$ ……㉠

(ii) $x<-\frac{1}{2}$일 때 $-(2x+1)>3$에서 $x<-2$

그런데 $x<-\frac{1}{2}$이므로 $x<-2$ ……㉡

(i), (ii)에서

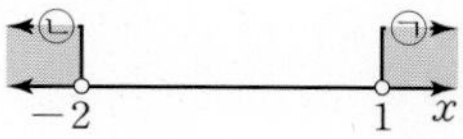

$x<-2$ 또는 $x>1$

(2) (i) $x\geq 1$일 때 $x-1<2-x$에서 $x<\frac{3}{2}$

그런데 $x\geq 1$이므로 $1\leq x<\frac{3}{2}$ ……㉠

(ii) $x<1$일 때 $-(x-1)<2-x$

즉, $1<2$는 항상 성립하므로 $x<1$ ……㉡

(i), (ii)에서

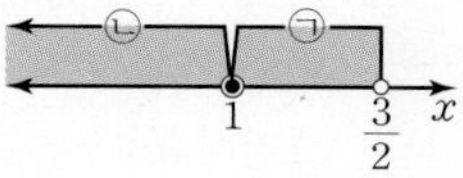

$\boldsymbol{x<\frac{3}{2}}$

(3) (i) $x \geq 0$일 때 $2 \leq x < 3$

그런데 $x \geq 0$이므로 $2 \leq x < 3$ ⋯⋯㉠

(ii) $x < 0$일 때 $2 \leq -x < 3$에서 $-3 < x \leq -2$

그런데 $x < 0$이므로 $-3 < x \leq -2$ ⋯⋯㉡

(i), (ii)에서

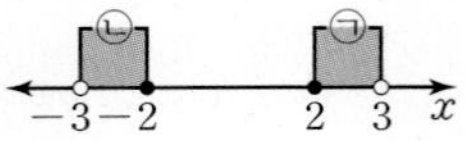

$-3 < x \leq -2$ 또는 $2 \leq x < 3$

3-2

(1) $|x-2| \leq 1$에서 $-1 \leq x-2 \leq 1$

$\therefore$ **$1 \leq x \leq 3$**

다른 풀이

(i) $x \geq 2$일 때 $x-2 \leq 1$에서 $x \leq 3$

그런데 $x \geq 2$이므로 $2 \leq x \leq 3$ ⋯⋯㉠

(ii) $x < 2$일 때 $-(x-2) \leq 1$에서 $x \geq 1$

그런데 $x < 2$이므로 $1 \leq x < 2$ ⋯⋯㉡

(i), (ii)에서

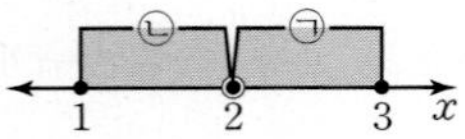

$1 \leq x \leq 3$

(2) (i) $x \geq 0$일 때 $3x-5 < 2x$에서 $x < 5$

그런데 $x \geq 0$이므로 $0 \leq x < 5$ ⋯⋯㉠

(ii) $x < 0$일 때 $3x-5 < -2x$, $5x < 5$에서 $x < 1$

그런데 $x < 0$이므로 $x < 0$ ⋯⋯㉡

(i), (ii)에서

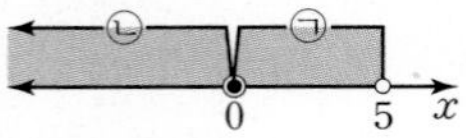

$x < 5$

(3) (i) $x \geq \frac{5}{4}$일 때 $2 < 4x-5 \leq 3$에서

$7 < 4x \leq 8$, $\frac{7}{4} < x \leq 2$

그런데 $x \geq \frac{5}{4}$이므로 $\frac{7}{4} < x \leq 2$ ⋯⋯㉠

(ii) $x < \frac{5}{4}$일 때 $2 < -(4x-5) \leq 3$에서

$-3 < -4x \leq -2$, $\frac{1}{2} \leq x < \frac{3}{4}$

그런데 $x < \frac{5}{4}$이므로 $\frac{1}{2} \leq x < \frac{3}{4}$ ⋯⋯㉡

(i), (ii)에서

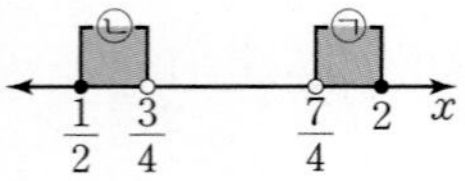

$\frac{1}{2} \leq x < \frac{3}{4}$ 또는 $\frac{7}{4} < x \leq 2$

4-1

(1) $3-2|x| > |x-1|$에서

(i) $x < 0$일 때 $3+2x > -(x-1)$, $3x > -2$에서

$x > -\frac{2}{3}$

그런데 $x < 0$이므로 $-\frac{2}{3} < x < 0$ ⋯⋯㉠

(ii) $0 \leq x < 1$일 때 $3-2x > -(x-1)$, $-x > -2$에서

$x < 2$

그런데 $0 \leq x < 1$이므로 $0 \leq x < 1$ ⋯⋯㉡

(iii) $x \geq 1$일 때 $3-2x > x-1$, $-3x > -4$에서

$x < \frac{4}{3}$

그런데 $x \geq 1$이므로 $1 \leq x < \frac{4}{3}$ ⋯⋯㉢

(i), (ii), (iii)에서

$-\frac{2}{3} < x < \frac{4}{3}$

(2) $|x+1|+|x-1| < 4$에서

(i) $x < -1$일 때 $-(x+1)-(x-1) < 4$, $-2x < 4$에서

$x > -2$

그런데 $x < -1$이므로 $-2 < x < -1$ ⋯⋯㉠

(ii) $-1 \leq x < 1$일 때 $x+1-(x-1) < 4$

즉, $2 < 4$는 항상 성립하므로 $-1 \leq x < 1$ ⋯⋯㉡

(iii) $x \geq 1$일 때 $x+1+(x-1) < 4$, $2x < 4$에서

$x < 2$

그런데 $x \geq 1$이므로 $1 \leq x < 2$ ⋯⋯㉢

(i), (ii), (iii)에서

$-2 < x < 2$

4-2

(1) $|x-2|+|x-5| \leq 5$에서

(i) $x < 2$일 때 $-(x-2)-(x-5) \leq 5$, $-2x \leq -2$에서

$x \geq 1$

그런데 $x < 2$이므로 $1 \leq x < 2$ ⋯⋯㉠

(ii) $2 \leq x < 5$일 때 $x-2-(x-5) \leq 5$

즉, $3 \leq 5$는 항상 성립하므로 $2 \leq x < 5$ ⋯⋯㉡

(iii) $x \geq 5$일 때 $x-2+(x-5) \leq 5$, $2x \leq 12$에서

$x \leq 6$

그런데 $x \geq 5$이므로 $5 \leq x \leq 6$ ⋯⋯㉢

(i), (ii), (iii)에서

$1 \leq x \leq 6$

(2) $|x-1| < |2x-3|-2$에서

(i) $x < 1$일 때 $-(x-1) < -(2x-3)-2$에서

$x < 0$

그런데 $x < 1$이므로 $x < 0$ ⋯⋯㉠

(ii) $1 \leq x < \frac{3}{2}$일 때 $x-1 < -(2x-3)-2$, $3x < 2$에서

$x < \frac{2}{3}$

그런데 $1 \leq x < \frac{3}{2}$이므로 만족시키는 해는 없다.

(iii) $x \geq \frac{3}{2}$일 때 $x-1 < (2x-3)-2$, $-x < -4$에서

$x > 4$

그런데 $x \geq \frac{3}{2}$이므로 $x > 4$ ⋯⋯㉡

(i), (ii), (iii)에서

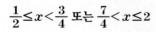

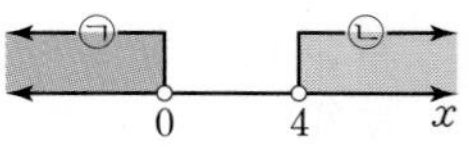

$x < 0$ 또는 $x > 4$

기초 유형

| 본문 74, 75쪽 |

1-1 **9, 9, 7**

1-2

$8-2x>x+2$에서

$-3x>-6 \quad \therefore x<2$ ……㉠

$x-3\le 3x+1$에서

$-2x\le 4 \quad \therefore x\ge -2$ ……㉡

㉠, ㉡을 수직선 위에 나타내면 오른쪽 그림과 같다.

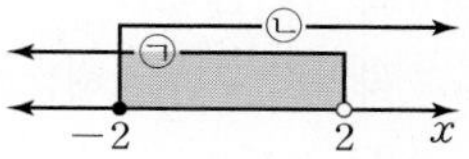

따라서 구하는 해는 $-2\le x<2$이므로

정수 x의 개수는 -2, -1, 0, 1의 **4**이다.

1-3

$3-x<2x$에서

$-3x<-3 \quad \therefore x>1$ ……㉠

$2x\le\frac{2}{3}(x+4)$에서 $6x\le 2(x+4)$

$4x\le 8 \quad \therefore x\le 2$ ……㉡

㉠, ㉡을 수직선 위에 나타내면 오른쪽 그림과 같다.

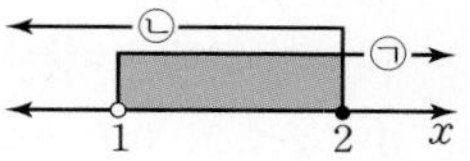

따라서 구하는 해는 $1<x\le 2$이므로

$\boldsymbol{a=1,\ b=2}$

2-1 **2, 1, 15**

2-2

$|2x-a|<7$에서 $-7<2x-a<7$

$a-7<2x<a+7$

$\therefore \frac{a-7}{2}<x<\frac{a+7}{2}$

이 해가 $-5<x<b$와 같으므로

$\frac{a-7}{2}=-5$, $\frac{a+7}{2}=b$

$\therefore \boldsymbol{a=-3,\ b=2}$

3-1 **3, −2, 2**

3-2

(i) $x\ge 2$일 때 $x-2+6\le 2x$에서

$-x\le -4$, $x\ge 4$

그런데 $x\ge 2$이므로 $x\ge 4$

(ii) $x<2$일 때 $-(x-2)+6\le 2x$에서

$-3x\le -8$, $x\ge\frac{8}{3}$

그런데 $x<2$이므로 만족시키는 해는 없다.

(i), (ii)에서 $\boldsymbol{x\ge 4}$

2주 5일 여러 가지 부등식

개념 확인

| 본문 77, 79쪽 |

1-1

(1) $y=x^2-8x+12$로 놓으면

$y=x^2-8x+12=(x-2)(x-6)$

이므로 이 이차함수의 그래프는 오른쪽 그림과 같다.

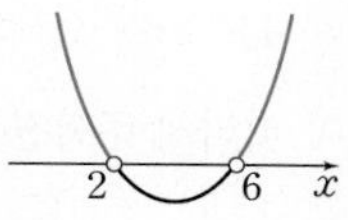

따라서 주어진 부등식의 해는

$x<2$ 또는 $x>6$

(2) $y=x^2-2x+1$로 놓으면

$y=x^2-2x+1=(x-1)^2$

이므로 이 이차함수의 그래프는 오른쪽 그림과 같다.

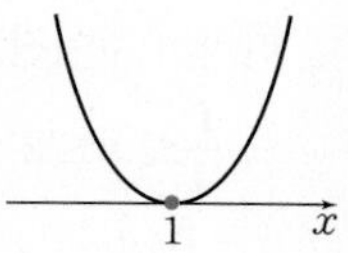

따라서 주어진 부등식의 해는

$\boldsymbol{x=1}$

(3) $y=x^2-6x+11$로 놓으면

$y=x^2-6x+11=(x-3)^2+2$

이므로 이 이차함수의 그래프는 오른쪽 그림과 같다.

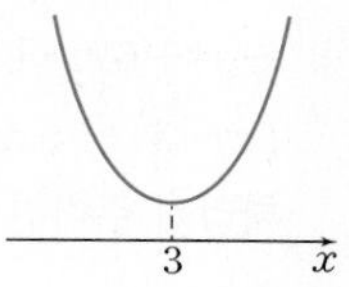

따라서 주어진 부등식의 해는

모든 실수

1-2

(1) $y=x^2-2x-15$로 놓으면

$y=x^2-2x-15=(x+3)(x-5)$

이므로 이 이차함수의 그래프는 오른쪽 그림과 같다.

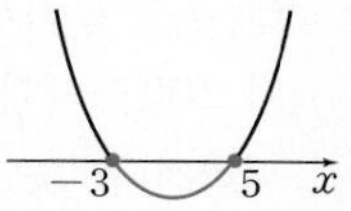

따라서 주어진 부등식의 해는

$\boldsymbol{-3\le x\le 5}$

(2) $y=x^2+4x+4$로 놓으면

$y=x^2+4x+4=(x+2)^2$

이므로 이 이차함수의 그래프는 오른쪽 그림과 같다.

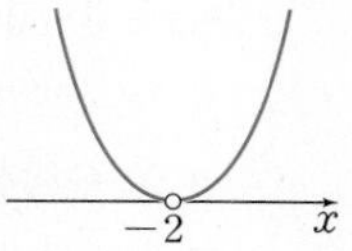

따라서 주어진 부등식의 해는

$x\ne -2$인 모든 실수

(3) $y=x^2-5x+7$로 놓으면

$y=x^2-5x+7=\left(x-\frac{5}{2}\right)^2+\frac{3}{4}$

이므로 이 이차함수의 그래프는 오른쪽 그림과 같다.

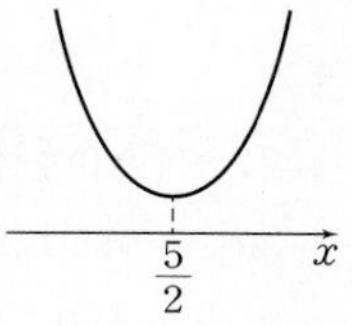

따라서 주어진 부등식의 **해는 없다.**

2-1

(1) $x^2-10x+21>0$에서 $(x-3)(x-7)>0$

따라서 주어진 부등식의 해는

$\boldsymbol{x<3}$ **또는** $\boldsymbol{x>7}$

(2) $x^2+64\le 16x$에서 $x^2-16x+64\le 0$

$(x-8)^2\le 0$

따라서 주어진 부등식의 해는 $\boldsymbol{x=8}$

(3) $4x^2+6x+3<0$에서 $4\left(x+\frac{3}{4}\right)^2+\frac{3}{4}<0$

따라서 주어진 부등식의 **해는 없다.**

2-2

(1) $3x+2\ge 2x^2$에서 $2x^2-3x-2\le 0$

$(2x+1)(x-2)\le 0$

따라서 주어진 부등식의 해는

$\boldsymbol{-\frac{1}{2}\le x\le 2}$

(2) $9x^2+12x+4>0$에서 $(3x+2)^2>0$

따라서 주어진 부등식의 해는

$\boldsymbol{x\ne -\frac{2}{3}}$**인 모든 실수**

(3) $-x^2+6x-14\le 0$에서 $x^2-6x+14\ge 0$

$(x-3)^2+5\ge 0$

따라서 주어진 부등식의 해는 **모든 실수**

3-1

(1) $2x-6>0$에서

$2x>6 \qquad \therefore x>3$ ······㉠

$x^2-4x-5\ge 0$에서 $(x+1)(x-5)\ge 0$

$\therefore x\le -1$ 또는 $x\ge 5$ ······㉡

㉠, ㉡을 수직선 위에 나타내면 오른쪽 그림과 같다.

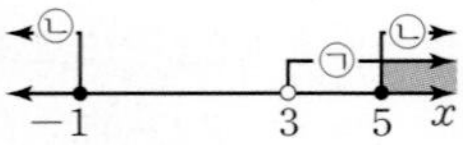

따라서 구하는 해는

$\boldsymbol{x\ge 5}$

(2) $x+6>-4x+1$에서

$5x>-5 \qquad \therefore x>-1$ ······㉠

$x^2-x-6\le 0$에서 $(x+2)(x-3)\le 0$

$\therefore -2\le x\le 3$ ······㉡

㉠, ㉡을 수직선 위에 나타내면 오른쪽 그림과 같다.

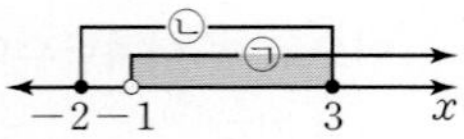

따라서 구하는 해는

$\boldsymbol{-1<x\le 3}$

3-2

(1) $2x+4\ge 0$에서

$2x\ge -4 \qquad \therefore x\ge -2$ ······㉠

$x^2+x-20<0$에서 $(x+5)(x-4)<0$

$\therefore -5<x<4$ ······㉡

㉠, ㉡을 수직선 위에 나타내면 오른쪽 그림과 같다.

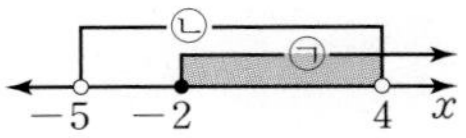

따라서 구하는 해는

$\boldsymbol{-2\le x<4}$

(2) $2x-1>5-x$에서

$3x>6 \qquad \therefore x>2$ ······㉠

$x^2-2x-3\le 0$에서 $(x+1)(x-3)\le 0$

$\therefore -1\le x\le 3$ ······㉡

㉠, ㉡을 수직선 위에 나타내면 오른쪽 그림과 같다.

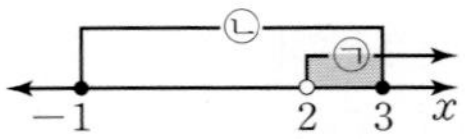

따라서 구하는 해는

$\boldsymbol{2<x\le 3}$

4-1

(1) $x^2-4<0$에서 $(x+2)(x-2)<0$

$\therefore -2<x<2$ ······㉠

$x^2+2x-3>0$에서 $(x+3)(x-1)>0$

$\therefore x<-3$ 또는 $x>1$ ······㉡

㉠, ㉡을 수직선 위에 나타내면 오른쪽 그림과 같다.

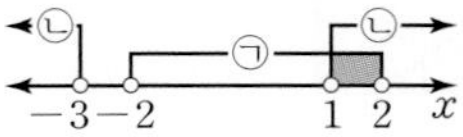

따라서 구하는 해는

$\boldsymbol{1<x<2}$

(2) $2x^2-5x+2\le 0$에서 $(2x-1)(x-2)\le 0$

$\therefore \frac{1}{2}\le x\le 2$ ······㉠

$1+x-2x^2>0$에서 $(2x+1)(x-1)<0$

$\therefore -\frac{1}{2}<x<1$ ······㉡

㉠, ㉡을 수직선 위에 나타내면 오른쪽 그림과 같다.

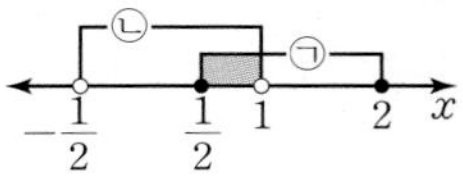

따라서 구하는 해는

$\boldsymbol{\frac{1}{2}\le x<1}$

4-2

(1) $x^2+x-12\le 0$에서 $(x+4)(x-3)\le 0$

$\therefore -4\le x\le 3$ ······㉠

$x^2+x-6\ge 0$에서 $(x+3)(x-2)\ge 0$

$\therefore x\le -3$ 또는 $x\ge 2$ ······㉡

㉠, ㉡을 수직선 위에 나타내면 오른쪽 그림과 같다.

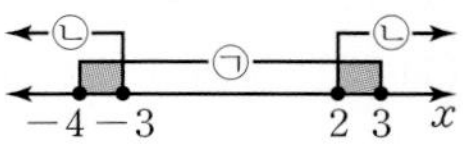

따라서 구하는 해는

$\boldsymbol{-4\le x\le -3}$ **또는** $\boldsymbol{2\le x\le 3}$

(2) $x^2-5\le 0$에서 $(x+\sqrt{5})(x-\sqrt{5})\le 0$

$\therefore -\sqrt{5}\le x\le \sqrt{5}$ ······㉠

$x^2-1>0$에서 $(x+1)(x-1)>0$

$\therefore x<-1$ 또는 $x>1$ ······㉡

㉠, ㉡을 수직선 위에 나타내면 오른쪽 그림과 같다.

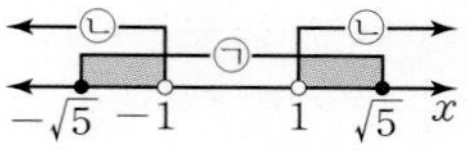

따라서 구하는 해는

$\boldsymbol{-\sqrt{5} \le x < -1}$ **또는** $\boldsymbol{1 < x \le \sqrt{5}}$

5-1

(1) $-x < x^2$에서 $x^2 + x > 0$

$x(x+1) > 0 \quad \therefore x < -1$ 또는 $x > 0$ ……㉠

$x^2 < 3x - 2$에서 $x^2 - 3x + 2 < 0$

$(x-1)(x-2) < 0 \quad \therefore 1 < x < 2$ ……㉡

㉠, ㉡을 수직선 위에 나타내면 오른쪽 그림과 같다.

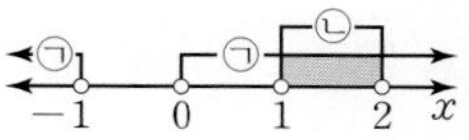

따라서 구하는 해는

$\boldsymbol{1 < x < 2}$

(2) $x^2 + x < 6x + 6$에서

$x^2 - 5x - 6 < 0$, $(x+1)(x-6) < 0$

$\therefore -1 < x < 6$ ……㉠

$6x + 6 \le x^2 - x + 16$에서

$x^2 - 7x + 10 \ge 0$, $(x-2)(x-5) \ge 0$

$\therefore x \le 2$ 또는 $x \ge 5$ ……㉡

㉠, ㉡을 수직선 위에 나타내면 오른쪽 그림과 같다.

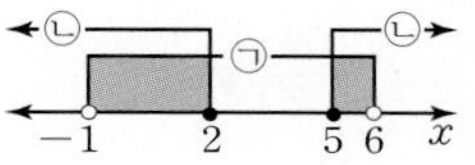

따라서 구하는 해는

$\boldsymbol{-1 < x \le 2}$ **또는** $\boldsymbol{5 \le x < 6}$

5-2

(1) $x + 2 \le x^2$에서 $x^2 - x - 2 \ge 0$

$(x+1)(x-2) \ge 0 \quad \therefore x \le -1$ 또는 $x \ge 2$ ……㉠

$x^2 < 4x + 21$에서 $x^2 - 4x - 21 < 0$

$(x+3)(x-7) < 0 \quad \therefore -3 < x < 7$ ……㉡

㉠, ㉡을 수직선 위에 나타내면 오른쪽 그림과 같다.

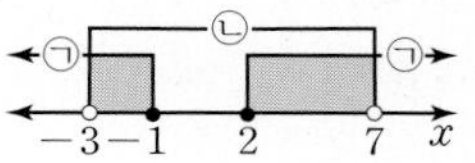

따라서 구하는 해는

$\boldsymbol{-3 < x \le -1}$ **또는** $\boldsymbol{2 \le x < 7}$

(2) $x^2 + 2x - 15 \le 8x + 1$에서

$x^2 - 6x - 16 \le 0$, $(x+2)(x-8) \le 0$

$\therefore -2 \le x \le 8$ ……㉠

$8x + 1 < x^2 + 8$에서

$x^2 - 8x + 7 > 0$, $(x-1)(x-7) > 0$

$\therefore x < 1$ 또는 $x > 7$ ……㉡

㉠, ㉡을 수직선 위에 나타내면 오른쪽 그림과 같다.

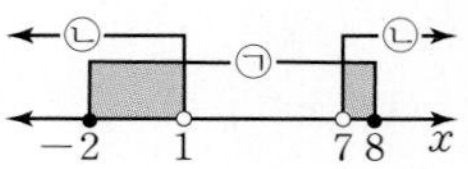

따라서 구하는 해는

$\boldsymbol{-2 \le x < 1}$ **또는** $\boldsymbol{7 < x \le 8}$

기초 유형

| 본문 80, 81쪽 |

1-1 5, 5, 4

1-2

$x^2 + 2x - 35 < 0$에서 $(x+7)(x-5) < 0$

따라서 주어진 부등식의 해는 $-7 < x < 5$이므로

$\boldsymbol{a = -7,\ b = 5}$

2-1 1, 5, −5, 20

2-2

해가 $-5 < x < 3$이고 x^2의 계수가 1인 이차부등식은

$(x+5)(x-3) < 0 \quad \therefore x^2 + 2x - 15 < 0$

$\therefore \boldsymbol{a = 2,\ b = -15}$

3-1 ≤, 5, 9

3-2

이차함수 $y = x^2 + 2(k+3)x + k + 5$의 그래프가 x축보다 항상 위쪽에 있어야 하므로 이차방정식 $x^2 + 2(k+3)x + k + 5 = 0$의 판별식을 D라 하면

$\frac{D}{4} = (k+3)^2 - (k+5) < 0$

$k^2 + 5k + 4 < 0$, $(k+4)(k+1) < 0$

$\therefore \boldsymbol{-4 < k < -1}$

참고 **이차부등식이 항상 성립할 조건**

이차부등식이 항상 성립할 조건은 다음과 같다.

(단, $a \ne 0$, $D = b^2 - 4ac$)

(1) 모든 실수 x에 대하여 $ax^2 + bx + c > 0 \Rightarrow a > 0,\ D < 0$

(2) 모든 실수 x에 대하여 $ax^2 + bx + c \ge 0 \Rightarrow a > 0,\ D \le 0$

(3) 모든 실수 x에 대하여 $ax^2 + bx + c < 0 \Rightarrow a < 0,\ D < 0$

(4) 모든 실수 x에 대하여 $ax^2 + bx + c \le 0 \Rightarrow a < 0,\ D \le 0$

4-1 −2, 5, 3

4-2

$|x-1| > 1$에서 $x - 1 < -1$ 또는 $x - 1 > 1$

$\therefore x < 0$ 또는 $x > 2$ ……㉠

$x^2 - 2x \le 8$에서 $x^2 - 2x - 8 \le 0$

$(x+2)(x-4) \le 0 \quad \therefore -2 \le x \le 4$ ……㉡

㉠, ㉡을 수직선 위에 나타내면 오른쪽 그림과 같다.

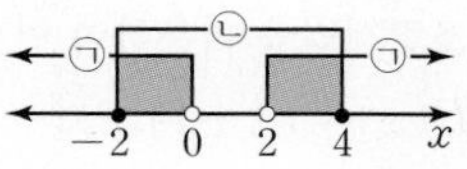

따라서 구하는 해는 $-2 \le x < 0$ 또는 $2 < x \le 4$이므로 모든 정수 x의 값의 합은

$-2 + (-1) + 3 + 4 = \boldsymbol{4}$

누구나 100점 테스트

본문 82, 83쪽

1 답 ①

기울기가 5인 직선의 방정식은 $y=5x+k$

이 직선이 이차함수 $f(x)=x^2-3x+17$의 그래프에 접하므로 이차방정식 $x^2-3x+17=5x+k$, 즉 $x^2-8x+17-k=0$의 판별식을 D라 하면

$\frac{D}{4}=(-4)^2-(17-k)=-1+k=0 \qquad \therefore k=1$

따라서 직선 $y=5x+1$의 y절편은 1이다.

2 답 ④

$f(x)=x^2-4x+k=(x-2)^2+k-4$

$-1\le x\le 3$에서 이차함수 $y=f(x)$의 그래프는 오른쪽 그림과 같으므로

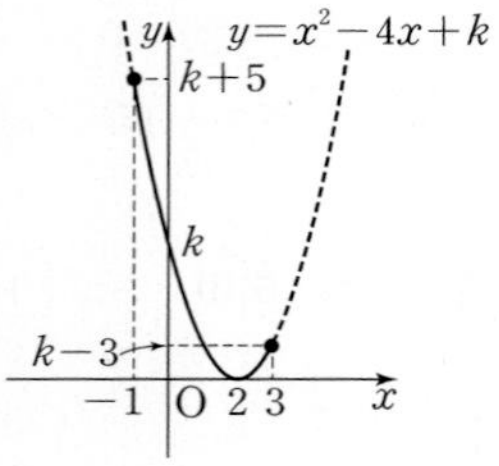

$x=-1$일 때 최댓값 $k+5$,

$x=2$일 때 최솟값 $k-4$를 갖는다.

이때 최댓값이 9이므로

$k+5=9 \qquad \therefore k=4$

3 답 ④

$P(x)=x^4-5x^3+5x^2+5x-6$으로 놓으면

$P(1)=0,\ P(2)=0$

$P(x)$는 $x-1$, $x-2$를 인수로 가지므로 조립제법을 이용하여 인수분해하면

1	1	-5	5	5	-6
		1	-4	1	6
2	1	-4	1	6	0
		2	-4	-6	
	1	-2	-3	0	

$P(x)=(x-1)(x-2)(x^2-2x-3)$

$\qquad =(x-1)(x-2)(x-3)(x+1)$

즉, 방정식 $(x-1)(x-2)(x-3)(x+1)=0$의 근은

$x=-1$ 또는 $x=1$ 또는 $x=2$ 또는 $x=3$

따라서 $\alpha=-1$, $\beta=3$이므로 $\beta-\alpha=4$

4 답 ①

$P(x)=2x^3+x^2+2x+3$으로 놓으면 $P(-1)=0$

$P(x)$는 $x+1$을 인수로 가지므로 조립제법을 이용하여 인수분해하면

-1	2	1	2	3
		-2	1	-3
	2	-1	3	0

$P(x)=(x+1)(2x^2-x+3)$

삼차방정식 $2x^3+x^2+2x+3=0$의

한 허근 α는 이차방정식 $2x^2-x+3=0$의 근이므로

$2\alpha^2-\alpha+3=0,\ 2\alpha^2-\alpha=-3$

$\therefore 4\alpha^2-2\alpha+7=2(2\alpha^2-\alpha)+7$

$\qquad =2\times(-3)+7$

$\qquad =1$

5 답 15

$x=y+5$를 $x^2-2y^2=50$에 대입하면

$(y+5)^2-2y^2=50,\ y^2-10y+25=0$

$(y-5)^2=0 \qquad \therefore y=5$

이것을 $x=y+5$에 대입하면 $x=10$

따라서 $\alpha=10$, $\beta=5$이므로 $\alpha+\beta=15$

6 답 ①

$\begin{cases} x^2-3xy+2y^2=0 & \cdots\cdots ㉠ \\ 2x^2-y^2=2 & \cdots\cdots ㉡ \end{cases}$

㉠의 좌변을 인수분해하면 $(x-y)(x-2y)=0$

$\therefore y=x$ 또는 $x=2y$

(i) $y=x$를 ㉡에 대입하면

$x^2=2,\ y^2=2$

$\therefore \alpha^2+\beta^2=4$

(ii) $x=2y$를 ㉡에 대입하면

$x^2=\frac{8}{7},\ y^2=\frac{2}{7}$

$\therefore \alpha^2+\beta^2=\frac{10}{7}$

(i), (ii)에서 $\alpha^2+\beta^2$의 최댓값은 4이다.

7 답 ③

$|x-3|\le a$에서 $-a\le x-3\le a$

$\therefore 3-a\le x\le 3+a$

이때 a는 자연수이므로 부등식을 만족시키는 정수 x의 개수는

$(3+a)-(3-a)+1=2a+1$

즉, $2a+1=15$이므로 $2a=14$

$\therefore a=7$

8 답 ①

(i) $x\ge\frac{2}{3}$일 때 $3x-2\le x+6$에서 $x\le 4$

그런데 $x\ge\frac{2}{3}$이므로 $\frac{2}{3}\le x\le 4 \qquad \cdots\cdots ㉠$

(ii) $x<\frac{2}{3}$일 때 $-(3x-2)\le x+6$에서 $x\ge -1$

그런데 $x<\frac{2}{3}$이므로 $-1\le x<\frac{2}{3} \qquad \cdots\cdots ㉡$

(i), (ii)에서

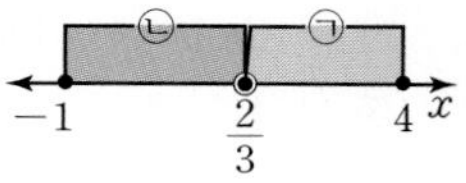

$-1\le x\le 4$

따라서 $\alpha=-1$, $\beta=4$이므로

$\alpha+\beta=3$

9 답 ③

이차함수 $y=x^2-2(k-2)x-k^2+5k-3$의 그래프가 x축에 접하거나 x축보다 위쪽에 있어야 하므로 이차방정식

$x^2-2(k-2)x-k^2+5k-3=0$의 판별식을 D라 하면

$\frac{D}{4}=(k-2)^2-(-k^2+5k-3)\le 0$

$2k^2-9k+7\le 0$, $(k-1)(2k-7)\le 0$

$\therefore 1\le k\le \frac{7}{2}$

따라서 모든 정수 k의 값의 합은 $1+2+3=6$

10 답 3

$2x+1<x-3$에서 $x<-4$ ……㉠

$x^2+6x-7<0$에서 $(x+7)(x-1)<0$

$\therefore -7<x<1$ ……㉡

㉠, ㉡을 수직선 위에 나타내면 오른쪽 그림과 같다.

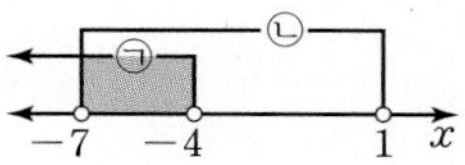

따라서 구하는 해는 $-7<x<-4$이므로 $\alpha=-7$, $\beta=-4$

$\therefore \beta-\alpha=3$

창의 · 융합 · 코딩

본문 84~89쪽

정답 59

다음은 어느 학교의 수학 캠프에서 두 학생이 참가자들에게 나눠 줄 초콜릿을 상자에 담으면서 나눈 대화의 일부이다.

위 학생들이 대화를 만족시키는 상자의 개수의❸ 최댓값을 M, 최솟값을 m이라 할 때, $M+m$의 값을❹ 구하시오.

[2020 3월 실시 고1 교육청 28번]

❶ 상자의 개수를 x라 하고 초콜릿의 개수를 구한다.
❷ 13개씩 담았을 때의 초콜릿의 개수의 범위를 구한다.
❸ ❶, ❷에서 각각 구한 초콜릿의 개수의 관계를 식으로 나타낸다.
❹ 필요한 상자의 개수의 최댓값 M과 최솟값 m을 구하여 $M+m$을 계산한다.

❶ 상자의 개수를 x라 하면 한 상자에 초콜릿을 10개씩 담으면 초콜릿이 42개 남게 되므로 초콜릿의 개수는 $10x+42$

❷ 한 상자에 초콜릿을 13개씩 담으면 빈 상자가 3개 남고, 한 상자는 13개가 되지 않으므로 초콜릿의 개수는 $13(x-4)$보다 크고, $13(x-3)$보다는 작다.

❸ 13개씩 담았을 때, 아직 상자에 들어가지 않은 초콜릿이 남아 있으므로

$13(x-4)<10x+42$, $13x-52<10x+42$

$3x<94$ $\therefore x<\frac{94}{3}$ ……㉠

또 $(x-3)$개의 상자에 초콜릿을 13개씩 담으면 한 개의 상자는 13개가 되지 않으므로

$10x+42<13(x-3)$, $10x+42<13x-39$

$3x>81$ $\therefore x>27$ ……㉡

㉠, ㉡에서

$27<x<\frac{94}{3}$

❹ 따라서 $M=31$, $m=28$이므로 $M+m=59$

참고

(i) 상자의 개수가 31일 때

초콜릿의 개수는 $10\times 31+42=352$

이때 $352=13\times 27+1$이므로 한 상자에 초콜릿을 13개씩 담으면 27상자에는 13개씩 모두 채워지고, 다른 한 상자에는 1개의 초콜릿이 담겨져 있고 빈 상자가 3개 남는다.

(ii) 상자의 개수가 28일 때

초콜릿의 개수는 $10\times 28+42=322$

이때 $322=13\times 24+10$이므로 한 상자에 초콜릿을 13개씩 담으면 24상자에는 13개씩 모두 채워지고, 다른 한 상자에는 10개의 초콜릿이 담겨져 있고 빈 상자가 3개 남는다.

다른 풀이

상자의 개수를 x라 하면 초콜릿의 개수는 $10x+42$이고 초콜릿을 13개씩 담을 때 13개가 채워진 상자의 개수는 $x-4$이므로

$1\le \underline{10x+42-13(x-4)}<13$ (초콜릿을 13개씩 $x-4$상자에 나눠담고 남은 개수)

$1\le -3x+94<13$ $\therefore 27<x\le 31$

따라서 $M=31$, $m=28$이므로 $M+m=59$

1 답 m, m^2, 4

2 답 $\frac{3}{16}$

❶ x에 대한 이차함수 $y=x^2-4kx+4k^2+k$의 그래프와 직선 $y=2ax+b$가 접하므로 이차방정식

$x^2-4kx+4k^2+k=2ax+b$,

즉 $x^2-2(2k+a)x+4k^2+k-b=0$

의 판별식을 D라 하면

$\frac{D}{4}=(2k+a)^2-(4k^2+k-b)=0$, $4ak+a^2-k+b=0$

$(4a-1)k+a^2+b=0$

❷ 이 식이 k의 값에 관계없이 항상 성립하므로

$4a-1=0$, $a^2+b=0$ $\quad\therefore a=\frac{1}{4}$, $b=-\frac{1}{16}$

❸ $\therefore a+b=\frac{3}{16}$

3 답 **5**

❶ $P(x)=x^3+x-2$로 놓으면 $P(1)=0$

$P(x)$는 $x-1$을 인수로 가지므로 조립제법을 이용하여 인수분해하면

1	1	0	1	-2
		1	1	2
	1	1	2	0

$P(x)=(x-1)(x^2+x+2)$

이때 삼차방정식의 두 허근 α, β는

이차방정식 $x^2+x+2=0$의 두 근이다.

❷ 이차방정식의 근과 계수의 관계에 의하여

$\alpha+\beta=-1$, $\alpha\beta=2$

❸ $\therefore \alpha^3+\beta^3=(\alpha+\beta)^3-3\alpha\beta(\alpha+\beta)$

$=(-1)^3-3\times2\times(-1)$

$=5$

4 답 **1, 3, 2**

5 답 **7**

❶ $2x-y=5$를 y에 대하여 정리하면

$y=2x-5$ ······㉠

㉠을 $x^2-2y=k$에 대입하면

$x^2-2(2x-5)=k$

$x^2-4x+10-k=0$ ······㉡

❷ 주어진 연립방정식이 오직 한 쌍의 해를 가지므로 ㉡의 판별식을 D라 하면

$\frac{D}{4}=(-2)^2-(10-k)=k-6=0$

$\therefore k=6$

❸ $k=6$을 ㉡에 대입하면

$x^2-4x+4=0$, $(x-2)^2=0$ $\quad\therefore x=2$

$x=2$를 ㉠에 대입하면 $y=-1$

즉, $\alpha=2$, $\beta=-1$

$\therefore \alpha+\beta+k=2+(-1)+6=7$

6 답 **10**

❶ 이차부등식 $f(x)<0$에서 주어진 이차부등식을 만족시키는 해가 없으려면 이차함수 $f(x)$의 그래프가 x축과 접하거나 x축보다 위쪽에 있어야 한다.

이차방정식 $x^2-2ax+9a=0$의 판별식을 D라 하면

$\frac{D}{4}=a^2-9a=a(a-9)\le0$

$\therefore 0\le a\le9$

❷ 따라서 정수 a의 개수는 0, 1, 2, ⋯, 9의 10이다.

3주 1일 평면좌표

개념 확인

| 본문 95, 97쪽 |

1-1

(1) $\overline{AB}=\sqrt{(3-1)^2+(-1-3)^2}=\sqrt{20}=\mathbf{2\sqrt{5}}$

(2) $\overline{AB}=\sqrt{\{1-(-2)\}^2+(5-1)^2}=\sqrt{25}=\mathbf{5}$

1-2

(1) $\overline{OA}=\sqrt{(-3-0)^2+(2-0)^2}=\mathbf{\sqrt{13}}$

(2) $\overline{AB}=\sqrt{(2-1)^2+\{-5-(-2)\}^2}=\mathbf{\sqrt{10}}$

2-1

(1) $\overline{AB}=\sqrt{(3-5)^2+(-2-4)^2}=\sqrt{40}=2\sqrt{10}$

$\overline{BC}=\sqrt{(1-3)^2+\{2-(-2)\}^2}=\sqrt{20}=2\sqrt{5}$

$\overline{CA}=\sqrt{(5-1)^2+(4-2)^2}=\sqrt{20}=2\sqrt{5}$

이때 $\overline{BC}^2+\overline{CA}^2=\overline{AB}^2$이고 $\overline{BC}=\overline{CA}$이므로 삼각형 ABC는 **∠C=90°인 직각이등변삼각형**이다.

(2) $\overline{AB}=\sqrt{(5-1)^2+(3-0)^2}=\sqrt{25}=5$

$\overline{BC}=\sqrt{(-2-5)^2+(4-3)^2}=\sqrt{50}=5\sqrt{2}$

$\overline{CA}=\sqrt{\{1-(-2)\}^2+(0-4)^2}=\sqrt{25}=5$

이때 $\overline{AB}^2+\overline{CA}^2=\overline{BC}^2$이고 $\overline{AB}=\overline{CA}$이므로 삼각형 ABC는 **∠A=90°인 직각이등변삼각형**이다.

2-2

(1) $\overline{AB}=\sqrt{(-1-1)^2+(-2-2)^2}=\sqrt{20}=2\sqrt{5}$

$\overline{BC}=\sqrt{\{2\sqrt{3}-(-1)\}^2+\{-\sqrt{3}-(-2)\}^2}=\sqrt{20}=2\sqrt{5}$

$\overline{CA}=\sqrt{(1-2\sqrt{3})^2+\{2-(-\sqrt{3})\}^2}=\sqrt{20}=2\sqrt{5}$

이때 $\overline{AB}=\overline{BC}=\overline{CA}$이므로 삼각형 ABC는 **정삼각형**이다.

(2) $\overline{AB}=\sqrt{\{1-(-2)\}^2+(0-1)^2}=\sqrt{10}$

$\overline{BC}=\sqrt{(3-1)^2+(6-0)^2}=\sqrt{40}=2\sqrt{10}$

$\overline{CA}=\sqrt{(-2-3)^2+(1-6)^2}=\sqrt{50}=5\sqrt{2}$

이때 $\overline{AB}^2+\overline{BC}^2=\overline{CA}^2$이므로 삼각형 ABC는 **∠B=90°인 직각삼각형**이다.

3-1

(1) $\dfrac{1\times6+2\times(-4)}{1+2}=-\dfrac{2}{3}$ $\quad\therefore$ $\mathbf{P\left(-\frac{2}{3}\right)}$

(2) $\dfrac{2\times6-3\times(-4)}{2-3}=-24$ $\quad\therefore$ $\mathbf{Q(-24)}$

(3) $\dfrac{-4+6}{2}=1$ $\quad\therefore$ $\mathbf{M(1)}$

3-2

(1) $\dfrac{1\times7+3\times1}{1+3}=\dfrac{5}{2}$ $\quad\therefore$ $\mathbf{P\left(\frac{5}{2}\right)}$

(2) $\dfrac{2\times7-1\times1}{2-1}=13$ $\quad\therefore$ $\mathbf{Q(13)}$

(3) $\dfrac{1+7}{2}=4$ $\quad\therefore$ $\mathbf{M(4)}$

4-1

(1) 점 P의 좌표를 (x, y)라 하면

$x=\dfrac{1\times(-2)+5\times4}{1+5}=3$

$y=\dfrac{1\times(-5)+5\times4}{1+5}=\dfrac{5}{2}$

따라서 점 P의 좌표는 $\mathbf{\left(3, \frac{5}{2}\right)}$

(2) 점 Q의 좌표를 (x, y)라 하면

$x=\dfrac{2\times(-2)-1\times4}{2-1}=-8$

$y=\dfrac{2\times(-5)-1\times4}{2-1}=-14$

따라서 점 Q의 좌표는 $\mathbf{(-8, -14)}$

(3) 점 M의 좌표를 (x, y)라 하면

$x=\dfrac{4+(-2)}{2}=1$, $y=\dfrac{4+(-5)}{2}=-\dfrac{1}{2}$

따라서 점 M의 좌표는 $\mathbf{\left(1, -\frac{1}{2}\right)}$

4-2

(1) 점 P의 좌표를 (x, y)라 하면

$x=\dfrac{3\times(-1)+2\times3}{3+2}=\dfrac{3}{5}$

$y=\dfrac{3\times2+2\times1}{3+2}=\dfrac{8}{5}$

따라서 점 P의 좌표는 $\mathbf{\left(\frac{3}{5}, \frac{8}{5}\right)}$

(2) 점 Q의 좌표를 (x, y)라 하면

$x=\dfrac{3\times(-1)-2\times3}{3-2}=-9$

$y=\dfrac{3\times2-2\times1}{3-2}=4$

따라서 점 Q의 좌표는 $\mathbf{(-9, 4)}$

(3) 점 M의 좌표를 (x, y)라 하면

$x=\dfrac{3+(-1)}{2}=1$, $y=\dfrac{1+2}{2}=\dfrac{3}{2}$

따라서 점 M의 좌표는 $\mathbf{\left(1, \frac{3}{2}\right)}$

5-1

(1) 무게중심 G의 좌표는

$\left(\dfrac{3+5+4}{3}, \dfrac{2+(-2)+1}{3}\right)$ $\quad\therefore$ $\mathbf{G\left(4, \frac{1}{3}\right)}$

(2) 무게중심 G의 좌표는

$\left(\frac{-3+(-4)+1}{3}, \frac{0+3+3}{3}\right)$ $\therefore$ $\mathbf{G(-2, 2)}$

5-2

(1) 무게중심 G의 좌표는

$\left(\frac{-2+1+7}{3}, \frac{4+(-2)+1}{3}\right)$ $\therefore$ $\mathbf{G(2, 1)}$

(2) 무게중심 G의 좌표는

$\left(\frac{1+(-4)+6}{3}, \frac{2+3+(-5)}{3}\right)$ $\therefore$ $\mathbf{G(1, 0)}$

기초 유형

| 본문 98, 99쪽 |

1-1 $\boldsymbol{a}$, **13**

1-2

$\overline{AB}=5\sqrt{2}$이므로 $\sqrt{(-3-a)^2+(2a+3-2)^2}=5\sqrt{2}$

양변을 제곱하면 $(3+a)^2+(2a+1)^2=50$

$5a^2+10a+10=50$, $a^2+2a-8=0$

$(a+4)(a-2)=0$ $\therefore$ $\boldsymbol{a=-4}$ **또는** $\boldsymbol{a=2}$

2-1 8, 0, 6

2-2

선분 AB를 1 : 2로 내분하는 점 P의 좌표는

$\left(\frac{1\times6+2\times(-4)}{1+2}, \frac{1\times11+2\times1}{1+2}\right)$, 즉 $\left(\boldsymbol{-\frac{2}{3}, \frac{13}{3}}\right)$

선분 AB를 1 : 2로 외분하는 점 Q의 좌표는

$\left(\frac{1\times6-2\times(-4)}{1-2}, \frac{1\times11-2\times1}{1-2}\right)$, 즉 $\mathbf{(-14, -9)}$

2-3

선분 AB를 3 : 2로 내분하는 점 P의 좌표는

$\left(\frac{3\times(-3)+2\times2}{3+2}, \frac{3\times(-3)+2\times7}{3+2}\right)$, 즉 $(-1, 1)$

선분 AB를 3 : 2로 외분하는 점 Q의 좌표는

$\left(\frac{3\times(-3)-2\times2}{3-2}, \frac{3\times(-3)-2\times7}{3-2}\right)$, 즉 $(-13, -23)$

따라서 선분 PQ의 중점 M의 좌표는

$\left(\frac{-1+(-13)}{2}, \frac{1+(-23)}{2}\right)$, 즉 $\mathbf{(-7, -11)}$

3-1 2, $\boldsymbol{2b}$, $\boldsymbol{2b}$

3-2

선분 AB를 4 : 3으로 외분하는 점 C의 좌표는

$\left(\frac{4\times(-1)-3\times a}{4-3}, \frac{4\times2-3\times3}{4-3}\right)$, 즉 $(-3a-4, -1)$

이 점의 좌표가 $(11, b)$이므로

$-3a-4=11$, $-1=b$

$\therefore$ $\boldsymbol{a=-5, b=-1}$

3-3

선분 AB를 1 : 2로 내분하는 점 P의 좌표는

$\left(\frac{1\times a+2\times2}{1+2}, \frac{1\times5+2\times(-3)}{1+2}\right)$, 즉 $\left(\frac{a+4}{3}, -\frac{1}{3}\right)$

이 점이 y축 위에 있으므로

$\frac{a+4}{3}=0$, $a+4=0$ $\therefore$ $\boldsymbol{a=-4}$

4-1 3, 3, 3, 9, 11

4-2

점 C의 좌표를 (a, b)라 하면 삼각형 ABC의 무게중심의 좌표는

$\left(\frac{6+1+a}{3}, \frac{-3+9+b}{3}\right)$, 즉 $\left(\frac{a+7}{3}, \frac{b+6}{3}\right)$

이때 삼각형 ABC의 무게중심이 G(1, 3)이므로

$\frac{a+7}{3}=1$, $\frac{b+6}{3}=3$

$\therefore$ $a=-4$, $b=3$

따라서 점 C의 좌표는 $\mathbf{(-4, 3)}$

3주 2일 직선의 방정식

개념 확인

| 본문 101, 103쪽 |

1-1

(1) $y-5=-3(x-2)$ $\therefore$ $\boldsymbol{y=-3x+11}$

(2) $\boldsymbol{y=-1}$

1-2

(1) x절편이 3이므로 점 (3, 0)을 지나고 기울기가 2인 직선의 방정식은

$y-0=2(x-3)$ $\therefore$ $\boldsymbol{y=2x-6}$

(2) y축에 수직인 직선은 x축에 평행하므로 구하는 직선의 방정식은 $\boldsymbol{y=4}$

2-1

(1) $y-(-6)=\frac{-2-(-6)}{7-3}(x-3)$ $\therefore$ $\boldsymbol{y=x-9}$

(2) $y-3=\frac{-5-3}{3-1}(x-1)$ $\therefore$ $\boldsymbol{y=-4x+7}$

2-2

(1) $y-(-1)=\frac{2-(-1)}{3-2}(x-2)$ $\therefore$ $\boldsymbol{y=3x-7}$

(2) $y-6=\frac{2-6}{1-(-3)}\{(x-(-3)\}$ $\therefore$ $\boldsymbol{y=-x+3}$

3-1

$\frac{x}{-2}+\frac{y}{4}=1$ $\therefore$ $\boldsymbol{y=2x+4}$

3-2

$\frac{x}{2}+\frac{y}{-6}=1$ $\therefore$ $\boldsymbol{y=3x-6}$

4-1

$x+y-2=0$에서 $y=-x+2$

$kx-2y-3=0$에서 $y=\frac{k}{2}x-\frac{3}{2}$

(1) 두 직선이 서로 평행하려면

$-1=\frac{k}{2}$ $\therefore$ $\boldsymbol{k=-2}$

다른 풀이

두 직선 $x+y-2=0$, $kx-2y-3=0$이 서로 평행하므로

$\frac{1}{k}=\frac{1}{-2}\neq\frac{-2}{-3}$ $\therefore$ $k=-2$

(2) 두 직선이 서로 수직이려면

$-1\times\frac{k}{2}=-1$ $\therefore$ $\boldsymbol{k=2}$

4-2

$3x+4y+2=0$에서 $y=-\frac{3}{4}x-\frac{1}{2}$

$kx-2y+1=0$에서 $y=\frac{k}{2}x+\frac{1}{2}$

(1) 두 직선이 서로 평행하려면

$-\frac{3}{4}=\frac{k}{2}$ $\therefore$ $\boldsymbol{k=-\frac{3}{2}}$

(2) 두 직선이 서로 수직이려면

$-\frac{3}{4}\times\frac{k}{2}=-1$, $-3k=-8$ $\therefore$ $\boldsymbol{k=\frac{8}{3}}$

다른 풀이

두 직선 $3x+4y+2=0$, $kx-2y+1=0$이 서로 수직이므로

$3k+4\times(-2)=0$, $3k-8=0$ $\therefore$ $k=\frac{8}{3}$

5-1

(1) 직선 $y=3x+1$에 평행한 직선의 기울기는 3이고, 이 직선이 점 $(1, 2)$를 지나므로 구하는 직선의 방정식은

$y-2=3(x-1)$ $\therefore$ $\boldsymbol{y=3x-1}$

(2) 직선 $y=2x+1$에 수직인 직선의 기울기는 $-\frac{1}{2}$이고, 이 직선이 점 $(2, -1)$을 지나므로 구하는 직선의 방정식은

$y-(-1)=-\frac{1}{2}(x-2)$ $\therefore$ $\boldsymbol{y=-\frac{1}{2}x}$

5-2

(1) 직선 $4x+y-1=0$, 즉 $y=-4x+1$에 평행한 직선의 기울기는 -4이고, 이 직선이 점 $(1, 2)$를 지나므로 구하는 직선의 방정식은

$y-2=-4(x-1)$ $\therefore$ $\boldsymbol{y=-4x+6}$

(2) 직선 $y=-\frac{1}{3}x+2$에 수직인 직선의 기울기는 3이고, 이 직선이 점 $(2, -1)$을 지나므로 구하는 직선의 방정식은

$y-(-1)=3(x-2)$ $\therefore$ $\boldsymbol{y=3x-7}$

6-1

(1) $\frac{|3\times1-2\times(-2)-6|}{\sqrt{3^2+(-2)^2}}=\frac{1}{\sqrt{13}}=\boldsymbol{\frac{\sqrt{13}}{13}}$

(2) $\frac{|1+3-2|}{\sqrt{1^2+1^2}}=\frac{2}{\sqrt{2}}=\boldsymbol{\sqrt{2}}$

6-2

(1) $\frac{|2\times0+0-10|}{\sqrt{2^2+1^2}}=\frac{10}{\sqrt{5}}=\boldsymbol{2\sqrt{5}}$

(2) $\frac{|4\times2-3\times1-7|}{\sqrt{4^2+(-3)^2}}=\frac{2}{\sqrt{25}}=\boldsymbol{\frac{2}{5}}$

기초 유형

| 본문 104, 105쪽 |

1-1 **2, 5, 11**

1-2

두 점 $(1, 0)$, $(0, -2)$를 지나는 직선의 방정식은

$y-0=\frac{-2-0}{0-1}(x-1)$ $\therefore$ $y=2x-2$

이 직선이 점 $(a, a+3)$을 지나므로

$a+3=2a-2$ $\therefore$ $\boldsymbol{a=5}$

2-1 **3, 5**

2-2

세 점이 한 직선 위에 있으므로

(직선 AB의 기울기)=(직선 BC의 기울기)

$\frac{a+1}{1-(-1)}=\frac{-5-a}{-a-1}$, $(a+1)^2=2(a+5)$

$a^2-9=0$, $(a+3)(a-3)=0$

$\therefore$ $a=3$ ($\because$ $a>0$)

3-1 **0, 0, 7, 7**

3-2

두 직선 $x+2y-4=0$, $2x-y-3=0$의 교점을 지나는 직선의 방정식을

$x+2y-4+k(2x-y-3)=0$(k는 실수)

으로 놓으면

$(2k+1)x+(-k+2)y-3k-4=0$ ……㉠

이 직선이 점 $(3, -1)$을 지나므로

$3(2k+1)-(-k+2)-3k-4=0$

$4k-3=0 \quad \therefore k=\frac{3}{4}$

$k=\frac{3}{4}$을 ㉠에 대입하면

$\frac{5}{2}x+\frac{5}{4}y-\frac{25}{4}=0 \quad \therefore \mathbf{2x+y-5=0}$

다른 풀이

두 직선 $x+2y-4=0$, $2x-y-3=0$의 교점의 좌표는 $(2, 1)$이므로 두 점 $(2, 1)$, $(3, -1)$을 지나는 직선의 방정식은

$y-1=\frac{-1-1}{3-2}(x-2) \quad \therefore 2x+y-5=0$

3-3

두 직선 $x-2y-5=0$, $2x+3y-3=0$의 교점을 지나는 직선의 방정식을

$x-2y-5+k(2x+3y-3)=0$ (k는 실수)으로 놓으면

$(2k+1)x+(3k-2)y-3k-5=0$ ……㉠

이 직선이 직선 $3x+y=2$, 즉 $3x+y-2=0$과 서로 평행하므로

$\frac{2k+1}{3}=\frac{3k-2}{1}\neq\frac{-3k-5}{-2}$

$2k+1=9k-6 \quad \therefore k=1$

$k=1$을 ㉠에 대입하면 $3x+y-8=0 \quad \therefore y=-3x+8$

따라서 $a=-3$, $b=8$이므로 $b-a=\mathbf{11}$

다른 풀이

두 직선 $x-2y-5=0$, $2x+3y-3=0$의 교점의 좌표는 $(3, -1)$이고 직선 $3x+y=2$의 기울기는 -3이므로 구하는 직선의 방정식은

$y+1=-3(x-3) \quad \therefore y=-3x+8$

따라서 $a=-3$, $b=8$이므로 $b-a=11$

4-1 **1, 24, 12**

4-2

점 $(2, -3)$과 직선 $3x+4y+a=0$ 사이의 거리는

$\frac{|3\times2+4\times(-3)+a|}{\sqrt{3^2+4^2}}=\frac{|a-6|}{5}$

$\frac{|a-6|}{5}=2$에서 $|a-6|=10$, $a-6=10$ 또는 $a-6=-10$

$\therefore a=16$ 또는 $a=-4$

따라서 모든 a의 값의 합은 **12**

3주 3일 원의 방정식

개념 확인

| 본문 107, 109쪽 |

1-1

(1) 중심의 좌표가 $(1, 3)$이고 반지름의 길이가 2인 원의 방정식은

$\mathbf{(x-1)^2+(y-3)^2=4}$

(2) 반지름의 길이를 r라 하면 원의 방정식은

$(x-2)^2+(y-1)^2=r^2$

이 원이 점 $(1, 4)$를 지나므로

$(1-2)^2+(4-1)^2=r^2 \quad \therefore r^2=10$

따라서 구하는 원의 방정식은

$\mathbf{(x-2)^2+(y-1)^2=10}$

(3) 원의 중심을 $C(a, b)$라 하면 점 C는 선분 AB의 중점이므로

$a=\frac{3+5}{2}=4$, $b=\frac{2+(-8)}{2}=-3 \quad \therefore C(4, -3)$

반지름의 길이는 선분 AC의 길이와 같으므로

$\overline{AC}=\sqrt{(4-3)^2+(-3-2)^2}=\sqrt{26}$

따라서 구하는 원의 방정식은

$\mathbf{(x-4)^2+(y+3)^2=26}$

1-2

(1) 중심이 원점이고 반지름의 길이가 6인 원의 방정식은

$\mathbf{x^2+y^2=36}$

(2) 반지름의 길이를 r라 하면 원의 방정식은

$(x+3)^2+(y+4)^2=r^2$

이 원이 원점을 지나므로

$(0+3)^2+(0+4)^2=r^2 \quad \therefore r^2=25$

따라서 구하는 원의 방정식은

$\mathbf{(x+3)^2+(y+4)^2=25}$

(3) 원의 중심을 $C(a, b)$라 하면 점 C는 선분 AB의 중점이므로

$a=\frac{-2+4}{2}=1$, $b=\frac{3+1}{2}=2 \quad \therefore C(1, 2)$

반지름의 길이는 선분 AC의 길이와 같으므로

$\overline{AC}=\sqrt{\{1-(-2)\}^2+(2-3)^2}=\sqrt{10}$

따라서 구하는 원의 방정식은

$\mathbf{(x-1)^2+(y-2)^2=10}$

2-1

(1) 주어진 방정식을 변형하면

$(x+2)^2+(y-3)^2=1$

따라서 주어진 방정식은 **중심의 좌표가 $(-2, 3)$이고 반지름의 길이가 1인 원**이다.

(2) 주어진 방정식을 변형하면

$(x+1)^2+(y-1)^2=2-k$

이 방정식이 원이 되려면

$2-k>0$ $\quad\therefore$ $\boldsymbol{k<2}$

2-2

(1) 주어진 방정식을 변형하면

$(x+1)^2+(y-3)^2=1$

따라서 주어진 방정식은 **중심의 좌표가 $(-1, 3)$이고 반지름의 길이가 1인 원**이다.

(2) 주어진 방정식을 변형하면

$(x+3a)^2+(y-a)^2=10a^2-28a-6$

이 방정식이 원이 되려면

$10a^2-28a-6>0$, $5a^2-14a-3>0$

$(5a+1)(a-3)>0$ $\quad\therefore$ $\boldsymbol{a<-\frac{1}{5}}$ **또는** $\boldsymbol{a>3}$

3-1

$y=-x+k$를 $x^2+y^2=4$에 대입하면

$x^2+(-x+k)^2=4$, $2x^2-2kx+k^2-4=0$

이 이차방정식의 판별식을 D라 하면

$\frac{D}{4}=(-k)^2-2(k^2-4)=-k^2+8$

(1) 원과 직선이 서로 다른 두 점에서 만나려면

$\frac{D}{4}=-k^2+8>0$, $k^2-8<0$

$(k+2\sqrt{2})(k-2\sqrt{2})<0$ $\quad\therefore$ $\boldsymbol{-2\sqrt{2}<k<2\sqrt{2}}$

(2) 원과 직선이 접하려면

$\frac{D}{4}=-k^2+8=0$, $k^2=8$ $\quad\therefore$ $\boldsymbol{k=\pm 2\sqrt{2}}$

(3) 원과 직선이 만나지 않으려면

$\frac{D}{4}=-k^2+8<0$, $k^2-8>0$

$(k+2\sqrt{2})(k-2\sqrt{2})>0$

$\therefore$ $\boldsymbol{k<-2\sqrt{2}}$ **또는** $\boldsymbol{k>2\sqrt{2}}$

다른 풀이

원의 중심 $(0, 0)$과 직선 $y=-x+k$, 즉 $x+y-k=0$ 사이의 거리는

$\frac{|0+0-k|}{\sqrt{1^2+1^2}}=\frac{|k|}{\sqrt{2}}$

이때 반지름의 길이가 2이므로

(1) 원과 직선이 서로 다른 두 점에서 만나려면

$\frac{|k|}{\sqrt{2}}<2$, $|k|<2\sqrt{2}$ $\quad\therefore$ $-2\sqrt{2}<k<2\sqrt{2}$

(2) 원과 직선이 접하려면

$\frac{|k|}{\sqrt{2}}=2$, $|k|=2\sqrt{2}$ $\quad\therefore$ $k=\pm 2\sqrt{2}$

(3) 원과 직선이 만나지 않으려면

$\frac{|k|}{\sqrt{2}}>2$, $|k|>2\sqrt{2}$ $\quad\therefore$ $k<-2\sqrt{2}$ 또는 $k>2\sqrt{2}$

3-2

$y=2x+k$를 $x^2+y^2=9$에 대입하면

$x^2+(2x+k)^2=9$, $5x^2+4kx+k^2-9=0$

이 이차방정식의 판별식을 D라 하면

$\frac{D}{4}=(2k)^2-5(k^2-9)=-k^2+45$

(1) 원과 직선이 서로 다른 두 점에서 만나려면

$\frac{D}{4}=-k^2+45>0$, $k^2-45<0$

$(k+3\sqrt{5})(k-3\sqrt{5})<0$ $\quad\therefore$ $\boldsymbol{-3\sqrt{5}<k<3\sqrt{5}}$

(2) 원과 직선이 접하려면

$\frac{D}{4}=-k^2+45=0$, $k^2=45$ $\quad\therefore$ $\boldsymbol{k=\pm 3\sqrt{5}}$

(3) 원과 직선이 만나지 않으려면

$\frac{D}{4}=-k^2+45<0$, $k^2-45>0$

$(k+3\sqrt{5})(k-3\sqrt{5})>0$

$\therefore$ $\boldsymbol{k<-3\sqrt{5}}$ **또는** $\boldsymbol{k>3\sqrt{5}}$

다른 풀이

원의 중심 $(0, 0)$과 직선 $y=2x+k$, 즉 $2x-y+k=0$ 사이의 거리는

$\frac{|2\times 0-0+k|}{\sqrt{2^2+(-1)^2}}=\frac{|k|}{\sqrt{5}}$

이때 반지름의 길이가 3이므로

(1) 원과 직선이 서로 다른 두 점에서 만나려면

$\frac{|k|}{\sqrt{5}}<3$, $|k|<3\sqrt{5}$ $\quad\therefore$ $-3\sqrt{5}<k<3\sqrt{5}$

(2) 원과 직선이 접하려면

$\frac{|k|}{\sqrt{5}}=3$, $|k|=3\sqrt{5}$ $\quad\therefore$ $k=\pm 3\sqrt{5}$

(3) 원과 직선이 만나지 않으려면

$\frac{|k|}{\sqrt{5}}>3$, $|k|>3\sqrt{5}$ $\quad\therefore$ $k<-3\sqrt{5}$ 또는 $k>3\sqrt{5}$

4-1

(1) $y=2x\pm 3\sqrt{2^2+1}$

$\therefore$ $\boldsymbol{y=2x\pm 3\sqrt{5}}$

(2) 직선 $y=3x+1$에 평행한 직선의 기울기는 3이므로 원 $x^2+y^2=4$에 접하고 기울기가 3인 접선의 방정식은

$y=3x\pm 2\sqrt{3^2+1}$

$\therefore$ $\boldsymbol{y=3x\pm 2\sqrt{10}}$

(3) $1\times x+2\times y=5$

$\therefore$ $\boldsymbol{x+2y=5}$

(4) 접점을 $P(x_1, y_1)$이라 하면 점 P에서의 접선의 방정식은

$x_1x+y_1y=2$ ……㉠

㉠이 점 $(0, 2)$를 지나므로

$2y_1=2$ $\quad\therefore$ $y_1=1$

또 점 $P(x_1, y_1)$은 원 $x^2+y^2=2$ 위의 점이므로

${x_1}^2+{y_1}^2=2$ ……㉡

$y_1=1$을 ㉡에 대입하면

$x_1{}^2=1 \quad \therefore x_1=\pm1$

따라서 구하는 접선의 방정식은

$\boldsymbol{x+y=2}$ **또는** $\boldsymbol{x-y=-2}$

4-2

(1) $y=x\pm\sqrt{2}\sqrt{1^2+1}$

$\therefore \boldsymbol{y=x\pm2}$

(2) 직선 $x+3y+1=0$에 수직인 직선의 기울기는 3이므로 원 $x^2+y^2=1$에 접하고 기울기가 3인 접선의 방정식은

$y=3x\pm\sqrt{3^2+1}$

$\therefore \boldsymbol{y=3x\pm\sqrt{10}}$

(3) $1\times x+\sqrt{3}\times y=4$

$\therefore \boldsymbol{x+\sqrt{3}y=4}$

(4) 접점을 $\mathrm{P}(x_1, y_1)$이라 하면 점 P에서의 접선의 방정식은

$x_1x+y_1y=10$ ……㉠

㉠이 점 $(4, -2)$를 지나므로

$4x_1-2y_1=10 \quad \therefore y_1=2x_1-5$

또 점 (x_1, y_1)은 원 $x^2+y^2=10$ 위의 점이므로

$x_1{}^2+y_1{}^2=10$ ……㉡

$y_1=2x_1-5$를 ㉡에 대입하면

$x_1{}^2+(2x_1-5)^2=10,\ x_1{}^2-4x_1+3=0$

$(x_1-1)(x_1-3)=0 \quad \therefore x_1=1$ 또는 $x_1=3$

$x_1=1$일 때 $y_1=-3$, $x_1=3$일 때 $y_1=1$

따라서 구하는 접선의 방정식은

$\boldsymbol{x-3y=10}$ **또는** $\boldsymbol{3x+y=10}$

기초 유형

| 본문 110, 111쪽 |

1-1 **16, 4**

1-2

주어진 방정식을 변형하면

$(x-3)^2+y^2=4$

따라서 구하는 원의 중심의 좌표는 **(3, 0)**, 반지름의 길이는 **2**이다.

1-3

주어진 방정식을 변형하면

$(x-k)^2+(y-1)^2=k^2+k+1$

이 원의 반지름의 길이가 $\sqrt{7}$이므로

$k^2+k+1=(\sqrt{7})^2,\ k^2+k-6=0$

$(k+3)(k-2)=0 \quad \therefore \boldsymbol{k=-3}$ **또는** $\boldsymbol{k=2}$

2-1 $\boldsymbol{\sqrt{5}}$**, 12, 14**

2-2

$y=-2x+k$를 $x^2+y^2=8$에 대입하면

$x^2+(-2x+k)^2=8,\ 5x^2-4kx+k^2-8=0$

이 이차방정식의 판별식을 D라 하면

$\frac{D}{4}=(-2k)^2-5(k^2-8)>0$

$k^2-40<0,\ (k+2\sqrt{10})(k-2\sqrt{10})<0$

$\therefore \boldsymbol{-2\sqrt{10}<k<2\sqrt{10}}$

다른 풀이

원의 중심 $(0, 0)$과 직선 $y=-2x+k$, 즉 $2x+y-k=0$ 사이의 거리는 $\frac{|2\times0+0-k|}{\sqrt{2^2+1^2}}=\frac{|k|}{\sqrt{5}}$

원과 직선이 서로 다른 두 점에서 만나므로

$\frac{|k|}{\sqrt{5}}<2\sqrt{2},\ |k|<2\sqrt{10}$

$\therefore -2\sqrt{10}<k<2\sqrt{10}$

2-3

원의 중심 $(-1, 2)$와 직선 $y=2x+n$, 즉 $2x-y+n=0$ 사이의 거리는

$\frac{|2\times(-1)-1\times2+n|}{\sqrt{2^2+(-1)^2}}=\frac{|n-4|}{\sqrt{5}}$

원과 직선이 서로 만나지 않으므로

$\frac{|n-4|}{\sqrt{5}}>\sqrt{5},\ |n-4|>5$

$n-4>5$ 또는 $n-4<-5$

$\therefore n>9$ 또는 $n<-1$

따라서 구하는 자연수 n의 최솟값은 **10**

3-1 **4, 4, 1**

3-2

원의 중심의 좌표는 $(2, -1)$, 반지름의 길이는 3이므로

$(\overline{\mathrm{AP}}$의 최댓값$)=\sqrt{\{2-(-4)\}^2+(-1-7)^2}+3=13$

$(\overline{\mathrm{AP}}$의 최솟값$)=\sqrt{\{2-(-4)\}^2+(-1-7)^2}-3=7$

4-1 $\boldsymbol{\pm\frac{2\sqrt{2}}{3},\ \frac{9}{8},\ \frac{9}{8},\ 18}$

4-2

접점을 $\mathrm{P}(x_1, y_1)$이라 하면 점 P에서의 접선의 방정식은

$x_1x+y_1y=1$ ……㉠

㉠이 점 $(-1, 3)$을 지나므로

$-x_1+3y_1=1 \quad \therefore x_1=3y_1-1$

또 점 $\mathrm{P}(x_1, y_1)$은 원 $x^2+y^2=1$ 위의 점이므로

$x_1{}^2+y_1{}^2=1$ ……㉡

$x_1=3y_1-1$을 ㉡에 대입하면

$(3y_1-1)^2+y_1{}^2=1$, $5y_1{}^2-3y_1=0$

$y_1(5y_1-3)=0$ $\quad\therefore y_1=0$ 또는 $y_1=\frac{3}{5}$

$y_1=0$일 때 $x_1=-1$, $y_1=\frac{3}{5}$일 때 $x_1=\frac{4}{5}$

따라서 구하는 접선의 방정식은

$\boldsymbol{x=-1}$ **또는** $\boldsymbol{4x+3y=5}$

4-3

원 $x^2+y^2=8$ 위의 점 $(2, 2)$에서의 접선의 방정식은

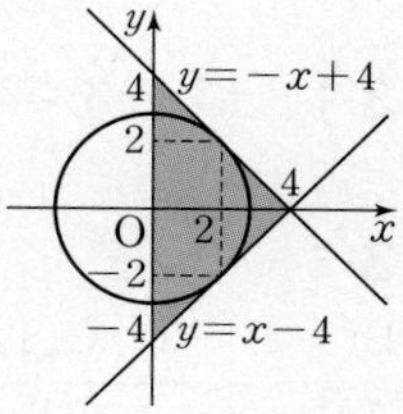

$2x+2y=8$ $\quad\therefore y=-x+4$

원 $x^2+y^2=8$ 위의 점 $(2, -2)$에서의 접선의 방정식은

$2x-2y=8$ $\quad\therefore y=x-4$

오른쪽 그림에서 구하는 삼각형의 넓이는

$\frac{1}{2}\times8\times4=\mathbf{16}$

3주 4일 도형의 이동

개념 확인

| 본문 113, 115쪽 |

1-1

(1) $(0-1, 0+3)$, 즉 $\boldsymbol{(-1, 3)}$

(2) $(1-1, 3+3)$, 즉 $\boldsymbol{(0, 6)}$

(3) $(-2-1, 5+3)$, 즉 $\boldsymbol{(-3, 8)}$

(4) $(4-1, -1+3)$, 즉 $\boldsymbol{(3, 2)}$

1-2

(1) $(0+5, 0-2)$, 즉 $\boldsymbol{(5, -2)}$

(2) $(2+5, 1-2)$, 즉 $\boldsymbol{(7, -1)}$

(3) $(-3+5, 2-2)$, 즉 $\boldsymbol{(2, 0)}$

(4) $(-1+5, -5-2)$, 즉 $\boldsymbol{(4, -7)}$

2-1

(1) $(x-2)-2(y+1)-4=0$

$\therefore \boldsymbol{x-2y-8=0}$

(2) $y+1=2(x-2)^2-(x-2)+1$

$\therefore \boldsymbol{y=2x^2-9x+10}$

(3) $\{(x-2)-3\}^2+\{(y+1)+1\}^2=4$

$\therefore \boldsymbol{(x-5)^2+(y+2)^2=4}$

2-2

방정식 $f(x, y)=0$이 나타내는 도형이 평행이동 $(x, y) \longrightarrow (x-2, y+3)$에 의하여 옮겨지는 도형의 방정식은 $f(x+2, y-3)=0$이다.

(1) $2(x+2)-(y-3)+1=0$

$\therefore \boldsymbol{2x-y+8=0}$

(2) $y-3=-(x+2)^2+5(x+2)+6$

$\therefore \boldsymbol{y=-x^2+x+15}$

(3) $\{(x+2)+1\}^2+\{(y-3)-1\}^2=2$

$\therefore \boldsymbol{(x+3)^2+(y-4)^2=2}$

3-1

(1) $\boldsymbol{(2, -4)}$

(2) $\boldsymbol{(-2, 4)}$

(3) $\boldsymbol{(-2, -4)}$

(4) $\boldsymbol{(4, 2)}$

3-2

(1) $\boldsymbol{(3, 1)}$

(2) $\boldsymbol{(-3, -1)}$

(3) $\boldsymbol{(-3, 1)}$

(4) $\boldsymbol{(-1, 3)}$

4-1

(1) x축 : $x+(-y)+1=0$ $\quad\therefore \boldsymbol{x-y+1=0}$

y축 : $-x+y+1=0$ $\quad\therefore \boldsymbol{x-y-1=0}$

원점 : $-x+(-y)+1=0$ $\quad\therefore \boldsymbol{x+y-1=0}$

직선 $y=x$: $y+x+1=0$ $\quad\therefore \boldsymbol{x+y+1=0}$

(2) x축 : $-y=x^2-3x$ $\quad\therefore \boldsymbol{y=-x^2+3x}$

y축 : $y=(-x)^2-3(-x)$ $\quad\therefore \boldsymbol{y=x^2+3x}$

원점 : $-y=(-x)^2-3(-x)$ $\quad\therefore \boldsymbol{y=-x^2-3x}$

직선 $y=x$: $\boldsymbol{x=y^2-3y}$

(3) x축 : $(x-1)^2+(-y+2)^2=9$

$\therefore \boldsymbol{(x-1)^2+(y-2)^2=9}$

y축 : $(-x-1)^2+(y+2)^2=9$

$\therefore \boldsymbol{(x+1)^2+(y+2)^2=9}$

원점 : $(-x-1)^2+(-y+2)^2=9$

$\therefore \boldsymbol{(x+1)^2+(y-2)^2=9}$

직선 $y=x$: $(y-1)^2+(x+2)^2=9$

$\therefore \boldsymbol{(x+2)^2+(y-1)^2=9}$

4-2

(1) x축 : $2x-(-y)-1=0$ $\quad\therefore \boldsymbol{2x+y-1=0}$

y축 : $2(-x)-y-1=0$ $\quad\therefore \boldsymbol{2x+y+1=0}$

원점 : $2(-x)-(-y)-1=0$ $\quad\therefore \boldsymbol{2x-y+1=0}$

직선 $y=x$: $2y-x-1=0$ $\quad\therefore \boldsymbol{x-2y+1=0}$

(2) x축 : $-y=x^2-2x-1$

$\therefore$ $\boldsymbol{y=-x^2+2x+1}$

y축 : $y=(-x)^2-2(-x)-1$

$\therefore$ $\boldsymbol{y=x^2+2x-1}$

원점 : $-y=(-x)^2-2(-x)-1$

$\therefore$ $\boldsymbol{y=-x^2-2x+1}$

직선 $y=x$: $\boldsymbol{x=y^2-2y-1}$

(3) x축 : $(x-5)^2+(-y+2)^2=2$

$\therefore$ $\boldsymbol{(x-5)^2+(y-2)^2=2}$

y축 : $(-x-5)^2+(y+2)^2=2$

$\therefore$ $\boldsymbol{(x+5)^2+(y+2)^2=2}$

원점 : $(-x-5)^2+(-y+2)^2=2$

$\therefore$ $\boldsymbol{(x+5)^2+(y-2)^2=2}$

직선 $y=x$: $(y-5)^2+(x+2)^2=2$

$\therefore$ $\boldsymbol{(x+2)^2+(y-5)^2=2}$

기초 유형

| 본문 116, 117쪽 |

1-1 $\boldsymbol{2, 2}$

1-2

점 (a, b)를 x축의 방향으로 2만큼, y축의 방향으로 -1만큼 평행이동한 점의 좌표는 $(a+2, b-1)$

이 점의 좌표가 $(3, 4)$이므로

$a+2=3$, $b-1=4$

$\therefore$ $\boldsymbol{a=1, b=5}$

2-1 $\boldsymbol{2a, a}$

2-2

직선 $y=2x-3$을 x축의 방향으로 a만큼, y축의 방향으로 b만큼 평행이동한 직선의 방정식은

$y-b=2(x-a)-3$ $\quad\therefore$ $y=2x-2a+b-3$

이 직선이 원래의 직선과 일치하므로

$-2a+b-3=-3$ $\quad\therefore$ $b=2a$

$\therefore$ $\dfrac{b}{a}=\dfrac{2a}{a}=\boldsymbol{2}$

2-3

원 $(x-a)^2+(y-b)^2=c$를 x축의 방향으로 -6만큼, y축의 방향으로 -1만큼 평행이동한 원의 방정식은

$(x+6-a)^2+(y+1-b)^2=c$

이 원이 원 $x^2+y^2=4$와 일치하므로

$6-a=0$, $1-b=0$, $c=4$

$\therefore$ $\boldsymbol{a=6, b=1, c=4}$

다른 풀이

원 $(x-a)^2+(y-b)^2=c$의 중심 (a, b)를 x축의 방향으로 -6만큼, y축의 방향으로 -1만큼 평행이동하면 원의 중심은 $(a-6, b-1)$이 되고 평행이동한 원의 반지름의 길이는 변함이 없다.

평행이동한 도형이 원 $x^2+y^2=4$이므로

$a-6=0$, $b-1=0$, $c=4$

$\therefore$ $a=6$, $b=1$, $c=4$

3-1 $\boldsymbol{-3, -3, 52, 13}$

3-2

$B(-2, -1)$, $C(1, 2)$이므로

$\overline{AB}=\sqrt{(-2-2)^2+(-1-1)^2}=\sqrt{20}=2\sqrt{5}$

$\overline{BC}=\sqrt{\{1-(-2)\}^2+\{2-(-1)\}^2}=\sqrt{18}=3\sqrt{2}$

$\overline{CA}=\sqrt{(2-1)^2+(1-2)^2}=\sqrt{2}$

이때 $\overline{AB}^2=\overline{BC}^2+\overline{CA}^2$이므로 삼각형 ABC는 $\angle C=90°$인 직각삼각형이다.

$\therefore$ (△ABC의 넓이)$=\dfrac{1}{2}\times3\sqrt{2}\times\sqrt{2}=\boldsymbol{3}$

4-1 $\boldsymbol{-y, 2}$

4-2

직선 $y=3x-1$을 x축의 방향으로 k만큼 평행이동한 직선의 방정식은

$y=3(x-k)-1$ $\quad\therefore$ $y=3x-3k-1$

이 직선을 원점에 대하여 대칭이동한 직선의 방정식은

$-y=3(-x)-3k-1$ $\quad\therefore$ $y=3x+3k+1$

이 직선이 점 $(-1, 3)$을 지나므로

$3=-3+3k+1$, $3k=5$ $\quad\therefore$ $\boldsymbol{k=\dfrac{5}{3}}$

4-3

원 $(x+1)^2+(y-3)^2=4$를 y축에 대하여 대칭이동한 원의 방정식은

$(-x+1)^2+(y-3)^2=4$ $\quad\therefore$ $(x-1)^2+(y-3)^2=4$

이 원의 중심 $(1, 3)$이 직선 $y=-2x+k$ 위에 있으므로

$3=-2+k$ $\quad\therefore$ $\boldsymbol{k=5}$

다른 풀이

직선 $x-2y=9$를 직선 $y=x$에 대하여 대칭이동한 직선의 방정식은

$y-2x=9$ $\quad\therefore$ $y=2x+9$

$y=2x+9$를 $(x-3)^2+(y+5)^2=k$에 대입하면

$(x-3)^2+(2x+14)^2=k$

3주 5일 집합

개념 확인

| 본문 119, 121쪽 |

1-1

(1) $\varnothing$

(2) $\{\mathbf{0}\}$, $\{\mathbf{1}\}$

(3) $\{\mathbf{0, 1}\}$

1-2

(1) $\{\boldsymbol{a}\}$, $\{\boldsymbol{b}\}$, $\{\boldsymbol{c}\}$

(2) $\{\boldsymbol{a, b}\}$, $\{\boldsymbol{b, c}\}$, $\{\boldsymbol{c, a}\}$

(3) $\{\boldsymbol{a, b, c}\}$

2-1

(1) $n(A)=6$이므로 집합 A의 부분집합의 개수는
$2^6=\mathbf{64}$

(2) $n(A)=6$이므로 집합 A의 진부분집합의 개수는
$2^6-1=\mathbf{63}$

(3) 원소 1, 2를 포함하는 집합 A의 부분집합의 개수는
$2^{6-2}=2^4=\mathbf{16}$

(4) 원소 1, 2는 포함하고 원소 3은 포함하지 않는 집합 A의 부분집합의 개수는
$2^{6-2-1}=2^3=\mathbf{8}$

2-2

(1) $n(A)=5$이므로 집합 A의 부분집합의 개수는
$2^5=\mathbf{32}$

(2) $n(A)=5$이므로 집합 A의 진부분집합의 개수는
$2^5-1=\mathbf{31}$

(3) 짝수 2, 4를 포함하지 않는 집합 A의 부분집합의 개수는
$2^{5-2}=2^3=\mathbf{8}$

(4) 원소 1은 포함하고 짝수 2, 4는 포함하지 않는 집합 A의 부분집합의 개수는
$2^{5-1-2}=2^2=\mathbf{4}$

3-1

(1) $A\cap B=\{\mathbf{2, 3, 4}\}$

(2) $A\cup B=\{\mathbf{1, 2, 3, 4, 6}\}$

(3) $B^C=\{\mathbf{1, 5, 7}\}$

(4) $B-A=\{\mathbf{6}\}$

참고 $A^C=\{5, 6, 7\}$
$A-B=\{1\}$

3-2

$B=\{1, 2, 3, 4, 6, 12\}$이므로

(1) $A\cap B=\{\mathbf{2, 3}\}$

(2) $A\cup B=\{\mathbf{1, 2, 3, 4, 5, 6, 7, 11, 12}\}$

(3) $A^C=\{\mathbf{1, 4, 6, 8, 9, 10, 12}\}$

(4) $A-B=\{\mathbf{5, 7, 11}\}$

4-1

(1) $n(A\cup B)=n(A)+n(B)-n(A\cap B)$
$=26+33-15=\mathbf{44}$

(2) $n(A^C)=n(U)-n(A)$
$=50-26=\mathbf{24}$

(3) $n(B-A)=n(B)-n(A\cap B)$
$=33-15=\mathbf{18}$

(4) $n(A\cap B^C)=n(A-B)$
$=n(A)-n(A\cap B)$
$=26-15=\mathbf{11}$

(5) $n(A^C\cap B^C)=n((A\cup B)^C)$
$=n(U)-n(A\cup B)$
$=50-44=\mathbf{6}$

(6) $n(A^C\cup B^C)=n((A\cap B)^C)$
$=n(U)-n(A\cap B)$
$=50-15=\mathbf{35}$

참고 **드모르간의 법칙**
전체집합 U의 두 부분집합 A, B에 대하여
❶ $(A\cup B)^C=A^C\cap B^C$
❷ $(A\cap B)^C=A^C\cup B^C$

4-2

(1) $n(A\cup B)=n(A)+n(B)-n(A\cap B)$에서
$25=20+17-n(A\cap B)$
$\therefore n(A\cap B)=\mathbf{12}$

(2) $n(B^C)=n(U)-n(B)$
$=30-17=\mathbf{13}$

(3) $n(A-B)=n(A)-n(A\cap B)$
$=20-12=\mathbf{8}$

(4) $n(B\cap A^C)=n(B)-n(A\cap B)$
$=17-12=\mathbf{5}$

(5) $n(A^C\cap B^C)=n((A\cup B)^C)$
$=n(U)-n(A\cup B)$
$=30-25=\mathbf{5}$

(6) $n(A^C\cup B^C)=n((A\cap B)^C)$
$=n(U)-n(A\cap B)$
$=30-12=\mathbf{18}$

기초 유형

| 본문 122, 123쪽 |

1-1 $\mathbf{-3,\ 5,\ 5}$

1-2

$A\subset B$이고 $B\subset A$이면 $A=B$

이때 $6\in B$이므로 $6\in A$

즉, $a-1=6$ $\quad\therefore \boldsymbol{a=7}$

또 $1\in A$이므로 $1\in B$

즉, $b+3=1$ $\quad\therefore \boldsymbol{b=-2}$

1-3

$A=B$이고 $3\in B$이므로 $3\in A$

$\therefore \boldsymbol{a=3}$

또 $7\in A$이므로 $7\in B$

즉, $a+b=7$ $\quad\therefore \boldsymbol{b=4}$

2-1 $\boldsymbol{A,\ 9}$

2-2

$A=\{1,\ 2\}$이고 $A-B=\{2\}$이므로 $1\in B$

즉, $1^2-a\times1-a+1=0$

$2a=2$ $\quad\therefore \boldsymbol{a=1}$

3-1 $\mathbf{2,\ 4,\ 8}$

3-2

$A\cap X=A$이므로 $A\subset X$, $B\cup X=B$이므로 $X\subset B$

$\therefore A\subset X\subset B$

이때 $A=\{1,\ 2,\ 5,\ 10\}$, $B=\{1,\ 2,\ 4,\ 5,\ 10,\ 20\}$이므로

$\{1,\ 2,\ 5,\ 10\}\subset X\subset\{1,\ 2,\ 4,\ 5,\ 10,\ 20\}$

따라서 집합 X는 집합 $\{1,\ 2,\ 4,\ 5,\ 10,\ 20\}$의 부분집합 중 1, 2, 5, 10을 반드시 원소로 갖는 집합이므로 구하는 집합 X의 개수는

$2^{6-4}=2^2=\mathbf{4}$

4-1 $\mathbf{5,\ 45,\ 45,\ 33}$

4-2

$n(A\cup B)=n(A)+n(B)-n(A\cap B)$

$\qquad\qquad=25+16-6=35$

$\therefore n(A^C\cap B^C)=n((A\cup B)^C)$

$\qquad\qquad=n(U)-n(A\cup B)$

$\qquad\qquad=45-35=\mathbf{10}$

4-3

$n(A\cup B)=n(A)+n(B)-n(A\cap B)$에서

$54=37+29-n(A\cap B)$ $\quad\therefore n(A\cap B)=12$

$\therefore n((A-B)\cup(B-A))=n(A\cup B)-n(A\cap B)$

$\qquad\qquad=54-12=\mathbf{42}$

참고
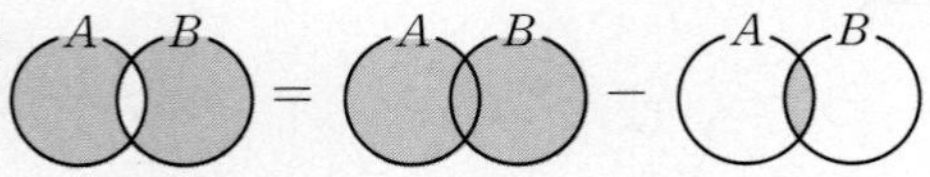

$\therefore (A-B)\cup(B-A)=(A\cup B)-(A\cap B)$

누구나 100점 테스트

본문 124, 125쪽

1 답 **29**

$\overline{\mathrm{AB}}=\sqrt{\{4-(-1)\}^2+(1-3)^2}=\sqrt{29}$

따라서 선분 AB를 한 변으로 하는 정사각형의 넓이는

$\overline{\mathrm{AB}}^2=29$

2 답 ③

선분 AB를 1 : 2로 외분하는 점 P의 좌표는

$\left(\dfrac{1\times(-1)-2\times2}{1-2},\ \dfrac{1\times5-2\times0}{1-2}\right)$, 즉 $(5,\ -5)$

선분 OP를 3 : 2로 내분하는 점의 좌표는

$\left(\dfrac{3\times5+2\times0}{3+2},\ \dfrac{3\times(-5)+2\times0}{3+2}\right)$, 즉 $(3,\ -3)$

따라서 구하는 점의 좌표는 $(3,\ -3)$이다.

3 답 **3**

두 점 $(-2,\ -3)$, $(2,\ 5)$를 지나는 직선의 방정식은

$y+3=\dfrac{5-(-3)}{2-(-2)}(x+2)$ $\quad\therefore y=2x+1$

이 직선이 점 $(a,\ 7)$을 지나므로

$7=2a+1$ $\quad\therefore a=3$

4 답 ②

$x+y+2=0$에서 $y=-x-2$

$(a+2)x-3y+1=0$에서 $y=\dfrac{a+2}{3}x+\dfrac{1}{3}$

두 직선이 서로 수직이므로

$(-1)\times\dfrac{a+2}{3}=-1$

$a+2=3$ $\quad\therefore a=1$

5 답 ②

선분 AB를 3 : 2로 외분하는 점 C의 좌표는

$\left(\frac{3\times2-2\times1}{3-2}, \frac{3\times1-2\times3}{3-2}\right)$, 즉 $(4, -3)$

선분 BC를 지름으로 하는 원의 중심은 선분 BC의 중점이므로 두 점 B$(2, 1)$, C$(4, -3)$에 대하여 선분 BC의 중점의 좌표는

$\left(\frac{2+4}{2}, \frac{1+(-3)}{2}\right)$, 즉 $(3, -1)$

따라서 $a=3$, $b=-1$이므로

$a+b=2$

6 답 ②

$x^2+y^2+2x-4y-3=0$에서 $(x+1)^2+(y-2)^2=8$

원 $(x+1)^2+(y-2)^2=8$을 x축의 방향으로 a만큼, y축의 방향으로 b만큼 평행이동한 원의 방정식은

$(x-a+1)^2+(y-b-2)^2=8$

이 원이 원 $(x-3)^2+(y+4)^2=c$와 일치하므로

$-a+1=-3$, $-b-2=4$, $c=8$

따라서 $a=4$, $b=-6$, $c=8$이므로

$a+b+c=6$

다른 풀이

$x^2+y^2+2x-4y-3=0$에서 $(x+1)^2+(y-2)^2=8$

이때 원의 중심 $(-1, 2)$를 x축의 방향으로 a만큼, y축의 방향으로 b만큼 평행이동하면 원의 중심은 $(-1+a, 2+b)$가 되고 평행이동한 원의 반지름의 길이는 변함이 없다.

평행이동한 도형이 원 $(x-3)^2+(y+4)^2=c$이므로

$-1+a=3$, $2+b=-4$, $c=8$

따라서 $a=4$, $b=-6$, $c=8$이므로

$a+b+c=6$

7 답 ①

직선 $x-2y=9$를 직선 $y=x$에 대하여 대칭이동한 직선의 방정식은

$y-2x=9 \quad \therefore 2x-y+9=0$

이때 이 직선과 원 $(x-3)^2+(y+5)^2=k$가 접하므로 원의 중심과 직선 사이의 거리는 원의 반지름의 길이인 $\sqrt{k}$와 같다. 즉,

$\frac{|2\times3-1\times(-5)+9|}{\sqrt{2^2+(-1)^2}}=\sqrt{k}$, $20=\sqrt{5k}$

양변을 제곱하면 $400=5k$

$\therefore k=80$

8 답 ③

$A\cup B=\{1, 2, 3\}\cup\{3, 5\}$

$=\{1, 2, 3, 5\}$

따라서 집합 $A\cup B$의 모든 원소의 합은

$1+2+3+5=11$

9 답 8

$\{1, 2, 3\}\cap A=\varnothing$이므로 집합 A는 전체집합 U의 부분집합 중 원소 1, 2, 3을 포함하지 않는 집합이다.

따라서 구하는 집합 A의 개수는

$2^{6-3}=2^3=8$

10 답 34

$n(A^C\cup B^C)=n((A\cap B)^C)$

$=n(U)-n(A\cap B)$

$=40-6=34$

창의·융합·코딩

본문 126~131쪽

정답 24

어느 학급 학생 30명을 대상으로 두 봉사 활동 A, B에 대한 신청을 받았다.❶ 봉사 활동 A를 신청한 학생 수와 봉사 활동 B를 신청한 학생 수의 합이 36일❷ 때, 봉사 활동 A, B를 모두 신청한 학생 수의 최댓값을 M, 최솟값을 m이라 하자. $M+m$의 값을 구하시오.

[2017 3월 실시 고2 교육청 가형 15번]

봉사 활동 A

봉사 활동 B

❶ 봉사 활동 A, B를 신청한 학생의 집합을 각각 A, B로 나타낸다.
❷ $n(A)+n(B)=36$을 이용하여 $n(A\cap B)$, $n(A\cup B)$의 관계를 구한다.
❸ M의 값을 구한다.
❹ m의 값을 구한다.
❺ $M+m$의 값을 구한다.

❶ 봉사 활동 A, B를 신청한 학생의 집합을 각각 A, B라 하면

$n(U)=30$

❷ $n(A)+n(B)=36$이고

$n(A\cup B)=n(A)+n(B)-n(A\cap B)$

$=36-n(A\cap B)$

❸ 이때 $n(A\cap B)\le n(A\cup B)$에서

$n(A\cap B)\le 36-n(A\cap B)$

$n(A\cap B)\le 18 \quad \therefore M=18$

❹ 또 $n(A\cup B)$의 최댓값은 $A\cup B=U$일 때이므로

$n(A\cap B)\ge 36-30=6 \quad \therefore m=6$

❺ $\therefore M+m=18+6=24$

1 2, 2, 2

2 답 16

❶ 세 점 O(0, 0), A(8, 4), B(7, a)를 꼭짓점으로 하는 삼각형 OAB의 무게중심 G의 좌표는

$\left(\frac{0+8+7}{3}, \frac{0+4+a}{3}\right)$, 즉 $\left(5, \frac{4+a}{3}\right)$

이 점이 점 G(5, b)이므로

$b=\frac{4+a}{3}$ ……㉠

❷ 한편, 직선 OA의 방정식은 $y=\frac{1}{2}x$, 즉 $x-2y=0$

점 G(5, b)와 직선 $x-2y=0$ 사이의 거리가 $\sqrt{5}$이므로

$\frac{|5-2b|}{\sqrt{1^2+(-2)^2}}=\sqrt{5}$, $|5-2b|=5$

$5-2b=5$ 또는 $5-2b=-5$

$\therefore b=0$ 또는 $b=5$

㉠에서 $a>0$이므로 $b>0$ $\therefore b=5$

❸ $b=5$를 ㉠에 대입하면

$5=\frac{4+a}{3}$, $4+a=15$ $\therefore a=11$

따라서 $a=11$, $b=5$이므로 $a+b=16$

3 답 20

❶ 점 A$(-2, 1)$을 x축의 방향으로 m만큼 평행이동한 점이 B이므로 B$(-2+m, 1)$

❷ 점 B$(-2+m, 1)$을 y축의 방향으로 n만큼 평행이동한 점이 C이므로 C$(-2+m, 1+n)$

❸ 이때 세 점 A, B, C를 지나는 원의 중심을 G(3, 2)라 하면 원의 반지름의 길이는 $\overline{AG}=\sqrt{(3+2)^2+(2-1)^2}=\sqrt{26}$이므로 원의 방정식은

$(x-3)^2+(y-2)^2=26$

점 B$(-2+m, 1)$은 원 위의 점이므로

$\{(-2+m)-3\}^2+(1-2)^2=26$, $m^2-10m=0$

$m(m-10)=0$ $\therefore m=10$ ($\because m>0$)

또, 점 C$(-2+m, 1+n)$, 즉 C$(8, 1+n)$은 원 위의 점이므로

$(8-3)^2+\{(1+n)-2\}^2=26$, $n^2-2n=0$

$n(n-2)=0$ $\therefore n=2$ ($\because n>0$)

❸의 다른 풀이

주어진 방법대로 평행이동하면 삼각형 ABC에서 $\angle B=90°$임을 알 수 있다.

따라서 직각삼각형 ABC에서 빗변 AC의 중점이 외심이므로 이 점은 세 점 A, B, C를 지나는 원의 중심이다.

이때 빗변 AC의 중점의 좌표는

$\left(\frac{-2+(-2+m)}{2}, \frac{1+(1+n)}{2}\right)$이므로

$\frac{m-4}{2}=3$, $\frac{n+2}{2}=2$ $\therefore m=10, n=2$

❹ $\therefore mn=20$

4 $\frac{1}{2}$, 1, 1, 4

5 답 20π

❶ 방정식 $2|x|-y-10=0$에서 $y=2|x|-10$

$\therefore y=\begin{cases} 2x-10\ (x\ge 0) \\ -2x-10\ (x<0) \end{cases}$

❷ 주어진 방정식이 나타내는 도형과 이 도형을 x축에 대하여 대칭이동한 도형을 좌표평면 위에 나타내면 다음과 같다.

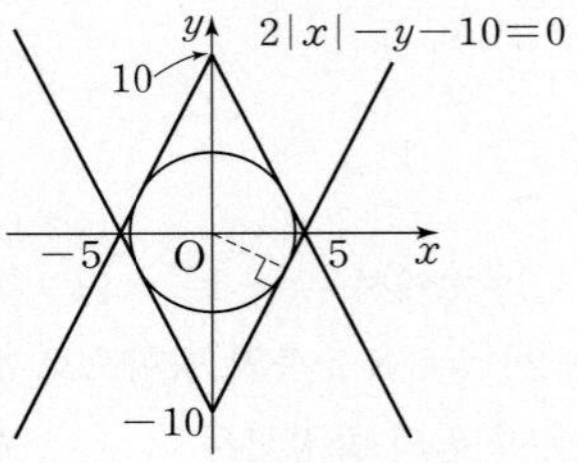

❸ 이 사각형의 네 변에 모두 접하는 원은 중심이 원점이고 반지름의 길이가 원점과 직선 $y=2x-10$, 즉 $2x-y-10=0$ 사이의 거리와 같으므로 원의 반지름의 길이 r는

$r=\frac{|-10|}{\sqrt{2^2+(-1)^2}}=\frac{10}{\sqrt{5}}=2\sqrt{5}$

❹ 따라서 구하는 원의 넓이는

$\pi\times(2\sqrt{5})^2=20\pi$

6 답 3

❶ i, $i^2=-1$, $i^3=-i$, $i^4=1$, $i^5=i$, $i^6=-1$, …이므로

$A=\{i, -1, -i, 1\}$

❷ 이때 $i^2=-1$, $(-1)^2=1$, $(-i)^2=-1$, $1^2=1$이므로

$z\in A$일 때 $z^2=-1$ 또는 $z^2=1$

따라서 집합 A의 원소 z_1, z_2에 대하여 ${z_1}^2+{z_2}^2$의 값을 표로 나타내면 다음과 같다.

${z_2}^2$ \ ${z_1}^2$	-1	1
-1	-2	0
1	0	2

❸ 집합 $B=\{-2, 0, 2\}$이므로 집합 B의 원소의 개수는 3이다.

참고 i의 거듭제곱은 다음과 같은 규칙을 갖는다.

$i^{4k+1}=i$, $i^{4k+2}=-1$, $i^{4k+3}=-i$, $i^{4k+4}=1$

(단, k는 음이 아닌 정수)

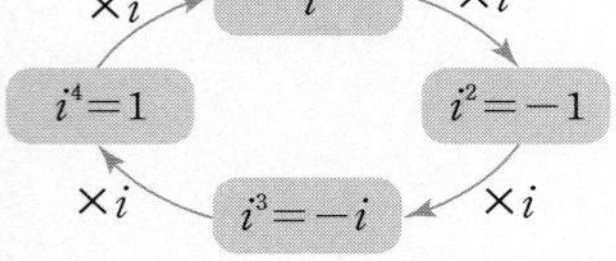

4주 1일 명제

개념 확인

| 본문 137, 139쪽 |

1-1

(1) **거짓**

[반례] $x=-1$이면 $\sqrt{x^2}=\sqrt{(-1)^2}=1$이므로 $\sqrt{x^2}\neq x$이다.

(2) **참**

(3) **거짓**

[반례] $x=0$, $y=0$이면 $x^2+y^2=0$이다.

1-2

(1) **거짓**

[반례] $x=-1$이면 $x^2+2x+1=0$이다.

(2) **참**

(3) **거짓**

[반례] $x=2$, $y=0$이면 $x^2>y^2+1$이다.

2-1

(1) **참**

(2) **거짓**

[반례] $x=-1$, $y=-1$이면 $xy=1>0$이지만 $x<0$이고 $y<0$이다.

(3) **거짓**

[반례] $a=3$, $b=-1$이면 $a+b=2>0$이지만 $b<0$이다.

2-2

(1) **거짓**

[반례] $x=-1$이면 $x^2=1>0$이지만 $x<0$이다.

(2) **참**

(3) **거짓**

[반례] $x=1$, $y=-1$이면 $x+y=0$이지만 $x^2+y^2=2>0$이다.

3-1

(1) **역 : $x=y$이면 $x^2=y^2$이다. (참)**

대우 : $x\neq y$이면 $x^2\neq y^2$이다. (거짓)

[반례] $x=1$, $y=-1$이면 $x\neq y$이지만 $x^2=y^2=1$이다.

(2) **역 : 자연수 n에 대하여 $n+1$이 홀수이면 n은 짝수이다. (참)**

$n+1=2k+1$ (k는 자연수)로 놓으면 $n=2k$

따라서 n은 짝수이므로 주어진 명제의 역은 참이다.

대우 : 자연수 n에 대하여 $n+1$이 짝수이면 n은 홀수이다. (참)

$n+1=2k$ (k는 자연수)로 놓으면 $n=2k-1$

따라서 n은 홀수이므로 주어진 명제의 대우는 참이다.

3-2

(1) **역 : $x^2>1$이면 $x>1$이다. (거짓)**

[반례] $x=-2$이면 $x^2=4>1$이지만 $x<1$이다.

대우 : $x^2\leq 1$이면 $x\leq 1$이다. (참)

$x^2\leq 1$이면 $-1\leq x\leq 1$이므로 $x\leq 1$이다.

따라서 주어진 명제의 대우는 참이다.

(2) **역 : $|x|=-x$이면 $x<0$이다. (거짓)**

[반례] $x=0$이면 $|x|=-x$이지만 $x<0$이 아니다.

대우 : $|x|\neq -x$이면 $x\geq 0$이다. (참)

$|x|\neq -x$이면 $|x|=x$이므로 $x\geq 0$

따라서 주어진 명제의 대우는 참이다.

4-1

(1) 조건 q에서 $x^2=4$이므로 $x=\pm 2$

조건 p, q의 진리집합을 각각 P, Q라 하면

$P=\{-2\}$, $Q=\{-2, 2\}$이므로

$P\subset Q$, $Q\not\subset P$

따라서 $p \Longrightarrow q$이므로 p는 q이기 위한 **충분조건**이다.

(2) 조건 p에서 $3x-4>5$이므로 $3x>9$ $\quad\therefore x>3$

조건 q에서 $2x-3>1$이므로 $2x>4$ $\quad\therefore x>2$

조건 p, q의 진리집합을 각각 P, Q라 하면

$P=\{x|x>3\}$, $Q=\{x|x>2\}$이므로

$P\subset Q$, $Q\not\subset P$

따라서 $p \Longrightarrow q$이므로 p는 q이기 위한 **충분조건**이다.

(3) 조건 p에서 $|x|\leq 2$이므로 $-2\leq x\leq 2$

조건 p, q의 진리집합을 각각 P, Q라 하면

$P=\{x|-2\leq x\leq 2\}$, $Q=\{x|0\leq x\leq 2\}$이므로

$P\not\subset Q$, $Q\subset P$

따라서 $q \Longrightarrow p$이므로 p는 q이기 위한 **필요조건**이다.

4-2

(1) 조건 q에서 $x^2>1$이므로 $x^2-1>0$, $(x+1)(x-1)>0$

$\therefore x<-1$ 또는 $x>1$

조건 p, q의 진리집합을 각각 P, Q라 하면

$P=\{x|x>1\}$, $Q=\{x|x<-1$ 또는 $x>1\}$이므로

$P\subset Q$, $Q\not\subset P$

따라서 $p \Longrightarrow q$이므로 p는 q이기 위한 **충분조건**이다.

(2) $P=\{1, 2, 3, 4, 6, 12\}$, $Q=\{1, 2, 4\}$이므로

$P\not\subset Q$, $Q\subset P$

따라서 $q \Longrightarrow p$이므로 p는 q이기 위한 **필요조건**이다.

(3) 조건 q에서 $x^2=x$이므로 $x^2-x=0$, $x(x-1)=0$

$\therefore x=0$ 또는 $x=1$

조건 p, q의 진리집합을 각각 P, Q라 하면

$P=\{0, 1\}$, $Q=\{0, 1\}$이므로 $P=Q$

따라서 $p \Longleftrightarrow q$이므로 p는 q이기 위한 **필요충분조건**이다.

기초 유형

| 본문 140, 141쪽 |

1-1 ⊂, 3

1-2

두 조건 p, q의 진리집합을 각각 P, Q라 하면

$P=\{x|-1\le x\le 1\}$, $Q=\{x|a-4\le x\le a+1\}$

명제 $p \longrightarrow q$가 참이 되려면 $P\subset Q$이어야 하므로 오른쪽 그림에서

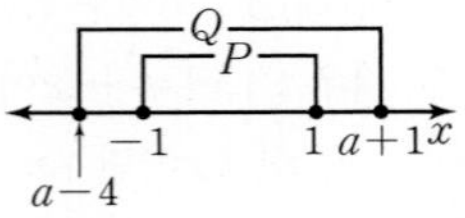

$a-4\le -1$, $a+1\ge 1$

$\therefore 0\le a\le 3$

따라서 정수 a의 개수는 0, 1, 2, 3의 **4**이다.

1-3

두 조건 p, q의 진리집합을 각각 P, Q라 하면

$P=\{x|x<a\}$, $Q=\{x|x<0 \text{ 또는 } 3\le x<6\}$

명제 $p \longrightarrow q$의 역 $q \longrightarrow p$가 참이 되려면 $Q\subset P$이어야 하므로 오른쪽 그림에서 $\boldsymbol{a\ge 6}$

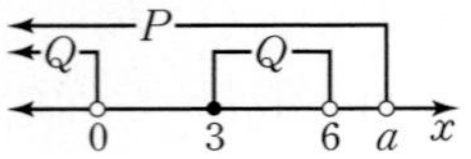

2-1 7, 6, 6, 6

2-2

조건 p에서 $|x-3|<2$이므로

$-2<x-3<2 \qquad \therefore 1<x<5$

두 조건 p, q의 진리집합을 각각 P, Q라 하면

$P=\{x|1<x<5\}$, $Q=\{x|a\le x\le b-4\}$

이때 p는 q이기 위한 충분조건이면 $P\subset Q$이므로

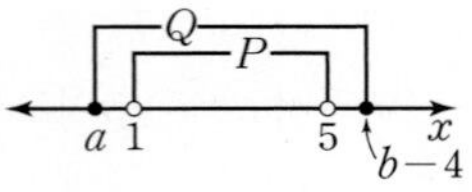

$a\le 1$, $b-4\ge 5 \qquad \therefore a\le 1$, $b\ge 9$

따라서 a의 최댓값은 **1**, b의 최솟값은 **9**이다.

2-3

조건 p에서 $x^2<a^2$이므로 $-a<x<a$ ($\because a>0$)

조건 q에서 $x^2-2x<3$이므로 $x^2-2x-3<0$

$(x+1)(x-3)<0 \qquad \therefore -1<x<3$

세 조건 p, q, r의 진리집합을 각각 P, Q, R라 하면

$P=\{x|-a<x<a\}$, $Q=\{x|-1<x<3\}$, $R=\{x|x<b\}$

이때 p는 q이기 위한 충분조건이면 $P\subset Q$이므로

$-a\ge -1$, $a\le 3 \qquad \therefore 0<a\le 1$ ($\because a>0$)

또 r는 q이기 위한 필요조건이면 $Q\subset R$이므로 $b\ge 3$

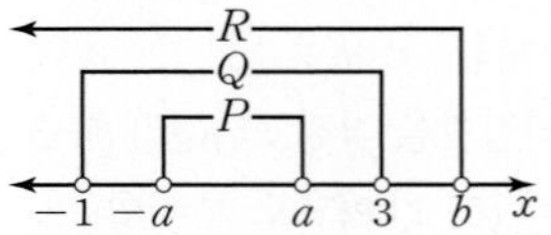

따라서 a의 최댓값은 1, b의 최솟값은 3이므로 두 값의 합은 **4**이다.

3-1 9, 9, 9, 15, 15

3-2

$(a+b)\left(\dfrac{4}{a}+\dfrac{9}{b}\right)=4+\dfrac{9a}{b}+\dfrac{4b}{a}+9=\dfrac{9a}{b}+\dfrac{4b}{a}+13$

$a>0$, $b>0$에서 $\dfrac{b}{a}>0$, $\dfrac{a}{b}>0$이므로

$\dfrac{9a}{b}+\dfrac{4b}{a}\ge 2\sqrt{\dfrac{9a}{b}\times\dfrac{4b}{a}}=2\times 6=12$

$\left(\text{단, 등호는 } \dfrac{9a}{b}=\dfrac{4b}{a}\text{, 즉 } 9a^2=4b^2\text{일 때 성립}\right)$

$\therefore (a+b)\left(\dfrac{4}{a}+\dfrac{9}{b}\right)=\dfrac{9a}{b}+\dfrac{4b}{a}+13$

$\ge 12+13=25$

따라서 구하는 최솟값은 **25**이다.

참고 절대부등식 – 산술평균과 기하평균의 관계

$a>0$, $b>0$일 때

$\dfrac{a+b}{2}\ge\sqrt{ab}$ (등호는 $a=b$일 때 성립)

4주 2일 함수

개념 확인

| 본문 143, 145쪽 |

1-1

(1) X의 원소 4에 대응하는 Y의 원소가 없으므로 **함수가 아니다.**

(2) X의 각 원소에 Y의 원소가 오직 하나씩 대응하므로 **함수이다.**
이때 **정의역은 {1, 2, 3, 4}, 공역은 {$\boldsymbol{a, b, c, d}$}, 치역은 {$\boldsymbol{a, b, c, d}$}**이다.

1-2

(1) X의 원소 2에 대응하는 Y의 원소가 b, c의 2개이므로 **함수가 아니다.**

(2) X의 각 원소에 Y의 원소가 오직 하나씩 대응하므로 **함수이다.**
이때 **정의역은 {1, 2, 3, 4}, 공역은 {$\boldsymbol{a, b, c, d}$}, 치역은 {$\boldsymbol{a, b, c}$}**이다.

2-1

(1) ㄴ, ㄹ (2) ㄴ, ㄹ

(3) ㄴ (4) ㄷ

2-2

(1) ㄴ, ㄷ (2) ㄴ, ㄷ

(3) ㄷ (4) ㄹ

3-1

(1) $(g\circ f)(1)=g(f(1))=g(-1)=\mathbf{2}$

(2) $(g\circ g)(-1)=g(g(-1))=g(2)=\mathbf{5}$

(3) $(f\circ g)(x)=f(g(x))=f(x^2+1)$
$=2(x^2+1)-3=\mathbf{2x^2-1}$

(4) $(f\circ f)(x)=f(f(x))=f(2x-3)$
$=2(2x-3)-3=\mathbf{4x-9}$

3-2

(1) $(g\circ f)(2)=g(f(2))=g(1)=\mathbf{1}$

(2) $(f\circ f)(-1)=f(f(-1))=f(4)=\mathbf{-1}$

(3) $(f\circ g)(x)=f(g(x))=f(2x-1)$
$=-(2x-1)+3=\mathbf{-2x+4}$

(4) $(g\circ g)(x)=g(g(x))=g(2x-1)$
$=2(2x-1)-1=\mathbf{4x-3}$

4-1

(1) $f^{-1}(3)=a$에서 $f(a)=3$이므로
$-2a+1=3,\ -2a=2\quad \therefore \mathbf{a=-1}$

(2) $f^{-1}(b)=7$에서 $f(7)=b$이므로
$-2\times7+1=b\quad \therefore \mathbf{b=-13}$

4-2

(1) $f^{-1}(2)=a$에서 $f(a)=2$이므로
$a+3=2\quad \therefore \mathbf{a=-1}$

(2) $f^{-1}(b)=1$에서 $f(1)=b$이므로
$1+3=b\quad \therefore \mathbf{b=4}$

5-1

(1) $f(1)=2$에서 $f^{-1}(2)=\mathbf{1}$

(2) $(f^{-1})^{-1}(1)=f(1)=\mathbf{2}$

(3) $(f^{-1}\circ f)(1)=I(1)=\mathbf{1}$

(4) $f(1)=2,\ g(2)=4$에서
$f^{-1}(2)=1,\ g^{-1}(4)=2$
$\therefore (g\circ f)^{-1}(4)=(f^{-1}\circ g^{-1})(4)$
$=f^{-1}(2)=\mathbf{1}$

5-2

(1) $g(1)=3$에서 $g^{-1}(3)=\mathbf{1}$

(2) $(g^{-1})^{-1}(1)=g(1)=\mathbf{3}$

(3) $(g\circ g^{-1})(2)=I(2)=\mathbf{2}$

(4) $f(3)=5,\ g(1)=3$에서
$f^{-1}(5)=3,\ g^{-1}(3)=1$
$\therefore (f\circ g)^{-1}(5)=(g^{-1}\circ f^{-1})(5)$
$=g^{-1}(3)=\mathbf{1}$

기초 유형

| 본문 146, 147쪽 |

1-1 **1, 1, 1, 2, 6**

1-2

$a>0$에서 함수 $y=f(x)$의 그래프는 오른쪽 그림과 같아야 하므로

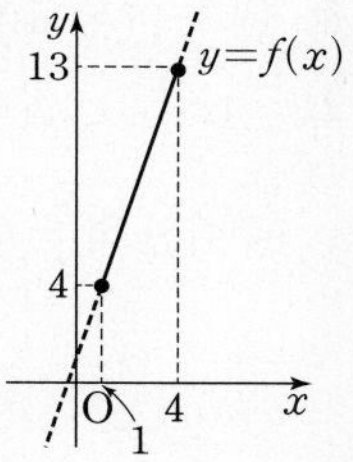

$f(1)=4$에서
$a+b=4$ ……㉠
$f(4)=13$에서
$4a+b=13$ ……㉡
㉠, ㉡을 연립하여 풀면 $\mathbf{a=3,\ b=1}$

2-1 **9, 17**

2-2

$(f\circ g)(3)+(g\circ f)(-2)=f(g(3))+g(f(-2))$
$=f(12)+g(-5)$
$=9+20=\mathbf{29}$

2-3

$(f\circ f)(k)=f(f(k))=f(3k-2)$
$=3(3k-2)-2$
$=9k-8$

이때 $(f\circ f)(k)=1$이므로
$9k-8=1,\ 9k=9\quad \therefore \mathbf{k=1}$

3-1 **2, 2, 4**

3-2

$f(1)=4$이므로 $f^{-1}(4)=1$
$f(2)=8$이므로 $f^{-1}(8)=2$
$\therefore f^{-1}(4)+f^{-1}(8)=1+2=\mathbf{3}$

4-1 **2, 4, 13**

4-2

$f(g^{-1}(30))$에서 $g^{-1}(30)=a$로 놓으면
$g(a)=30,\ 2a=30\quad \therefore a=15$
$\therefore f(g^{-1}(30))=f(15)=95$
$f^{-1}(g(30))=f^{-1}(55)$에서 $f^{-1}(55)=b$로 놓으면
$f(b)=55,\ 5b+20=55$
$5b=35\quad \therefore b=7$
$\therefore f^{-1}(g(30))=f^{-1}(55)=7$
$\therefore$ (주어진 식)$=f(g^{-1}(30))+f^{-1}(g(30))$
$=95+7=\mathbf{102}$

4-3

$(g\circ(f\circ g)^{-1}\circ g)(3)=(g\circ g^{-1}\circ f^{-1}\circ g)(3)$
$=(f^{-1}\circ g)(3)$
$=f^{-1}(g(3))$
$=f^{-1}(1)$

$f^{-1}(1)=k$로 놓으면 $f(k)=1$

$4k=1 \qquad \therefore k=\frac{1}{4}$

$\therefore$ (주어진 식)$=f^{-1}(1)=\mathbf{\frac{1}{4}}$

4주 3일 유리함수

개념 확인

| 본문 149, 151쪽 |

1-1

(1) $\frac{1}{x-1}+\frac{3}{x^2-1}$
$=\frac{1}{x-1}+\frac{3}{(x-1)(x+1)}$
$=\mathbf{\frac{x+4}{(x-1)(x+1)}}$

(2) $\frac{x+1}{x-2}-\frac{x-2}{x+1}=\frac{(x+1)^2-(x-2)^2}{(x-2)(x+1)}$
$=\frac{(x^2+2x+1)-(x^2-4x+4)}{(x-2)(x+1)}$
$=\mathbf{\frac{6x-3}{(x-2)(x+1)}}$

(3) $\frac{x}{x^2-2x-3}-\frac{x-1}{x^2+3x+2}$
$=\frac{x}{(x+1)(x-3)}-\frac{x-1}{(x+1)(x+2)}$
$=\frac{x(x+2)-(x-1)(x-3)}{(x+1)(x+2)(x-3)}$
$=\frac{(x^2+2x)-(x^2-4x+3)}{(x+1)(x+2)(x-3)}$
$=\mathbf{\frac{6x-3}{(x+1)(x+2)(x-3)}}$

1-2

(1) $\frac{3}{x+2}+\frac{2}{x+3}=\frac{3(x+3)+2(x+2)}{(x+2)(x+3)}$
$=\frac{(3x+9)+(2x+4)}{(x+2)(x+3)}$
$=\mathbf{\frac{5x+13}{(x+2)(x+3)}}$

(2) $\frac{x-2}{x^2+x-2}+\frac{3}{x+2}=\frac{x-2}{(x-1)(x+2)}+\frac{3}{x+2}$
$=\frac{(x-2)+3(x-1)}{(x-1)(x+2)}$
$=\mathbf{\frac{4x-5}{(x-1)(x+2)}}$

(3) $\frac{x-2}{x^2-x+1}-\frac{1}{x+1}+\frac{2x+5}{x^3+1}$
$=\frac{(x-2)(x+1)-(x^2-x+1)+2x+5}{(x+1)(x^2-x+1)}$
$=\frac{(x^2-x-2)-(x^2-x+1)+2x+5}{(x+1)(x^2-x+1)}$
$=\frac{2x+2}{(x+1)(x^2-x+1)}$
$=\mathbf{\frac{2}{x^2-x+1}}$

2-1

(1) $\frac{x+2}{x}\times\frac{2x}{x^2-4}=\frac{x+2}{x}\times\frac{2x}{(x+2)(x-2)}$
$=\mathbf{\frac{2}{x-2}}$

(2) $\frac{x^2-3x+2}{x-5}\div\frac{x-1}{x-5}=\frac{(x-1)(x-2)}{x-5}\times\frac{x-5}{x-1}$
$=\mathbf{x-2}$

(3) $\frac{x^2-5x+6}{x^2-x-12}\div\frac{x-3}{x-4}\times\frac{x^2-9}{x^2+2x-8}$
$=\frac{(x-2)(x-3)}{(x+3)(x-4)}\times\frac{x-4}{x-3}\times\frac{(x+3)(x-3)}{(x-2)(x+4)}$
$=\mathbf{\frac{x-3}{x+4}}$

2-2

(1) $\frac{x^2+x-2}{x^2-3x-4}\times\frac{x-4}{x^2-1}$
$=\frac{(x-1)(x+2)}{(x+1)(x-4)}\times\frac{x-4}{(x+1)(x-1)}$
$=\mathbf{\frac{x+2}{(x+1)^2}}$

(2) $\frac{x^2-5x-6}{x^2+x-6}\div\frac{x^2-36}{x^2+4x+3}$
$=\frac{x^2-5x-6}{x^2+x-6}\times\frac{x^2+4x+3}{x^2-36}$
$=\frac{(x+1)(x-6)}{(x-2)(x+3)}\times\frac{(x+1)(x+3)}{(x+6)(x-6)}$
$=\mathbf{\frac{(x+1)^2}{(x-2)(x+6)}}$

(3) $\frac{x^2-x}{4x^2-1}\times\frac{2x^2+5x+2}{x^2+3x-4}\div\frac{x+2}{x+4}$
$=\frac{x(x-1)}{(2x+1)(2x-1)}\times\frac{(2x+1)(x+2)}{(x+4)(x-1)}\times\frac{x+4}{x+2}$
$=\mathbf{\frac{x}{2x-1}}$

3-1

$y=-\frac{1}{x}$의 그래프를 x축의 방향으로 -3만큼, y축의 방향으로 1만큼 평행이동하면

$y-1=-\frac{1}{x-(-3)}$ $\quad\therefore$ $\boldsymbol{y=-\frac{1}{x+3}+1}$

3-2

$y=\frac{2}{x}$의 그래프를 x축의 방향으로 1만큼, y축의 방향으로 -2만큼 평행이동하면

$y-(-2)=\frac{2}{x-1}$ $\quad\therefore$ $\boldsymbol{y=\frac{2}{x-1}-2}$

4-1

(1) $y=\frac{1}{x-1}$의 그래프는 $y=\frac{1}{x}$의 그래프를 x축의 방향으로 1만큼 평행이동한 것이다.

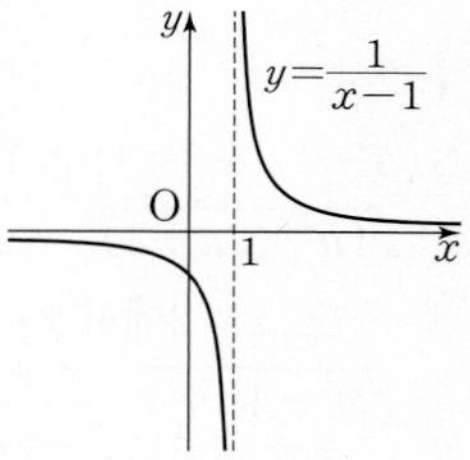

정의역 : $\{x|x\neq 1$인 실수$\}$

치역 : $\{y|y\neq 0$인 실수$\}$

점근선의 방정식 : $x=1,\ y=0$

(2) $y=-\frac{1}{x-3}-2$의 그래프는 $y=-\frac{1}{x}$의 그래프를 x축의 방향으로 3만큼, y축의 방향으로 -2만큼 평행이동한 것이다.

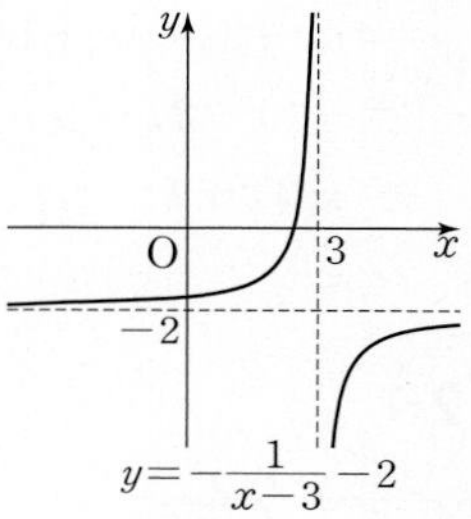

정의역 : $\{x|x\neq 3$인 실수$\}$

치역 : $\{y|y\neq -2$인 실수$\}$

점근선의 방정식 : $x=3,\ y=-2$

4-2

(1) $y=-\frac{2}{x}+1$의 그래프는 $y=-\frac{2}{x}$의 그래프를 y축의 방향으로 1만큼 평행이동한 것이다.

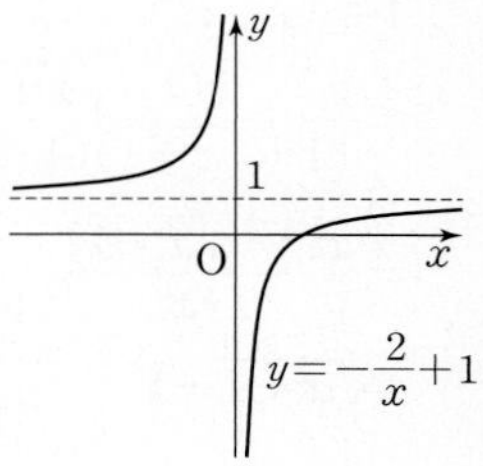

정의역 : $\{x|x\neq 0$인 실수$\}$

치역 : $\{y|y\neq 1$인 실수$\}$

점근선의 방정식 : $x=0,\ y=1$

(2) $y=\frac{1}{x+1}+4$의 그래프는 $y=\frac{1}{x}$의 그래프를 x축의 방향으로 -1만큼, y축의 방향으로 4만큼 평행이동한 것이다.

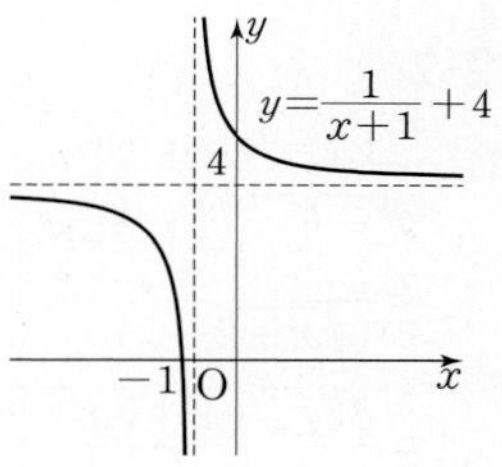

정의역 : $\{x|x\neq -1$인 실수$\}$

치역 : $\{y|y\neq 4$인 실수$\}$

점근선의 방정식 : $x=-1,\ y=4$

5-1

(1) $y=\frac{2-x}{x+5}=\frac{-(x+5)+7}{x+5}=\frac{7}{x+5}-1$

점근선의 방정식은 $x=-5$, $y=-1$이므로 이 함수의 그래프는 두 점근선의 교점 $(-5,\ -1)$에 대하여 대칭이다.

$\therefore$ $\boldsymbol{a=-5,\ b=-1}$

(2) $y=\frac{6x-5}{2x-1}=\frac{3(2x-1)-2}{2x-1}=-\frac{2}{2x-1}+3$

점근선의 방정식은 $x=\frac{1}{2}$, $y=3$이므로 이 함수의 그래프는 두 점근선의 교점 $\left(\frac{1}{2},\ 3\right)$에 대하여 대칭이다.

$\therefore$ $\boldsymbol{a=\frac{1}{2},\ b=3}$

5-2

(1) $y=\frac{3x-4}{x+2}=\frac{3(x+2)-10}{x+2}=-\frac{10}{x+2}+3$

점근선의 방정식은 $x=-2$, $y=3$이므로 이 함수의 그래프는 두 점근선의 교점 $(-2,\ 3)$에 대하여 대칭이다.

$\therefore$ $\boldsymbol{a=-2,\ b=3}$

(2) $y=\frac{-6x+1}{3x-2}=\frac{-2(3x-2)-3}{3x-2}=-\frac{3}{3x-2}-2$

점근선의 방정식은 $x=\frac{2}{3}$, $y=-2$이므로 이 함수의 그래프는 두 점근선의 교점 $\left(\frac{2}{3},\ -2\right)$에 대하여 대칭이다.

$\therefore$ $\boldsymbol{a=\frac{2}{3},\ b=-2}$

기초 유형

| 본문 152, 153쪽 |

1-1 **0, 10**

1-2

주어진 식의 좌변을 통분하여 정리하면

$$\frac{a}{x-3}+\frac{b}{x+1}=\frac{a(x+1)+b(x-3)}{(x-3)(x+1)}=\frac{(a+b)x+a-3b}{x^2-2x-3}$$

즉, $\frac{(a+b)x+a-3b}{x^2-2x-3}=\frac{2x+6}{x^2-2x-3}$이 x에 대한 항등식이므로

$a+b=2,\ a-3b=6$

두 식을 연립하여 풀면 $\boldsymbol{a=3,\ b=-1}$

참고 항등식의 성질

(1) $ax+b=0$이 x에 대한 항등식이면 $a=0,\ b=0$

(2) $ax+b=a'x+b'$이 x에 대한 항등식이면 $a=a',\ b=b'$

(3) $ax^2+bx+c=0$이 x에 대한 항등식이면 $a=0,\ b=0,\ c=0$

(4) $ax^2+bx+c=a'x^2+b'x+c'$이 x에 대한 항등식이면 $a=a',\ b=b',\ c=c'$

2-1 5, 5, 5, 5, 8

2-2

함수 $y=\frac{1}{x}$의 그래프를 x축의 방향으로 m만큼, y축의 방향으로 n만큼 평행이동하면

$y-n=\frac{1}{x-m}$ $\quad\therefore y=\frac{1}{x-m}+n$

이 식이 $y=\frac{2x+3}{x+1}=\frac{2(x+1)+1}{x+1}=\frac{1}{x+1}+2$와 일치하므로

$-m=1,\ n=2$ $\quad\therefore \boldsymbol{m=-1,\ n=2}$

3-1 1, 3, 1, 3, 4

3-2

$y=\frac{ax+3}{x-b}=\frac{a(x-b)+ab+3}{x-b}=\frac{ab+3}{x-b}+a$

점근선의 방정식은 $x=b,\ y=a$이므로

$\boldsymbol{a=3,\ b=2}$

다른 풀이

점근선의 방정식이 $x=2,\ y=3$이므로 주어진 함수를

$y=\frac{k}{x-2}+3\ (k\neq0)$으로 놓을 수 있다.

이때 $y=\frac{k}{x-2}+3=\frac{k+3(x-2)}{x-2}=\frac{3x+k-6}{x-2}$이므로

$a=3,\ b=2$

참고 $k-6=3$에서 $k=9$

4-1 3, 3, 3, 3

4-2

함수 $y=\frac{ax+b}{x+c}$의 그래프가 점 $(0,\ 2)$를 지나므로

$2=\frac{b}{c}$ $\quad\therefore b=2c$ ……㉠

$y=\frac{ax+b}{x+c}=\frac{a(x+c)-ca+b}{x+c}=\frac{-ca+b}{x+c}+a$

이므로 점근선의 방정식은 $x=-c,\ y=a$

이 함수의 그래프는 두 점근선의 교점 $(-c,\ a)$에 대하여 대칭이므로 $-c=2,\ a=1$ $\quad\therefore a=1,\ c=-2$

$c=-2$를 ㉠에 대입하면 $b=-4$

$\therefore a-b-c=\boldsymbol{7}$

다른 풀이

(점근선의 방정식은 $x=2,\ y=1$)

주어진 함수의 그래프가 점 $(2,\ 1)$에 대하여 대칭이므로

$y=\frac{k}{x-2}+1\ (k\neq0)$로 놓을 수 있다.

이 그래프가 점 $(0,\ 2)$를 지나므로

$2=-\frac{k}{2}+1$ $\quad\therefore k=-2$

따라서 $y=\frac{-2}{x-2}+1=\frac{-2+(x-2)}{x-2}=\frac{x-4}{x-2}$이므로

$a=1,\ b=-4,\ c=-2$ $\quad\therefore a-b-c=7$

4주 4일 무리함수

개념 확인

| 본문 155, 157쪽 |

1-1

(1) $a\geq1$에서 $a-1\geq0$이므로

$\sqrt{(a-1)^2}=|a-1|=\boldsymbol{a-1}$

(2) $-3\leq x\leq1$에서 $1-x\geq0,\ x+3\geq0$이므로

$\sqrt{(1-x)^2}-\sqrt{(x+3)^2}=|1-x|-|x+3|$

$=(1-x)-(x+3)$

$=\boldsymbol{-2x-2}$

1-2

(1) $a^2-2a+3=(a-1)^2+2>0$이므로

$\sqrt{(a^2-2a+3)^2}=|a^2-2a+3|=\boldsymbol{a^2-2a+3}$

(2) $-1\leq x<2$에서 $x-2<0,\ x+1\geq0$이므로

$\sqrt{x^2-4x+4}-\sqrt{x^2+2x+1}$

$=\sqrt{(x-2)^2}-\sqrt{(x+1)^2}$

$=|x-2|-|x+1|$

$=-(x-2)-(x+1)$

$=\boldsymbol{-2x+1}$

2-1

(1) $\frac{1}{\sqrt{x}+\sqrt{x-1}}$

$=\frac{\sqrt{x}-\sqrt{x-1}}{(\sqrt{x}+\sqrt{x-1})(\sqrt{x}-\sqrt{x-1})}$

$=\boldsymbol{\sqrt{x}-\sqrt{x-1}}$

(2) $\frac{x}{1+\sqrt{x+1}}$

$=\frac{x(1-\sqrt{x+1})}{(1+\sqrt{x+1})(1-\sqrt{x+1})}$

$=\frac{x(1-\sqrt{x+1})}{-x}$

$=\boldsymbol{\sqrt{x+1}-1}$

2-2

(1) $\frac{4}{\sqrt{x+2}-\sqrt{x-2}}$

$=\frac{4(\sqrt{x+2}+\sqrt{x-2})}{(\sqrt{x+2}-\sqrt{x-2})(\sqrt{x+2}+\sqrt{x-2})}$

$=\frac{4(\sqrt{x+2}+\sqrt{x-2})}{4}$

$=\boldsymbol{\sqrt{x+2}+\sqrt{x-2}}$

(2) $\dfrac{x}{\sqrt{x^2+x}+x}=\dfrac{x(\sqrt{x^2+x}-x)}{(\sqrt{x^2+x}+x)(\sqrt{x^2+x}-x)}$

$=\dfrac{x(\sqrt{x^2+x}-x)}{x}=\boldsymbol{\sqrt{x^2+x}-x}$

3-1

$\dfrac{1}{1-\sqrt{x}}+\dfrac{1}{1+\sqrt{x}}=\dfrac{(1+\sqrt{x})+(1-\sqrt{x})}{(1-\sqrt{x})(1+\sqrt{x})}=\dfrac{2}{1-x}$

$x=\sqrt{2}+1$을 대입하면

$\dfrac{2}{1-x}=\dfrac{2}{1-(\sqrt{2}+1)}=\dfrac{2}{-\sqrt{2}}$

$=\dfrac{2\sqrt{2}}{-\sqrt{2}\sqrt{2}}=-\dfrac{2\sqrt{2}}{2}=\boldsymbol{-\sqrt{2}}$

3-2

$\dfrac{1}{1+\sqrt{x+1}}+\dfrac{1}{1-\sqrt{x+1}}=\dfrac{(1-\sqrt{x+1})+(1+\sqrt{x+1})}{(1+\sqrt{x+1})(1-\sqrt{x+1})}$

$=\dfrac{2}{1-(x+1)}$

$=-\dfrac{2}{x}$

$x=\sqrt{3}+1$을 대입하면

$-\dfrac{2}{x}=-\dfrac{2}{\sqrt{3}+1}=-\dfrac{2(\sqrt{3}-1)}{(\sqrt{3}+1)(\sqrt{3}-1)}$

$=-\dfrac{2(\sqrt{3}-1)}{2}=\boldsymbol{1-\sqrt{3}}$

4-1

(1) $y=\sqrt{2x}$의 그래프를 x축의 방향으로 3만큼, y축의 방향으로 2만큼 평행이동하면

$y-2=\sqrt{2(x-3)}$ $\quad\therefore$ $\boldsymbol{y=\sqrt{2x-6}+2}$

(2) $y=-\sqrt{x}$의 그래프를 x축의 방향으로 -1만큼, y축의 방향으로 4만큼 평행이동하면

$y-4=-\sqrt{x-(-1)}$ $\quad\therefore$ $\boldsymbol{y=-\sqrt{x+1}+4}$

4-2

(1) 함수 $y=\sqrt{-x}$의 그래프를 x축의 방향으로 2만큼, y축의 방향으로 -1만큼 평행이동하면

$y-(-1)=\sqrt{-(x-2)}$ $\quad\therefore$ $\boldsymbol{y=\sqrt{-x+2}-1}$

(2) 함수 $y=-\sqrt{-3x}$의 그래프를 x축의 방향으로 1만큼, y축의 방향으로 2만큼 평행이동하면

$y-2=-\sqrt{-3(x-1)}$ $\quad\therefore$ $\boldsymbol{y=-\sqrt{-3x+3}+2}$

5-1

(1) $y=\sqrt{x-2}$의 그래프는 $y=\sqrt{x}$의 그래프를 x축의 방향으로 2만큼 평행이동한 것이다.

정의역 : $\{x\,|\,x\geq 2\}$

치역 : $\{y\,|\,y\geq 0\}$

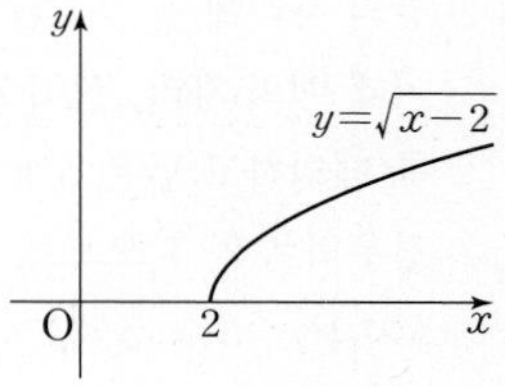

(2) $y=\sqrt{6-3x}+1$

$=\sqrt{-3(x-2)}+1$

의 그래프는 $y=\sqrt{-3x}$의 그래프를 x축의 방향으로 2만큼, y축의 방향으로 1만큼 평행이동한 것이다.

정의역 : $\{x\,|\,x\leq 2\}$

치역 : $\{y\,|\,y\geq 1\}$

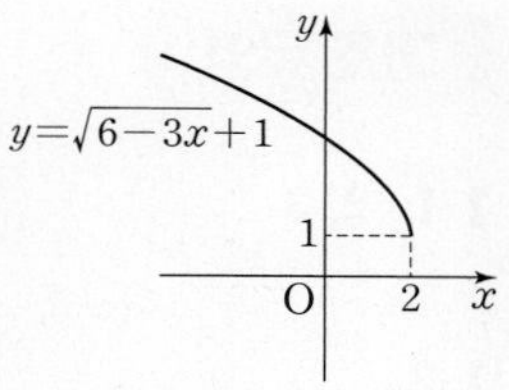

5-2

(1) $y=\sqrt{-x}+3$의 그래프는 $y=\sqrt{-x}$의 그래프를 y축의 방향으로 3만큼 평행이동한 것이다.

정의역 : $\{x\,|\,x\leq 0\}$

치역 : $\{y\,|\,y\geq 3\}$

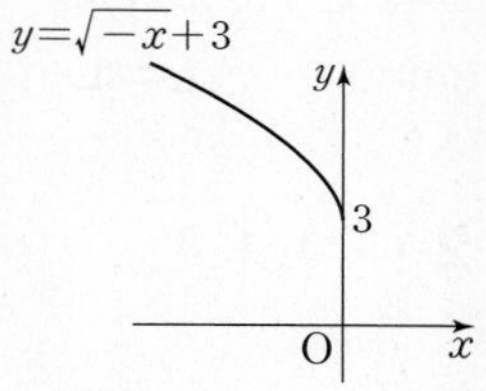

(2) $y=-\sqrt{2x-6}=-\sqrt{2(x-3)}$

의 그래프는 $y=-\sqrt{2x}$의 그래프를 x축의 방향으로 3만큼 평행이동한 것이다.

정의역 : $\{x\,|\,x\geq 3\}$

치역 : $\{y\,|\,y\leq 0\}$

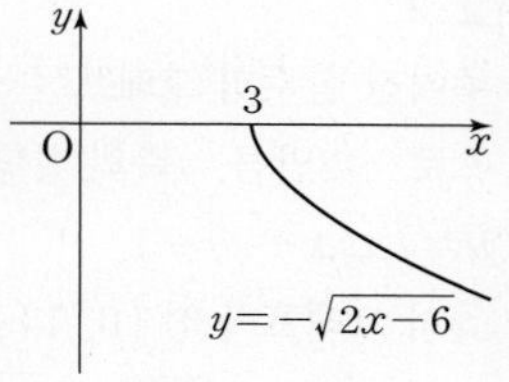

6-1

(1) $0\leq x\leq 3$에서 함수

$y=\sqrt{4-x}+3=\sqrt{-(x-4)}+3$

의 그래프는 오른쪽 그림과 같으므로

$x=0$일 때 **최댓값 5**,

$x=3$일 때 **최솟값 4**

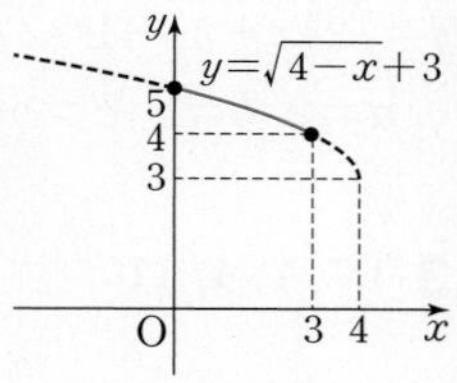

(2) $1\leq x\leq 5$에서 함수

$y=\sqrt{2x-1}+1=\sqrt{2\left(x-\dfrac{1}{2}\right)}+1$

의 그래프는 오른쪽 그림과 같으므로

$x=5$일 때 **최댓값 4**,

$x=1$일 때 **최솟값 2**

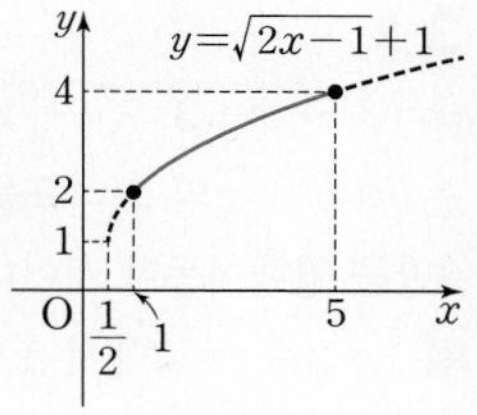

6-2

(1) $-2\leq x\leq 1$에서 함수

$y=\sqrt{-3x+3}=\sqrt{-3(x-1)}$

의 그래프는 오른쪽 그림과 같으므로

$x=-2$일 때 **최댓값 3**,

$x=1$일 때 **최솟값 0**

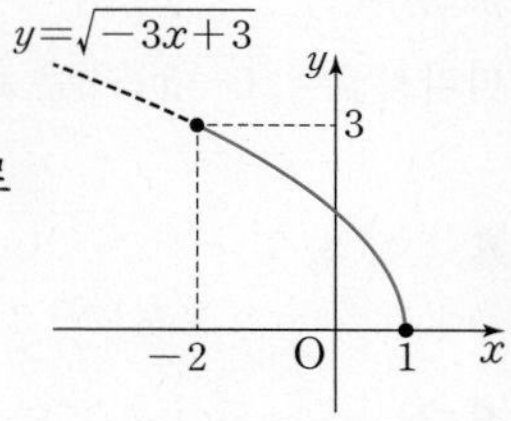

(2) $-1\leq x\leq 2$에서 함수

$y=\sqrt{4x+8}-1=\sqrt{4(x+2)}-1$

의 그래프는 오른쪽 그림과 같으므로

$x=2$일 때 **최댓값 3**,

$x=-1$일 때 **최솟값 1**

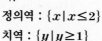

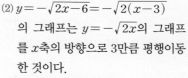

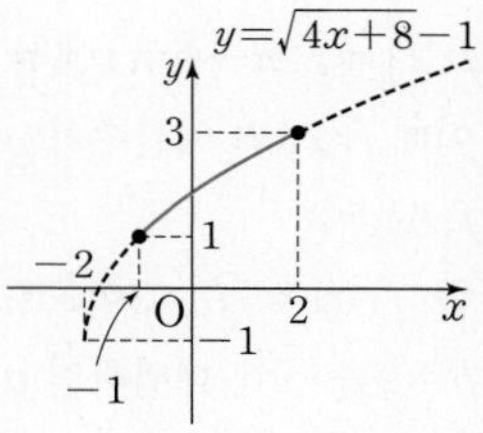

기초 유형

| 본문 158, 159쪽 |

1-1 2, 3

1-2

함수 $y=\sqrt{ax}$의 그래프를 x축의 방향으로 -2만큼, y축의 방향으로 -3만큼 평행이동하면

$y+3=\sqrt{a(x+2)}$ $\therefore y=\sqrt{a(x+2)}-3$

이 함수의 그래프가 점 $(1,\ 0)$을 지나므로

$0=\sqrt{3a}-3,\ 3=\sqrt{3a}$

$3a=9$ $\therefore \boldsymbol{a=3}$

2-1 1, 1, 1, 3

2-2

주어진 함수의 그래프는 $y=\sqrt{ax}\ (a>0)$의 그래프를 x축의 방향으로 -2만큼, y축의 방향으로 -1만큼 평행이동한 것이므로

$y=\sqrt{a(x+2)}-1$ ······㉠

㉠의 그래프가 점 $(0,\ 1)$을 지나므로

$1=\sqrt{2a}-1,\ \sqrt{2a}=2$

$2a=4$ $\therefore a=2$

$a=2$를 ㉠에 대입하면

$y=\sqrt{2(x+2)}-1=\sqrt{2x+4}-1$

$\therefore \boldsymbol{a=2,\ b=4,\ c=-1}$

3-1 7, 7, 4, 11

3-2

$y=\sqrt{a-x}+3=\sqrt{-(x-a)}+3$이므로 $y=\sqrt{a-x}+3$의 그래프는 $y=\sqrt{-x}$의 그래프를 x축의 방향으로 a만큼, y축의 방향으로 3만큼 평행이동한 것이다.

즉, $-3\le x\le 2$에서 $x=-3$일 때 최댓값 6을 갖고, $x=2$일 때 최솟값을 가지므로

$6=\sqrt{a-(-3)}+3,\ 3=\sqrt{a+3}$

$9=a+3$ $\therefore a=6$

따라서 $y=\sqrt{6-x}+3$은 $x=2$일 때 최솟값 **5**를 갖는다.

4-1 4, 3, 7

4-2

$f(2)=\sqrt{2a+b}=1$에서 $2a+b=1$ ······㉠

이때 $f(x)$의 역함수가 $g(x)$이고 $g(3)=0$이므로

$f(0)=3$

즉, $f(0)=\sqrt{b}=3$이므로 $\boldsymbol{b=9}$

$b=9$를 ㉠에 대입하면 $\boldsymbol{a=-4}$

4주 5일 경우의 수

개념 확인

| 본문 161, 163쪽 |

1-1

(1) ${}_3P_2=3\times2=\boldsymbol{6}$

(2) ${}_6P_0=\boldsymbol{1}$

(3) ${}_4P_4=4!=4\times3\times2\times1=\boldsymbol{24}$

(4) ${}_7P_1=\boldsymbol{7}$

1-2

(1) ${}_6P_3=6\times5\times4=\boldsymbol{120}$

(2) ${}_5P_5=5!=5\times4\times3\times2\times1=\boldsymbol{120}$

(3) ${}_{10}P_0=\boldsymbol{1}$

(4) ${}_4P_3=4\times3\times2=\boldsymbol{24}$

2-1

(1) ${}_nP_2=n(n-1)$이므로

$n(n-1)=20=5\times4$ $\therefore \boldsymbol{n=5}$

(2) ${}_9P_r=72=9\times8$이므로 $\boldsymbol{r=2}$

2-2

(1) ${}_nP_3=n(n-1)(n-2)$이므로

$n(n-1)(n-2)=210=7\times6\times5$ $\therefore \boldsymbol{n=7}$

(2) ${}_{12}P_r=1320=12\times11\times10$이므로 $\boldsymbol{r=3}$

3-1

(1) 서로 다른 5개의 숫자에서 4개를 뽑아 일렬로 나열하는 경우의 수와 같으므로

${}_5P_4=5\times4\times3\times2=\boldsymbol{120}$

(2) 일의 자리에 올 수 있는 숫자는 2, 4의 2가지이다.

이때 천의 자리, 백의 자리, 십의 자리에는 일의 자리에 온 숫자를 제외하고 남은 4개의 숫자에서 3개를 뽑아 일렬로 나열하는 경우의 수와 같으므로 구하는 짝수의 개수는

$2\times{}_4P_3=2\times(4\times3\times2)=\boldsymbol{48}$

3-2

(1) 천의 자리에 올 수 있는 숫자는 0을 제외한 5가지이다.

이때 백의 자리, 십의 자리, 일의 자리에는 천의 자리에 온 숫자를 제외하고 남은 5개의 숫자에서 3개를 뽑아 일렬로 나열하는 경우의 수와 같으므로 구하는 네 자리 자연수의 개수는

$5\times{}_5P_3=5\times(5\times4\times3)=\boldsymbol{300}$

(2) (i) ×××0 꼴인 경우

천의 자리, 백의 자리, 십의 자리에는 0을 제외하고 남은 5개의 숫자에서 3개를 뽑아 일렬로 나열하는 경우의 수와 같으므로

$_5P_3=5\times4\times3=60$

(ii) ×××5 꼴인 경우

천의 자리에 올 수 있는 숫자는 0을 제외한 4가지이다.

이때 백의 자리, 십의 자리에는 남은 4개의 숫자에서 2개를 뽑아 일렬로 나열하는 경우의 수와 같으므로

$4\times{}_4P_2=4\times(4\times3)=48$

(i), (ii)에서 구하는 5의 배수의 개수는

$60+48=\mathbf{108}$

4-1

(1) $_4C_2=\frac{_4P_2}{2!}=\frac{4\times3}{2\times1}=\mathbf{6}$

(2) $_5C_5=\mathbf{1}$

(3) $_{11}C_0=\mathbf{1}$

(4) $_{10}C_8={}_{10}C_2=\frac{_{10}P_2}{2!}=\frac{10\times9}{2\times1}=\mathbf{45}$

4-2

(1) $_6C_3=\frac{_6P_3}{3!}=\frac{6\times5\times4}{3\times2\times1}=\mathbf{20}$

(2) $_{11}C_8={}_{11}C_3=\frac{_{11}P_3}{3!}=\frac{11\times10\times9}{3\times2\times1}=\mathbf{165}$

(3) $_9C_9=\mathbf{1}$

(4) $_5C_0=\mathbf{1}$

5-1

(1) $\frac{n(n-1)(n-2)}{3\times2\times1}=20$, $n(n-1)(n-2)=120$

이때 $120=6\times5\times4$이므로 $\boldsymbol{n=6}$

(2) $_8C_r={}_8C_{r-2}$에서 $r=r-2$ 또는 $8-r=r-2$

이때 $r\neq r-2$이므로

$2r=10$ $\therefore$ $\boldsymbol{r=5}$

5-2

(1) $\frac{n(n-1)}{2\times1}=21$, $n(n-1)=42$

이때 $42=7\times6$이므로 $\boldsymbol{n=7}$

(2) $_{12}C_1+{}_{12}C_2={}_{13}C_2$이므로 $_{13}C_2={}_{13}C_r$에서

$2=r$ 또는 $13-2=r$

$\therefore$ $\boldsymbol{r=2}$ **또는** $\boldsymbol{r=11}$

6-1

(1) 전체 9명 중에서 3명을 뽑으면 되므로 구하는 경우의 수는

$_9C_3=\frac{9\times8\times7}{3\times2\times1}=\mathbf{84}$

(2) 남학생 4명 중에서 3명을 뽑는 경우의 수는

$_4C_3={}_4C_1=4$

따라서 구하는 경우의 수는 $84-4=\mathbf{80}$

6-2

(1) 전체 9개의 공 중에서 5개를 꺼내면 되므로 구하는 경우의 수는

$_9C_5={}_9C_4=\frac{9\times8\times7\times6}{4\times3\times2\times1}=\mathbf{126}$

(2) 검은 공 6개 중에서 4개를 꺼내는 경우의 수는

$_6C_4={}_6C_2=\frac{6\times5}{2\times1}=15$

흰 공 3개 중에서 1개를 꺼내는 경우의 수는 $_3C_1=3$

따라서 구하는 경우의 수는

$15\times3=\mathbf{45}$

기초 유형

| 본문 164, 165쪽 |

1-1 $\boldsymbol{n}$, 11

1-2

$4\times{}_nP_4=5\times{}_{n-1}P_4$에서

$4n(n-1)(n-2)(n-3)=5(n-1)(n-2)(n-3)(n-4)$

$4n=5(n-4)$, $4n=5n-20$ $\therefore$ $\boldsymbol{n=20}$

2-1 2, 6, 6, 36

2-2

남학생 3명이 한 줄로 서는 경우의 수는

$3!=3\times2\times1=6$

양끝과 남학생 사이사이에 여학생 2명이 서는 경우의 수는

$_4P_2=4\times3=12$

따라서 구하는 경우의 수는

$6\times12=\mathbf{72}$

3-1 7, 21, 7

3-2

$_nP_r=210$에서 $\frac{n!}{(n-r)!}=210$ ……㉠

$_nC_r=35$에서 $\frac{n!}{r!(n-r)!}=35$ ……㉡

㉠÷㉡을 하면 $r!=6=3\times2\times1$ $\therefore$ $r=3$

따라서 $_nP_3=210$이므로

$n(n-1)(n-2)=210=7\times6\times5$ $\therefore$ $n=7$

$\therefore$ $n+r=\mathbf{10}$

4-1 **4, 4, 60**

4-2

4개의 짝수 2, 4, 6, 8이 각각 적힌 4개의 공 중에서 2개를 뽑는 경우의 수는

${}_4C_2=\frac{4\times3}{2\times1}=6$

5개의 홀수 1, 3, 5, 7, 9가 각각 적힌 5개의 공 중에서 1개를 뽑는 경우의 수는 ${}_5C_1=5$

따라서 구하는 경우의 수는

$6\times5=\mathbf{30}$

누구나 100점 테스트

본문 166, 167쪽

1 답 ①

주어진 명제가 참이 되려면 $a^2+6a-7=0$을 만족시켜야 한다.

$a^2+6a-7=0$에서 $(a-1)(a+7)=0$

$\therefore a=1$ 또는 $a=-7$

이때 a는 양수이므로 $a=1$

2 답 24

두 조건 p, q의 진리집합을 각각 P, Q라 하면

$P=\{x|k\le x\le k+2\}$, $Q=\{x|6<x<12\}$

이때 p가 q이기 위한 충분조건이 되려면 $P\subset Q$이어야 하므로

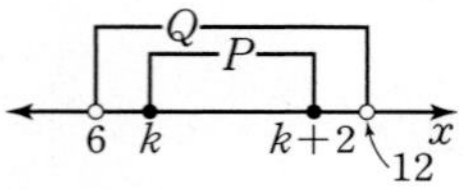

$k>6$, $k+2<12$ $\quad\therefore 6<k<10$

따라서 정수 k는 7, 8, 9이므로 모든 k의 값의 합은

$7+8+9=24$

3 답 ③

$(g\circ f)(1)=g(f(1))=g(4)=3$

4 답 ⑤

$(f^{-1}\circ g)(1)=f^{-1}(g(1))=f^{-1}(1)$

$f^{-1}(1)=k$로 놓으면 $f(k)=1$이므로

$k-10=1$ $\quad\therefore k=11$

$\therefore (f^{-1}\circ g)(1)=f^{-1}(1)=11$

다른 풀이

$y=x-10$에서 x를 y로 나타내면 $x=y+10$

x와 y를 서로 바꾸면

$y=x+10$ $\quad\therefore f^{-1}(x)=x+10$

$\therefore (f^{-1}\circ g)(1)=f^{-1}(g(1))=f^{-1}(1)=11$

5 답 ②

함수 $y=\frac{2}{x}$의 그래프를 x축의 방향으로 a만큼, y축의 방향으로 b만큼 평행이동하면

$y-b=\frac{2}{x-a}$ $\quad\therefore y=\frac{2}{x-a}+b$

이 식이 $y=\frac{3x-1}{x-1}=\frac{3(x-1)+2}{x-1}=\frac{2}{x-1}+3$과 일치하므로

$a=1$, $b=3$ $\quad\therefore a+b=4$

6 답 ②

$f(x)=\frac{ax+1}{x+b}=\frac{a(x+b)-ab+1}{x+b}=\frac{-ab+1}{x+b}+a$

점근선의 방정식은 $x=-b$, $y=a$이므로

$-b=2$, $a=3$ $\quad\therefore a=3$, $b=-2$

따라서 $f(x)=\frac{3x+1}{x-2}$이므로

$f(4)=\frac{12+1}{4-2}=\frac{13}{2}$

다른 풀이

점근선의 방정식이 $x=2$, $y=3$이므로 주어진 함수를

$f(x)=\frac{k}{x-2}+3$ $(k\neq0)$으로 놓을 수 있다.

이때 $f(x)=\frac{k}{x-2}+3=\frac{3x-6+k}{x-2}$ $(k\neq0)$이므로

$a=3$, $b=-2$

따라서 $f(x)=\frac{3x+1}{x-2}$이므로

$f(4)=\frac{12+1}{4-2}=\frac{13}{2}$

7 답 ③

함수 $y=\sqrt{2x}$의 그래프를 x축의 방향으로 1만큼, y축의 방향으로 3만큼 평행이동하면

$y-3=\sqrt{2(x-1)}$ $\quad\therefore y=\sqrt{2x-2}+3$

이 함수의 그래프가 점 $(9, a)$를 지나므로

$a=\sqrt{2\times9-2}+3=4+3=7$

8 답 ④

$f^{-1}(5)=k$로 놓으면 $f(k)=5$

$\sqrt{2k-4}+3=5$, $\sqrt{2k-4}=2$

$2k-4=4$, $2k=8$ $\quad\therefore k=4$

$\therefore f^{-1}(5)=4$

9 답 ⑤

서로 다른 6개 중에서 3개를 택하는 조합의 수와 같으므로

${}_6C_3=\frac{6\times5\times4}{3\times2\times1}=20$

10 답 ③

(i) 첫째날 2팀, 둘째날 3팀이 공연하는 경우

공연하는 팀을 정하는 경우의 수는

${}_5C_2\times{}_3C_3=\dfrac{5\times4}{2}\times1=10$

각각에 대하여 각 팀의 공연 순서를 정하는 경우의 수는

$2!\times3!=12$

따라서 경우의 수는 $10\times12=120$

(ii) 첫째날 3팀, 둘째날 2팀이 공연하는 경우

공연하는 팀을 정하는 경우의 수는

${}_5C_3\times{}_2C_2={}_5C_2\times{}_2C_2=\dfrac{5\times4}{2}\times1=10$

각각에 대하여 각 팀의 공연 순서를 정하는 경우의 수는

$3!\times2!=12$

따라서 경우의 수는 $10\times12=120$

(i), (ii)에서 구하는 경우의 수는

$120+120=240$

창의·융합·코딩

본문 168~173쪽

정답 **72**

그림과 같이 한 줄에 3개씩 모두 6개의 좌석이 있는 케이블카가 있다. 두 학생 A, B를 포함한 5명의 학생이 이 케이블카에 탑승하여 A, B는 같은 줄의 좌석에 앉고❶ 나머지 세 명은 맞은편 줄의 좌석에 앉는 경우의 수를❷ 구하시오.

[2019 3월 실시 고2 교육청 가형 10번]

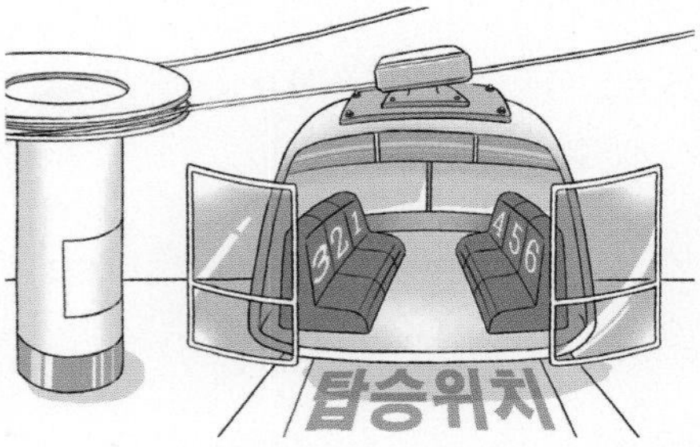

❶ A, B가 두 개의 줄 중 하나의 줄을 택하여 앉는 경우의 수를 구한다.
❷ A, B를 제외한 세 명이 하나의 줄에 앉는 경우의 수를 구한다.

❶ A, B가 앉는 줄을 선택하는 경우의 수는 2, 한 줄에 놓인 3개의 좌석에서 2개의 좌석을 택하여 앉는 경우의 수는

${}_3P_2=3\times2=6$

그러므로 A, B가 같은 줄의 좌석에 앉는 경우의 수는

$2\times6=12$

❷ 나머지 세 명이 맞은편 줄의 좌석에 앉는 경우의 수는

$3!=6$

따라서 구하는 경우의 수는 $12\times6=72$

1 답 **모든, >, 9**

2 답 **ㄱ, ㄴ**

❶ ㄱ. $a=0$일 때, $0\times(x-1)(x-2)<0$이므로 이 부등식을 만족시키는 실수 x는 존재하지 않는다.

$\therefore P=\varnothing$ (참)

❷ ㄴ. $a>0$, $b=0$일 때

$P=\{x\,|\,a(x-1)(x-2)<0\}=\{x\,|\,(x-1)(x-2)<0\}$

$=\{x\,|\,1<x<2\}$

$Q=\{x\,|\,x>0\}$

이므로 $P\subset Q$ (참)

❸ ㄷ. $a<0$, $b=3$일 때

$P=\{x\,|\,a(x-1)(x-2)<0\}=\{x\,|\,(x-1)(x-2)>0\}$

$=\{x\,|\,x<1$ 또는 $x>2\}$

$\therefore P^C=\{x\,|\,1\le x\le2\}$

$Q=\{x\,|\,x>3\}$

따라서 $P^C\not\subset Q$이므로 명제 '$\sim p$이면 q이다.'는 거짓이다.

❹ 따라서 옳은 것은 ㄱ, ㄴ이다.

3 답 **4**

❶ 두 조건 p, q의 진리집합을 각각 P, Q라 하면

$P=\{x\,|\,|x-1|\le3\}=\{x\,|\,-3\le x-1\le3\}$

$=\{x\,|\,-2\le x\le4\}$

$Q=\{x\,|\,|x|\le a\}=\{x\,|\,-a\le x\le a\}$ ($\because a>0$)

❷ p가 q이기 위한 충분조건이 되려면 $P\subset Q$이어야 하므로

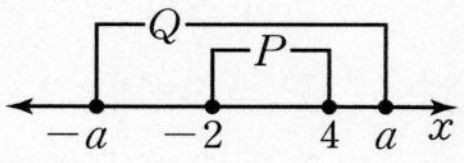

$-a\le-2$, $4\le a$ $\qquad\therefore a\ge4$

❸ 따라서 구하는 자연수 a의 최솟값은 4이다.

4 답 **$-a$, 8, 16**

5 답 **5**

❶ 함수 $y=\sqrt{4-2x}+3$의 역함수의 그래프와 직선 $y=-x+k$의 위치 관계는 함수 $y=\sqrt{4-2x}+3$의 그래프와 함수 $y=-x+k$의 역함수의 그래프의 위치 관계와 같다.

이때 $y=-x+k$의 역함수는

$x=-y+k$ $\qquad\therefore y=-x+k$

즉, 함수 $y=\sqrt{4-2x}+3$의 그래프와 직선 $y=-x+k$가 서로 다른 두 점에서 만나도록 하는 실수 k의 최솟값을 구하면 된다.

❷ 오른쪽 그림과 같이 직선 $y=-x+k$가 점 $(2, 3)$을 지날 때, k의 값이 최소가 된다.

따라서 구하는 k의 최솟값은

$3=-2+k$ $\qquad\therefore k=5$

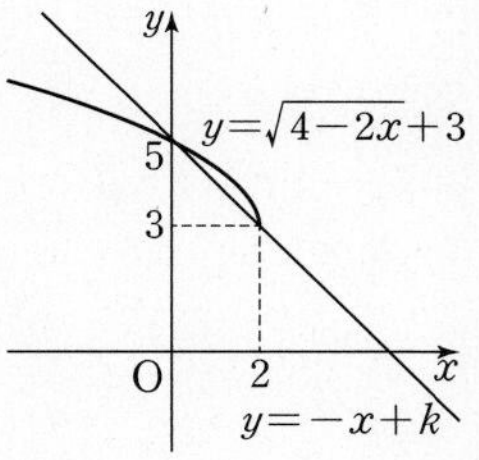

6 답 **960**

❶ 5명의 학생에게 꽃 4송이와 초콜릿 2개를 포함한 6개를 남김없이 나누어 주려면 어느 한 학생이 2개를 받아야 한다.

❷ 이때 아무것도 받지 못하는 학생이 없도록 나누어 주어야 하므로

(i) 1명의 학생이 초콜릿 2개를 받는 경우

초콜릿 2개를 받는 학생을 정하는 경우의 수는 5

나머지 4명의 학생에게 꽃을 각각 1송이씩 나누어 주는 경우의 수는

$4!=4\times3\times2\times1=24$

따라서 1명의 학생이 초콜릿 2개를 받는 경우의 수는

$5\times24=120$

(ii) 1명의 학생이 꽃 2송이를 받는 경우

꽃 2송이를 받는 학생을 정하는 경우의 수는 5

4송이의 꽃 중에서 2송이의 꽃을 고르는 경우의 수는

${}_4C_2=\frac{4\times3}{2\times1}=6$

남은 2송이의 꽃을 받는 학생을 정하는 경우의 수는

${}_4P_2=4\times3=12$

꽃을 받지 못한 2명의 학생에게 초콜릿을 각각 1개씩 나누어 주는 경우의 수는 1

따라서 1명의 학생이 꽃 2송이를 받는 경우의 수는

$5\times6\times12\times1=360$

(iii) 1명의 학생이 꽃 1송이와 초콜릿 1개를 받는 경우

4송이의 꽃을 4명의 학생에게 각각 1송이씩 나누어 주는 경우의 수는

${}_5P_4=5\times4\times3\times2=120$

꽃을 받지 못한 학생에게 초콜릿 1개를 주고 꽃을 받은 학생 중 1명을 택해 남은 초콜릿 1개를 주는 경우의 수는

${}_4C_1=4$

따라서 1명의 학생이 꽃 1송이와 초콜릿 1개를 받는 경우의 수는

$120\times4=480$

❸ (i), (ii), (iii)에서 구하는 경우의 수는

$120+360+480=960$

memo

memo

memo

memo

거북목은 이제 안녕~!
목 스트레칭

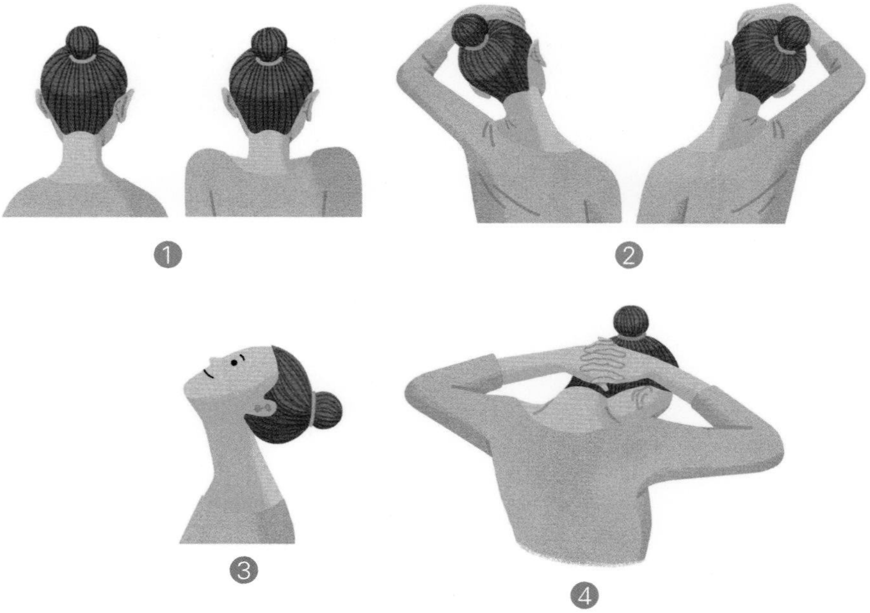

스마트폰 이용 시간이 갈수록 길어지면서, 거북목으로 고생하는 사람이 늘어나고 있습니다. 거북목이 심해지면 관절염은 물론 호흡기 계통의 질병도 생길 수 있다고 해요. 주기적인 스트레칭으로 목 건강을 지켜 주세요.

❶ 어깨에 힘을 빼고 위로 올렸다, 아래로 떨어뜨리기를 3회 정도 반복해 주세요.

❷ 척추를 바르게 펴고, 고개를 왼쪽으로 젖혀 줍니다. 10초 정도 유지한 다음, 오른쪽도 똑같이 반복해 주세요.

❸ 고개를 천천히 뒤로 젖혀 줍니다. 10초 동안 유지합니다.

❹ 두 손으로 깍지를 끼고, 목을 앞으로 굽힌 후 목덜미를 지그시 눌러 주세요. 목이 아프고 뻐근할 때마다 위 과정을 반복하시면 됩니다.

정답은
이안에
있어!